国家出版基金项目
NATIONAL PUBLICATION FOUNDATION

“十四五”国家重点图书出版规划项目
国家出版基金资助项目

# 中国德育研究大系

## 中国德育研究新进展

总 主 编 | 檀传宝

本册著者 | 叶　飞

长江出版传媒 | 湖北教育出版社

**图书在版编目（CIP）数据**

中国德育研究新进展 / 叶飞著. -- 武汉 : 湖北教育出版社, 2023.12
（中国德育研究大系）
ISBN 978-7-5564-5985-8

Ⅰ. ①中… Ⅱ. ①叶… Ⅲ. ①德育—研究—中国 Ⅳ. ①G41

中国国家版本馆CIP数据核字(2023)第191480号

ZHONGGUO DEYU YANJIU DAXI · ZHONGGUO DEYU YANJIU XINJINZHAN

**中国德育研究大系·中国德育研究新进展**

| | | | | | |
|---|---|---|---|---|---|
| 出品人 | 方 平 | | | | |
| 责任编辑 | 李晋阳 | 责任校对 | 李庆华 | 封面设计 | 荆棘设计 |
| 版式设计 | 刘静文 | 责任督印 | 刘牧原 | | |

| | | | |
|---|---|---|---|
| 出版发行 | 长江出版传媒 | 430070 | 武汉市雄楚大道 268 号 |
| | 湖北教育出版社 | 430070 | 武汉市雄楚大道 268 号 |
| 经 销 | 新华书店 | | |
| 网 址 | http://www.hbedup.com | | |
| 印 刷 | 湖北新华印务有限公司 | | |
| 地 址 | 武汉市硚口区长风路 31 号 | | |
| 开 本 | 710mm×1000mm 1/16 | | |
| 印 张 | 21.5 | | |
| 字 数 | 295 千字 | | |
| 版 次 | 2023 年 12 月第 1 版 | | |
| 印 次 | 2023 年 12 月第 1 次印刷 | | |
| 书 号 | ISBN 978-7-5564-5985-8 | | |
| 定 价 | 108.00 元 | | |

# 总 序

重视道德教化、以伦理组织社会，是中国传统文化的显著特点。[①] 新中国成立后，中国共产党继承并发扬了这一优良传统，先后提出了“德育为首”[②]“德育为先”[③]等命题,并从“落实立德树人根本任务”[④]的战略高度来定位德育的崇高地位和神圣使命。这既为中国当代德育研究提供了良好的政治条件和社会氛围，也对德育研究提出了迫切的期望和最高的要求。

不同于古代的经验型教育，包括德育在内的现代教育早已是一种以科学研究为基础的专业性实践活动。而德育研究作为一种严肃的学术活动，其目的正在于揭示德育问题、探寻德育规律、建构德育理论，从而引领德育实践。中华人民共和国成立以来，我国德育研究直面社会现实需要，关怀学校德育实践，取得了许多重要成就。70 余年的当代中国德育研究大致经历了批判化改造、灾难性停滞、科学化探索、人性化追求和本土化建构五个不同历史阶段。总体上看，中国德育研究不断拓展研究领域，不断深

---

① 梁漱溟 . 中国文化要义［M］. 上海 : 上海人民出版社 , 2005 : 20 － 21.

② 江泽民 . 在庆祝中华人民共和国成立四十周年大会上的讲话［J］. 党建研究 , 1989 (8) : 2 － 12.

③ 教育部关于整体规划大中小学德育体系的意见［J］. 中华人民共和国教育部公报 , 2005 (6) : 25 － 29.

④ 习近平 . 决胜全面建成小康社会 夺取新时代中国特色社会主义伟大胜利［M］. 北京 : 人民出版社 , 2017 : 45.

化研究主题，已经初步建立了富有中国特色和时代精神的德育理论体系。

## 一、新中国德育研究不断发展的历史脉络

中国很早就有礼仪之邦的美名。在传统中国社会，道德、政治、教育三位一体，相互为用。几千年的中华文明史，伦理道德、道德教育或道德教化占据了相当重要的位置。

辛亥革命推翻清朝专制统治建立中华民国之后，国人开始了建立新道德的伦理努力和教育尝试。共和国的主体是公民，而公民需要相应的公民道德，公民教育因而是民主政治制度建立的基石。五四运动在呼唤“德先生”（DEMOCRACY）、“赛先生”（SCIENCE）的同时，也没有忘记还有一位“莫先生”（MORALITY）。中国共产党的创始人之一陈独秀先生就曾指出，只有伦理的觉悟才是最后的觉悟。在此背景下，民国时期的德育研究有一定程度的开展，出版了不少著作。① 同一时期高校的教育系，也开设了德育原理（训导原理）等课程。有论者据此认为，现代德育论开始在中国建立起来。②

随着 1949 年中华人民共和国成立，中国政治、教育、教育研究都进入了新的时代。③ 社会主义制度的建立，在根本性质与根本方向上提出了告别传统道德、传统德育的新要求，理所当然地要求建立自己的德育理论与德育体系。迄今为止，新中国德育研究历经风风雨雨 70 多年，大体以 1978 年改革开放为界，分为“前三十年”和“改革开放四十年”两个大的

---

① 主要有：蒋拙诚．道德教育论［M］．上海：商务印书馆，1920；吴俊升．德育原理［M］．上海：商务印书馆，1935；姜琦．德育原理［M］．重庆：柏庵书屋，1944.

② 檀传宝．学校道德教育原理［M］．北京：教育科学出版社，2000：16；郑金洲，瞿葆奎．中国教育学百年［M］．北京：教育科学出版社，2002：288.

③ 陈元晖．中国教育学七十年［J］．北京师范大学学报，1991（5）：52－94.

历史时期。若进一步细分，则有五个重要历史阶段：批判化改造（1949—1966 年）、灾难性停滞（1966—1976 年）、科学化探索（20 世纪 70 年代末至 80 年代）、人性化追求（20 世纪 90 年代）和本土化建构（2000 年至今）。

## （一）德育研究的批判化改造（1949—1966 年）

1949 年，新中国成立。中华人民共和国，这个新生的人民政权、社会主义国家，在根本性质上与封建专制社会、资本主义社会存在本质差别。这从根本上决定了必须对那个半殖民地半封建的旧中国进行脱胎换骨的改造。新生的人民政权、新中国的领导人也从不避讳这一点。毛泽东在《论人民民主专政》中明确指出要对反动阶级实行专政，即强制性改造；对人民则用民主的方法，进行教育和改造。[①] 在这样的历史背景下，新中国要建立自己的德育理论与德育体系，首要任务就是改造旧的教育体系，特别是改造旧思想。1949 年 12 月，教育部召开了第一次全国教育工作会议，讨论新中国的教育方针和对旧教育进行改造的问题，强调“把改造思想作为理论学习的直接目的”[②]。

那么，用什么来改造？改造的底气从何而来？

当然是用社会主义思想来改造，用马列主义毛泽东思想来改造。教育的目的是“以社会主义思想教育学生，培养他们成为社会主义社会全面发展的成员”[③]。改造的底气来自共产党领导的中国革命的巨大成功。在大革命时期、土地革命时期、抗日战争时期、解放战争时期，只要是建立了新的革命政权的时期，就有新的道德标准产生，就把整个旧的风俗习惯基本上改变过来。正如徐特立所说：“中国在帝国主义和封建统治下的社会状

---

① 毛泽东选集：第四卷［M］. 北京：人民出版社，1991：1468－1482.

② 冯刚，沈壮海. 中华人民共和国学校德育编年史［M］. 北京：中国人民大学出版社，2010：5.

③ 中央人民政府政务院关于改进和发展中学教育的指示［J］. 人民教育，1954 (7)：16－17.

况总是土豪劣绅、土匪盗贼、流氓地痞等，横行乡里，民生不安，国家衰败……大革命，土地革命，到抗日的民族革命，凡是改变了社会关系的地区，即实行了减租减息平分土地以及发扬起广大人民民主的地区，于是社会习惯和个人道德也就来了历史上空前的大转变：犯法作乱的人，很少看见；烟赌盗贼，不禁自绝；以至夜不闭户，一切坏分子都变成劳动者。"①这种新旧社会的巨变，新旧社会关系的巨变，带来了社会风气的根本好转，带来了个人脱胎换骨的改造。徐特立还对此进行了理论总结，即社会决定人的好坏、善恶。他强调，这种社会决定人性论是符合马克思主义的，因为马克思说"人的本质不是单个人所固有的抽象物"，而是"一切社会关系的总和"。②

德育改造的目的是弘扬共产主义道德，培养共产主义新人，根本方针就是学习苏联的共产主义道德教育。"学习苏联的教育理论和教育经验也是必要的和正确的，……是我们刚开始在全国建设社会主义的时期的必要步骤和有效的方法。"③当时被介绍到中国的苏联的道德教育是这样的：一是对劳动采取共产主义的态度，即"劳动是一种荣誉的物事，是一种光荣的物事，是一种勇敢和英雄主义的物事"，而剥削阶级认为劳动是辛苦的、耻辱的；二是培养苏维埃爱国主义精神，即"爱祖国、爱人民、爱光荣的共产党及其领袖——列宁、斯大林，养成随时为祖国的幸福牺牲一切的精神"；三是集体主义的教育，"所谓集体，并不是许多同样的儿童一种简单的机械结合,而是儿童的各种活动建立在同志爱和友爱的基础上"。④在"一边倒"的学习苏联的方针下，克鲁普斯卡娅、加里宁、凯洛夫等人的理论被介绍到中国，并风靡一时。

---

① 徐特立．论国民公德：上［J］．人民教育，1950 (3)：17 － 19.

② 马克思恩格斯选集：第一卷［M］．北京：人民出版社，2012：135.

③ 陈元晖．中国教育学七十年［J］．北京师范大学学报，1991 (5)：52 － 94.

④ 王雁冰．介绍"苏联的新道德教育"［J］．人民教育，1950 (4)：67 － 70.

在这一历史阶段，德育理论批判改造的对象主要有两个方面：一是彻底批判中国封建社会的传统道德。因为“无产阶级忠于祖国、忠于人民、忠于党、忠于社会主义事业的道德原则是‘从无产阶级斗争的利益中引伸出来的’”①。二是彻底批判以杜威为代表的西方资产阶级的德育思想。因为“杜威关于道德的理论，是帝国主义时期资产阶级用以确立善恶标准和规范人类行为的罪恶工具，是资产阶级统治人民思想意识的理论武器”②。“杜威关于道德教育的理论是荒谬而反动的。……是一些资本主义国家进行道德教育的指针；而且就我国而论，由于过去教育深受杜威的影响，……存在着杜威理论的残余毒素；所以对于杜威的道德教育论给以彻底的批判……”③

比德育理论、学术上的批判更为猛烈的是舆论上对思想界的批判浪潮。1951 年批判电影《武训传》，1954 年批判胡适，1955 年批判胡风反革命集团，1957 年反右派斗争，1963 年批判母爱教育。在一浪高过一浪的批判浪潮中，德育改造逐渐演变成德育领域的阶级斗争，从而为十年“文革”期间德育及其研究的灾难性停滞埋下了伏笔。

在批判旧世界的同时，也有许多建立共产主义、社会主义道德教育理论的努力。在对社会主义新道德以及中国特色教育路径的探究中，徐特立、王焕勋、黄济、胡守棻等一批教育研究者投入了道德教育的研究。1957 年出版的胡守棻编著的《中小学共产主义道德教育的内容和方法》，可以视为这种努力的突出代表。该书共分四章：第一章说明什么是道德（承认道德是人们共同生活及其行为的标准和规则，特别强调道德是社会意识形态之一），什么是共产主义道德（其阶级本质是工人阶级的道德，是从无产阶级斗争利益中引申出来的，同时也代表着全体劳动人民的利益，“它是

---

① 阎长贵．必须坚决摒弃封建道德：从忠孝谈起［J］．哲学研究，1963 (6)：16 － 25 + 15.

② 滕大春．批判杜威的道德论［J］．哲学研究，1957 (4)：60 － 72.

③ 滕大春．批判杜威关于道德教育的理论［J］．河北天津师范学院学报，1957 (1)：1 － 11.

人类历史上最高类型的道德”“它是未来全人类的道德”[1]），共产主义道德教育的意义和任务是什么。第二章介绍中小学共产主义道德教育的内容（爱国主义、国际主义、爱劳动和公共财物、自觉纪律、集体主义精神、坚强意志与性格）。第三章讲共产主义道德教育的方法。第四章说明各种道德教育的相互联系，以及如何创造性地运用道德教育方法。

### （二）德育研究的灾难性停滞（1966—1976 年）

1981 年党的十一届六中全会通过的《关于建国以来党的若干历史问题的决议》明确指出，“实践证明，‘文化大革命’不是也不可能是任何意义上的革命或社会进步”，而是一场“给党、国家和各族人民带来严重灾难的内乱”。2021 年《中共中央关于党的百年奋斗重大成就和历史经验的决议》也明确指出，十年内乱“使党、国家、人民遭到新中国成立以来最严重的挫折和损失，教训极其惨痛”。

由于德育所具有的突出的特殊性，“文化大革命”对新中国的德育事业来说当然更是灾难，学校教育饱受摧残，德育完全沦为“阶级斗争”的简单工具。正如有研究者指出的那样：无情批判、战斗的“革命道德”取代了讲究温良恭俭让的传统道德；人与人之间关爱、诚信、友善等千古流传的道德准则被推翻，团结友爱、助人为乐和勤勤恳恳为人民服务的美德，被斥为缺少阶级观念；公正无私、实事求是、诚实正直的德行，被诬为缺乏革命斗争精神；学校德育对学生提出的那些道德要求，诸如礼貌谦虚、尊长爱幼、遵纪守法及文明行为等，不仅被认为是无关痛痒的“小德”，而且被指为“资产阶级之德”“修正主义之德”。[2]

这一时期德育的一个突出特点是否定个性、否定独立思考，反对个人

---

① 胡守棻．中小学共产主义道德教育的内容和方法［M］．上海：新知识出版社，1957：7.

② 蒋制心，张嘉馥．德育概念运用上的混乱应该结束［J］．兰州学刊，1980（3）：89－91＋96.

奋斗，倡导禁欲主义。青少年在思想汇报或介绍学习“毛选”的心得体会时，都以自己个人的情感、需要和利益为鞭挞的内容，主张“灵魂深处爆发革命”“狠斗私字一闪念”，把“无欲”“无我”奉为至高的道德大加宣传。[①]奉行没有“小我”的禁欲主义道德原则被认为是无产阶级道德的本质特点。由于个人的合理利益被完全否定，极端的国家第一、集体至上的观点泯灭了青年一代的主体意识，个人的独立思考被全然否定。

憎恨教育、斗争教育、禁欲教育造成了教育的非人性化。德育事业也因此遭到了严重的破坏。这表现在：其一，师生关系严重扭曲。中国师道尊严的教育传统被推翻，学生在肉体上毒打老师、在精神上羞辱老师的案例层出不穷。有研究指出，中学教师受到的冲击比小学教师大，大部分批斗教师的事件发生在中学。[②]其二，阶级观点在学生群体之间制造了对立。家庭出身不同的学生、注重学习成绩的学生和追求政治积极的学生之间形成矛盾与对立。其三，在这样一种教育氛围中，学生们是非混淆。在教育与生活中，同情心不再被肯定，善良不再被肯定；无情被误认为革命的坚定性，野蛮被错看作革命者应有的勇敢。一种畸形的情感和道德观形成。

这一时期德育如果说有什么“理论成果”，那就是“阶级斗争德育论”的形成。其主要内容是：

第一，强调道德是阶级的道德，阶级性是道德的本质属性。在阶级对立的社会，“道德始终是阶级的道德”[③]。

第二，教育是为阶级斗争服务的，是阶级斗争的工具。“教育从来就是阶级斗争的工具，我们从不讳言我们的教育是无产阶级斗争的工具，必

---

① 孙少平．十年“文革”时期学校德育的实践特征及其异化[J]．现代教育论丛，1998 (6)：17－20＋16.

② 于珍．“文革”时期农村基础教育的面相：一项口述史的研究[J]．中国校外教育，2014 (21)：56＋87.

③ 畅广元．“知、仁、勇”是为“复礼”服务的反动道德[J]．陕西师范大学学报（哲学社会科学版），1974 (1)：39－43.

须为无产阶级的政治服务。为了在与资产阶级争夺下一代的斗争中取得胜利，把儿童培养成为共产主义事业的接班人，我们就必须对他们加强无产阶级的阶级教育，抵制剥削阶级思想对他们的侵蚀。”①

第三，学校德育的根本任务是培养无产阶级道德，提高学生的社会主义觉悟。“学生社会主义觉悟的提高，共产主义道德的养成，无产阶级世界观的树立，主要是德育的任务。德育主要是以社会主义、共产主义思想来武装学生的头脑，培养学生的无产阶级的道德品质。”②

第四，学校德育的内容尽管有多个方面，但核心是阶级观点的教育。“归结起来，就是对学生进行马克思列宁主义、毛泽东思想的教育，使学生具有无产阶级的阶级观点、革命观点、群众观点、集体观点和劳动观点……核心就是阶级和阶级斗争的观点。”③

第五，阶级教育的具体内容：其一，使学生具有阶级和阶级斗争的基本认识；其二，让学生了解阶级斗争的历史；其三，使学生了解社会主义时期阶级斗争的实际，增加不断革命的思想；其四，让学生认识国际工人运动和民族解放斗争的情况；其五，教育学生学习、继承和发扬无产阶级的革命精神，培养革命的品质和作风；其六，帮助学生学习运用阶级观点和阶级分析的方法来观察问题，提高阶级觉悟。④

第六，阶级斗争一抓就灵，阶级斗争也是学校德育工作的好方法。由于现实生活中普遍存在着阶级斗争，一小撮阶级敌人企图腐蚀青少年，所以，“发现一条规律，就是学生的思想反复，总是同南京路上阶级斗争的风浪息息相关”⑤。总之，阶级斗争是一门主课，忆比教育（回忆旧社会的

---

① 曾尚友．掌握儿童特点，加强阶级教育［J］．江苏教育，1965 (2)：10 − 12.

② 何辛．学生阶级教育在德育中的地位和内容［J］．学术研究，1964 (1)：48 − 52.

③ 同②.

④ 同②.

⑤ 上海市培光中学党支部．毛主席哲学思想指导我们做好学生思想工作［N］．文汇报，1972 − 12 − 01.

苦难，对比新社会的成就与人民的幸福生活）是一种基本方法，参加现实的阶级斗争是基本途径，学习马列和毛主席著作是学校主导性的课程安排（低年级学习语录，中年级学习马列和毛主席的部分著作和章节，高年级通读《毛泽东选集》和马列部分著作），最终目的是把学生培养成为反修防修的战士。[①]

### （三）德育研究的科学化探索（20世纪70年代末至80年代）

1976年，“文化大革命”结束。在经历了短暂的徘徊之后，党的十一届三中全会决定冲破长期的“左”的错误的严重束缚，把全党的工作重点和全国人民的注意力转移到社会主义现代化建设上来，由此导致了德育价值观的转折，即由德育“为阶级斗争服务”转变为德育“为社会主义现代化建设服务”[②]。

从教育学界来看，人们最初是通过否定“文革”、反思“文革”来寻找教育发展的方向的。潘懋元先生曾经谈到，“文革”结束后，我国教育界在反思时，提出要研究、探索教育规律，因为“文革”的教训就是不尊重教育规律。[③]理所当然地，要做好德育工作，就必须尊重德育规律，按德育规律办事。这就是当时理解的德育科学化的内涵。因此在德育理论界，对德育过程规律的探寻成为研究的热点。几乎所有的德育理论研究学者，

---

① 大寨大队党支部．加强党的领导，把学校办成无产阶级专政的工具［M］//瞿葆奎．教育学文集·德育．北京：人民教育出版社，1989：352－359.

② 鲁洁，班华．德育理论在科学化轨道上前进［J］．教育研究，1988（12）：6.

③ 潘懋元．对高等教育若干问题的思考［J］．西北工业大学学报（社会科学版），2018（2）：26－30.

如鲁洁[①]、班华[②]、郭文安[③]、李道仁[④]、涂光辉[⑤]等都先后参与了德育过程规律的研究，仅《教育研究》就先后发表了30余篇相关论文。由此，德育过程规律研究成为改革开放之后我国德育理论研究的第一个高峰，研究内容涵盖德育过程的概念、本质、特点、结构、要素、基本矛盾，中国古代的德育过程思想，苏联的德育过程理论等，特别是把德育过程与人的思想品德形成过程区分开来，把有目的的德育影响与自发的社会影响区别开来。

从目前已有的总结反思改革开放初期德育研究的著述来看，改革开放初期对德育过程理论研究的意义与价值被大大低估了。总体上看，这一研究表达了尊重德育规律、追求德育科学的雄心；表达了不甘心智育第一、德育第二的现实窘境；与当时的学科制度化活动相互促进，促使德育原理成为一门独立的学科（以1989年胡守棻主编的高等院校教材《德育原理》出版为标志）。当时所研究的问题，事实上奠定了德育学科的理论基础，引发了对德育本质、德育功能、德育人性化的研究，具有建构独立的德育学科的建设性价值，并具有德育原理的奠基性价值。

当然，这一阶段德育研究的主题还包括德育与个性发展、德育目标的依据与层次性、德育内容序列化、德育方法科学化等。

---

① 鲁洁．德育过程初探［J］．教育研究，1981(2)：56－60；鲁洁．试评我国古代教育家有关德育过程的论述［J］．南京师大学报（社会科学版），1980(3)：21－25.

② 班华．思想品德教育过程［J］．教育研究，1980(3)：78－83.

③ 郭文安．试论青少年学生的德育过程［C］//北京师范大学教育系资料室．德育过程论文选编，1983：23－40.

④ 李道仁．试析德育过程的基本规律［J］．教育研究与实验，1984(1)：32－38.

⑤ 涂光辉．试论德育过程的基本规律［J］．湖南师院学报（哲学社会科学版），1984(3)：8－12.

### （四）德育研究的人性化追求（20 世纪 90 年代）

以人为本是教育的基本逻辑。鲁洁曾经指出："总结……近 10 年来（1988—1998 年——作者注）德育理论的发展，便会发现一个明显的趋势，那就是一方面德育理论继续在科学化的轨道上前进，另一方面表现出人性化倾向，而且二者正在逐渐走向整合。"[①] 班华也曾撰文论述了新世纪德育的人性化走向。[②]

20 世纪 90 年代，德育研究在科学化探索之后，之所以出现人性化的追求，原因是多方面的。

第一，源于从计划经济向市场经济或者商品经济转型所带来的冲击，中国人的人格要求由计划经济下的单位人、被动人、集体人，转向主体人、自由人等。[③] 这是现实生活的需要，是最根本的需要。学术研究的转向是对这种社会现实和社会实践的表达和回应。

第二，源于德育理论界对道德、道德教育本质与功能的创新性认识。鲁洁提出，"道德教育是一种超越"，"道德教育不是对现实的行为与关系的复制与重现，而是按照某种超越于现实的道德理想去塑造与培养人，促使人去追求一种理想的精神境界与行为方式"。[④] 道德不全部是、不纯粹是规定、限制人自己的力量，也是人探索、认识、肯定、发展和创造自己的力量。

第三，源于思想界和学术界关于人道主义的论争，使人和人的主体性成为哲学的主题。人性化是对教育的本质、人的本质认识的提升，是对把

---

① 王啸，鲁洁．德育理论：走向科学化和人性化的整合［J］．中国教育学刊，1999（3）：17－21.

② 班华．德育理念与德育改革：新世纪德育人性化走向［J］．南京师大学报（社会科学版），2002（4）：73－80.

③ 同①.

④ 鲁洁．道德教育：一种超越［J］．中国教育学刊，1994（6）：2－8.

人的本质完全归结于阶级性，把个人完全看作社会的工具、集体的工具的阶级人性论的反对。

因而，在这个时期，“人是主体”的教育思想得以确立，主体性德育思想应运而生。主体性德育认为道德教育应以培养学生主体性道德人格为目标，以人的内在需要为动力，把价值引导与自主建构相结合，在活动与交往中生成主体性道德人格。[①]

这个时期，不仅追求德育的人性化，同时也追求德育的现代化，二者相互交织。教育要现代化，德育也要现代化。[②]学者们批判指出了当时学校德育的低效及无效问题，试图在借鉴西方德育理论与德育实践的基础上勾画出现代德育的理想特征。鲁洁、王逢贤主编的《德育新论》（1994 年）、班华主编的《现代德育论》（1996 年）以及戚万学、杜时忠编著的《现代德育论》（1997 年）等著作或教材，均试图围绕现代德育构建、促进德育现代化的中心议题发力突围。而活动德育论[③]、情感德育论[④]、德育美学观[⑤]等当代中国德育理论的创新与建构也使中国德育研究开始呈现出百花齐放的局面。与此同时，在德育现代化话语的召唤下，西方道德教育的理论与

① 肖川．主体性道德人格教育［M］．北京：北京师范大学出版社，2002：152－183.

② 班华．近十年来德育思想现代化的进展［J］．教育研究，1999（2）：18－22.

③ 戚万学．活动道德教育论［M］．南京：南京师范大学出版社，1994；戚万学．活动道德教育模式的理论构想［J］．教育研究，1999（6）：69－76.

④ 朱小蔓．情感教育论纲［M］．南京：南京师范大学出版社，1993；刘慧，朱小蔓．多元社会中学校道德教育：关注学生个体的生命世界［J］．教育研究，2001（9）：8－12；朱小蔓．情感德育论［M］．北京：人民教育出版社，2005.

⑤ 檀传宝．德育美学观［M］．太原：山西教育出版社，1996；檀传宝．让德育成为美丽的风景：欣赏型德育模式的理念与操作［M］．合肥：安徽教育出版社，2006；檀传宝．美学是未来的教育学：德育世界的探寻［M］．上海：华东师范大学出版社，2015.

实践，如道德认知发展理论[①]、价值澄清理论[②]、建构主义德育理论[③]等也被大量引介到中国，成为中国德育人性化、现代化理论与实践探究的思想资源与历史镜鉴。

## （五）德育研究的本土化建构（2000 年至今）

经过 20 多年的改革开放，当历史的车轮跨入 21 世纪时，我国的经济、社会、教育、文化都发生了巨大的变化，德育理论也进入了一个多元化发展的新时期。这是因为：第一，德育理论经过科学化与人性化两个阶段的积累，已经有了比较深厚的基础。第二，世纪之交的基础教育改革为德育理论研究提供了难得的机遇与广阔的舞台（生活德育论大有用武之地）。第三，随着大量的、多样性的西方德育思想、德育理论的引进，我国德育理论研究也在不知不觉中融入了多元化的趋势。第四，社会转型的文化冲突、文化危机导致各种文化思潮的兴起，“这也直接影响了德育理论流派的产生与交替”[④]。

在这一时期，中国德育研究不断回应本土性需要，走上了本土化建构的道路。典型表现有三个方面：

第一，推进中华优秀传统文化研究。经过 20 世纪 80 年代、90 年代的理论储备，复兴中华优秀传统文化已经势不可挡，并从底层走向政策、从理论走向实践，成为主导学校德育的一股重要力量。研究者多认同中华优

---

① 郭本禹．道德认知发展与道德教育：科尔伯格的理论与实践［M］．福州：福建教育出版社，1999; 岑国桢．吉利根对道德认知发展理论的修正［J］．心理科学，1992 (4) : 33 － 37 + 66.

② 冯增俊．价值澄清德育理论述评［J］．海南师院学报，1992 (3) : 28 － 33 + 43.

③ 肖川．建构主义学习观与学校德育［J］．教育导刊，1998 (Z2) : 36 － 37; 肖川．建构主义与道德教育中的灌输［J］．河北师范大学学报（教育科学版），1999 (4) : 10 － 15.

④ 叶飞，檀传宝．改革开放 30 年德育理论发展脉络探析［J］．教育研究，2009 (1) : 19 － 24 + 85.

秀传统文化是中国人的精神家园，在西方强势文化风靡世界的时候，必须要坚持走文化自主路线。[1]有论者认为，2014 年教育部颁布《完善中华优秀传统文化教育指导纲要》，意味着中国的德育指导思想实现了结构性变革，即由 2010 年之前受马克思主义和社会主义道德一元指导的局面，调整为一种复合型建构性的德育指导方针。[2]一些研究者致力于从传统文化中发掘现代道德教育的资源，探讨全球化进程中具有中国本土特色的道德教育。如认为传统道德可贵之处在于其强调精神，道德教育的中国形态应该是精神形态，而非西方的理性形态；强调伦理与天理良知相通，而非理智狡黠的算计。[3]或认为传统“天人合一”“仁民爱物”道德观可生发出现代生态道德教育思想。或认为传统道德蕴含丰富的生命教育意识、德性教育传统可资利用，可以将传统美德中的感恩教育、孝道教育、自强教育、责任教育作为突破口，开拓新德育。[4]或主张在教育理论研究中，应以整体的、多视角的范式来实现对中国传统道德文化的多层次、立体式开发与利用，而非简单的、分割的碎片式继承。[5]

第二，加强社会主义核心价值观教育。社会主义核心价值观凝聚着社会价值共识，吸纳了世界先进思想，中华优秀传统文化是社会主义核心价值体系建构的前提与基础。社会主义核心价值观明确而完整地回答

---

① 鲁洁 . 应对全球化：提升文化自觉［J］. 北京大学教育评论，2003 (1)：27 － 30.

② 张亚月 . 德育的历史性变革：从政治认同走向社会认同［J］. 中国青年研究，2016 (8)：35 － 40.

③ 樊浩 . 道德教育的“‘精神’形态”与“中国形态”［J］. 教育研究，2013，34 (2)：44 － 53.

④ 沈建华 . 传统文化视角下青少年道德教育的活化和链接［J］. 教育研究，2015，36 (11)：25 － 29 + 48.

⑤ 易连云 . 传统道德教育研究的范式转换［J］. 教育研究，2010，31 (4)：30 － 33.

了“教育之道”，表达了中国学校教育的价值立场。[①] 对于教育来说就是要解决好学生的人生价值取向问题。培育和践行社会主义核心价值观需要从理论引领、舆论宣传、文化熏陶、实践养成和制度保障五个维度入手。[②] 社会主义核心价值观应通过具体化、日常化、形象化和生动化的形式引导学生自觉认同。[③] 社会主义核心价值观融入学校教育，应立足于优秀德育教材的开发、高水平师资队伍的建设、德育话语体系的合理转换及德育方式的多元创新。有论者指出，把社会主义核心价值观融入教材，要掌握三种逻辑，即知识逻辑、生活逻辑和教育逻辑，打通三个世界，即符号世界、意义世界和生活世界。[④]

第三，立足于中国学校德育实践场域的多种德育理论应运产生。20 世纪 80 年代以来，中国经济高速增长，取得了举世瞩目的经济奇迹。然而，也产生了环境污染、道德滑坡、贫富悬殊、官员腐败诸多问题。德育研究者们冷静审思伴随着现代化进程而泛滥的经济主义、唯科学主义、极端个人主义、工具理性至上及人类中心主义等谬误[⑤]，凸显生活、情感、生态、制度等过去被忽视、压抑或被边缘化的主题，由此形成了多种德育理论“百花齐放”的可喜局面。除了上一时期出现的活动德育论、情感德育论、德

---

① 杜时忠，曹树真．社会主义核心价值观“进教材”的教育学探索［J］．教育研究，2015，36 (9)：34 − 39.

② 王琰．将社会主义核心价值观融入高校立德树人全过程的五个维度［J］．思想理论教育导刊，2015 (1)：124 − 127.

③ 靳玉军．论社会主义核心价值观教育的实践要求［J］．教育研究，2014，35 (11)：4 − 7 + 15.

④ 同①.

⑤ 鲁洁．教育的返本归真：德育之根基所在［J］．华东师范大学学报（教育科学版），2001 (4)：1 − 6 + 65.

育美学观继续活跃之外，这一时期新产生的主要德育理论有生活德育论①、公民教育论②、制度德育论③等。

综上所述，新中国成立以来，“前三十年”的德育研究伴随新民主主义革命胜利之后的喜悦与自信，力图改造旧道德、旧德育。它以革命者的姿态，否定中国传统道德文化与德育思想，否定西方近现代德育理论与德育模式，“一边倒”地学习苏联思想、政治与道德体系、教育经验与教育理论，也尝试在德育理论建构上追求中国特色。“文化大革命”期间，由于错误地估计了国内外形势，错误地坚持无产阶级专政条件下“继续革命”的理论，强调“阶级斗争”，最终导致学校德育沦为阶级斗争的工具，德育理论的发展也处于完全停滞的状态。

以改革开放为始的“后四十年”的学校德育研究，则在解放思想的旗帜下，乘改革开放的东风取得了重要进步。其重要原因，一是彻底反思、批判并否定错误的教育理论，二是大胆学习借鉴外国德育研究成果。反思与批判中，最根本的教训就是两条：一是不尊重教育规律；二是不尊重人，

---

① 鲁洁．德育课程的生活论转向：小学德育课程在观念上的变革［J］．华东师范大学学报（教育科学版），2005（3）：9－16＋37；鲁洁．生活·道德·道德教育［J］．教育研究，2006（10）：3－7；高德胜．生活德育论［M］．北京：人民出版社，2005；高德胜．生活德育简论［J］．教育研究与实验，2002（3）：1－5＋72.

② 檀传宝，等．公民教育引论：国际经验、历史变迁与中国公民教育的选择［M］．人民出版社，2011；李萍，钟明华．公民教育：传统德育的历史转型［J］．教育研究，2002（10）：66－69；万明钢．论公民教育［J］．教育研究，2003（9）：37－43.

③ 杜时忠．制度德性与制度德育［J］．教育研究与实验，2002（1）：38－43；刘超良．制度德育论［M］．武汉：湖北教育出版社，2007；杜时忠．制度何以育德？［J］．华中师范大学学报（人文社会科学版），2012，51（4）：126－131＋4；杜时忠．人文教育与制度德育［M］．合肥：安徽教育出版社，2013；杜时忠，张敏．国家道德即德育［J］．教育研究与实验，2013（1）：7－10；张添翼，杜时忠．再论制度何以育德［J］．教育研究与实验，2018（5）：12－15＋25；杜时忠．德育十讲：制度何以育德［M］．武汉：华中师范大学出版社，2019；杜时忠，张添翼．三论制度何以育德［J］．教育学报，2020，16（4）：20－29.

否定教育主体性。对前者的反思，产生了探索教育规律、德育规律，追求德育科学化的思潮，典型表现就是对德育过程规律的研究；对后者的反思，引燃了主体性教育、主体性德育思潮。大胆学习借鉴外国德育研究成果，则给德育研究带来了最新研究信息、理论想象力和世界眼光。当然，当代中国德育研究并不满足于反思过去，更期待未来，不仅借鉴，更追求创新。它既客观理性地批判，更热情洋溢地建设，那就是追求并建构现代化、科学化、人性化的德育理论，并在本土德育理论建构方面收获了累累硕果。毫无疑问，这四十来年是中国德育研究突飞猛进、全面进步的时期，是中国德育学术发展历史上最好的时期。

## 二、新中国德育研究的重要成就、局限与发展逻辑

新中国德育研究走过了 70 多年不平凡的历程，在思想产出、学科建设、人才培养、实践引领等方面都取得了显著成绩。德育研究获得了独立的学科地位，初步建立起具有明确研究对象、体现时代精神的德育理论体系。与此同时，德育研究也面临着十分严峻的时代挑战，存在着知识体系比较陈旧、研究方法比较单一、原创性成果十分稀少等亟待解决的问题。

### （一）德育研究的重要成就

#### 1. 德育研究获得了丰硕的理论成果

新中国成立以来，在 70 多年的理论探索中，不同思想的交锋让中国德育理论研究不断取得进步。在德育研究中实际上存在两种学术争鸣：一种表现为历史性的反思，另外一种表现为同一时期不同理论观点的竞争、交流，最终促成了百花齐放的繁荣局面。特别是 20 世纪 90 年代以来，中国德育研究在不长的时间内，围绕德育本质、德育功能，以及德育与个体、

德育与社会生活的关系等主题开展了有影响力的学术争鸣，彰显了德育研究的学术魅力，提升了德育研究的科学品质，提高了德育研究的学术声誉。

与学术争鸣相伴而生的，是我国德育研究在科学化、人性化论述上的新进展，先后出现了主体德育论、活动德育论、情感德育论、德育美学观、生活德育论、公民教育论、制度德育论等多种德育理论主张。它们从不同的视角出发，运用多种方法，对学校德育乃至社会道德现象和问题进行了深入的研究，各成一家之言，并以各自的方式力图影响和变革学校德育实践。它们深化了我们对德育的认识，丰富了德育理论体系，促进了德育研究的繁荣。

### 2. 德育研究取得了独立的学科地位

德育逐渐从教育学的一个研究领域，分化发展成为一个独立的二级学科。人们一般在两种意义上使用“学科”一词：一是依学问性质而划分的知识门类，如物理、化学等；二是学校教学的科目，如语文、数学等。无论在哪一意义上，德育科学研究，尤其是“德育原理”，都已经成为教育学体系中一门相对独立的重要分支学科。其主要理由有三：

首先，德育学科是关于德育的学术知识体系，既有明确的研究对象（德育现象或德育问题）[①]，也具备了相应的研究方法（虽无特有的研究方法，但社会科学常见、通用的方法或移植于其他学科的特色方法似乎足以支持德育学科的研究需要），还形成了自己的理论体系。

其次，德育学科是教育学科中的一类教学内容。在高等院校，特别是师范院校或者教育学院中，“德育原理”“德育论”或“德育学”是作为一门课程广泛开设的，德育学科作为一个教学科目是普遍的社会事实。

---

① 班华．略论德育论学科对象与任务的几个问题［J］．教育科学研究，2007（4）：5－9；班建武．“十一五”期间德育学科发展的回顾与总结［J］．教育科学研究，2011（7）：67－75.

最后，德育原理内部，也正在形成一个可观的分支学科群，包含德育主体论①、德育过程论②、德育课程论③等，以及与其他学科交叉而产生的德育心理学④、德育社会学⑤等。这样，德育原理不仅从教育学母体中分化独立出来，而且成为一个拥有众多分支学科的独立学科群，其学科地位和学科特色日益彰显。

德育研究成为独立的学科体系的突出标志，是德育原理形成了相对完整的理论体系：一是思想观念体系，如道德是可教的，品德发展及道德教育是有规律可循的，德育的本质是一种超越，以道德的制度培养道德的人等；二是概念范畴体系，如道德、品德、德育，直接德育、间接德育、隐性课程意义上的德育，以及品德形成、德育过程、德育实效等；三是教材结构体系，目前已经相对稳定，大体分为“学科总论”“理论基础”“实践应用”等几大部分，具体展开为德育学科论、德育本质论、品德发展论、德育目的论、德育过程论、德育课程论、德育方法论、德育环境论、德育管理论、德育评价论、德育比较论等。

经过70多年的努力，我国建立了自己的德育理论体系。值得一提的是，这不是通过全盘否定中国传统德育文化和接受西方德育理论而实现的，而是更加理性地对待中国传统德育文化和世界先进德育理论。许多学者都主张要实现传统德育的创造性转化，包容、自信地借鉴国外德育理论，从单向度地盲从外国德育理论，到提出教育研究、德育研究的中国化，建立具有中国风格、中国气派的德育理论。

---

① 肖川．主体性道德人格教育［M］．北京：北京师范大学出版社，2002；于光．德育主体论［M］．北京：中国社会科学出版社，2010.

② 范树成．德育过程论［M］．北京：中国社会科学出版社，2004.

③ 佘双好．现代德育课程论［M］．北京：中国社会科学出版社，2003.

④ 韩进之，王宪清．德育心理学概论［M］．上海：上海人民出版社，1986.

⑤ 鲁洁．德育社会学［M］．福州：福建教育出版社，1998.

### 3. 德育学科的社会建制逐渐完备

综合经典和现代学科分类理论，可以认为：一门学科的独立或成熟，两个方面标准或条件最为重要：一是专业化的知识建构，如明确的研究对象、行之有效的研究方法和严谨的理论体系；二是制度化的社会建制，如专门的研究机构、专业性的研究共同体、专业研究期刊，以及专门人才培养等。德育学科在制度化建设上从无到有、从弱到强，显示出德育研究得到了越来越多的社会支持和越来越高的社会认可。

70 多年来，中国德育研究共同体日益壮大（2017 年全国专业德育研究者有 70 人左右，关注德育研究的专业研究者约有 500 人[①]），不仅成立了全国性的德育论专业委员会（现为“全国德育学术委员会”）等专业学术团体，而且一些大学还建立了多个专门德育研究机构，如教育部人文社科重点研究基地南京师范大学道德教育研究所、北京师范大学公民与道德教育研究中心、华中师范大学道德教育研究所等，还出现了多种专业期刊，如《中国德育》《中小学德育》《班主任之友》《班主任研究》等。此外，在全国众多的教育学术刊物中，也有为数不少的德育栏目，发表大量的德育研究论文。在德育研究专业人才培养方面，我国从 20 世纪 80 年代开始招收硕士生、博士生，目前已经形成了一个由学士、硕士、博士和博士后构成的完整德育人才培养体系，目前在校研究生约为 1500 人。这既是德育学科兴旺发达的标志，更是德育学科持续发展的根本支撑。

### 4. 德育研究提升了对于德育实践的影响力

我国德育研究有强烈的实践取向，并体现出鲜明的时代特征。“直面社会现实、关怀德育实践，是 40 年来中国德育学科发展最重要的理论品格。

① 刘峻杉，平和光．知识生产视角下我国德育研究的特征与展望［J］．全球教育展望，2017，46（9）：61－72＋85.

从 20 世纪 80 年代对于基础道德重建的呼吁、世纪之交对于新世纪挑战的思考，到近年对于社会主义核心价值观教育、国际理解教育等议题的集中关注，中国德育理论工作者均及时回应了当代社会对于德育实践变革的迫切需要……”①

德育研究者积极参与国家德育决策，指导中小学德育改革。如主持修订义务教育阶段国家德育新课程标准、主编德育教材、开展学校德育诊断、推动教师德育专业化、通过大学与中小学合作（U–S 协同）推进学校德育深度变革等。在德育理论研究的推动之下，我国学校德育正在发生可喜的变化：由过度政治化的强制灌输式的德育逐步走向科学化、人性化、生活化的德育，由追求不食人间烟火的圣贤道德转变为追求社会正义和社会关怀的现代伦理，从封闭式德育走向开放性德育，从学校德育的教育孤岛走向学校、家庭、社会相互支持的合力德育。

### （二）德育研究的现存局限

新中国德育 70 多年的发展，在取得长足进步的同时，也存在一些亟待突破的局限。这集中表现在：

#### 1. 德育研究的学科视野相对封闭

道德现象与道德行为是复杂的，是多学科的研究对象。道德理论研究者往往强调道德是社会行为，忽略道德行为的多学科基础，导致对于哲学、伦理学的研究关注较多，而对生物学、心理学、人类学、社会学、经济学、政治学等相近学科关注较少，对于语言学、美学、艺术等跨学科领域对人类道德行为研究成果则更为陌生。一个明显的证据是，尽管对于哲学、伦理学的新进展相对敏感，但德育研究者也仍然未能敏锐地把握当前人文社

---

① 檀传宝，陈国清．改革开放 40 年我国德育学科建设的探索与进步［J］．中国教育学刊，2018 (10)：28 － 34.

会科学研究范式的转换，对于道德哲学和伦理学、政治学研究中的权力批判和语言转向等还比较漠视。

权力批判的目的是要揭示道德与权力之间的联系，将道德从压制性的意识形态中剥离出来，以防权力借助道德之名畅通无阻。许多研究者批判道德专制与道德灌输，然而其批判的语言依然是大而化之的宏大叙事，未能深入地揭示与批判微观领域中权力运行规则，诸如借用道德之名所实施的隐蔽的性别偏见、歧视、压制以及不平等。哲学和伦理学研究的语言转向,强调思维必须通过语言符号体现,思想的内容受制于说话的方式。同样，研究道德教育问题必须依凭语言来进行，研究所用的概念不清会带来理论混乱。如有人支持道德的相对性，有人反对道德相对主义，有人赞扬消费文化的好处，有人批判消费主义的害处，但道德的相对性与道德相对主义、消费文化与消费主义之间的本质区别是什么，其界限该如何准确划分，则缺乏必要的语言学澄清。对语言缺乏审视，限制了理论研究者之间的对话与交流，使得许多德育理论研究无奈地成了研究者们的“自说自话”。

### 2. 德育研究的方法论基础相对薄弱

许多德育理论研究者仍然坚守着哲学思辨范式，尤其是受规范伦理学的影响，以直线性演绎逻辑为主，缺乏复杂性、动态性及整体性思维方式，德育研究的方法论基础相对薄弱。表现在：第一，大量研究直接套用哲学、伦理学、政治学的术语与理论来诠释德育问题，对于理论的教育适切性缺乏反思；第二，德育研究注重对道德规范进行合理性论证，轻视批判性思维的培育，也轻视个体道德内化的生成过程；第三，道德哲学—主体维度的研究偏重于道德认知，对于道德情感的研究则相对薄弱。[①]

此外，许多德育研究者往往忽视也窄化了实证研究，习惯于运用问卷

---

① 孙学功．道德情感研究综述［J］．哲学动态，1998 (1)：17 − 19.

调查去“处理”复杂的德育问题，而对于批判主义与诠释主义视角下的质性研究则相当陌生。与之相对，一些研究者已经用高质量的研究成果证明，质性研究的两种方法——人种志研究和扎根理论，都是可以较好地从经验中通过归纳来建构理论的方法，它们既保留了理论的系统性，又不阉割教育事实的丰富性。

### 3. 对重大现实问题缺乏道德审视

“道德教育是整个共同体的事业……进而，它对我们有双重意义。它指教育在某种程度上是道德的，所有计划和实施着的教育都努力将所有与道德相关的内容包括在内；它指这样一种教育，旨在提升受教育者的伦理理想，使得他们能够持续地与他人道德地相遇。”[①] 因此学校教育的伦理基础理应包括自由、公正、民主、关怀、幸福等基本道德价值。这些基本价值不仅是教育哲学、政治哲学的研究领域，更应是道德教育研究者思考的重大问题。德育理论研究有义务追问什么样的教育是道德的，如何以道德的方式培养道德的人，依循这个思路，道德教育研究者对现实的反思和批判力度是不够的。

在教育制度领域，道德教育研究者需要思考如何突破教育制度科层化、等级化、工具理性化的桎梏，将学校建设成为道德共同体以及民主生活共同体[②]；在教育政策领域，道德教育研究者应审视教育政策的正当性，审视政策制定的程序正义与实质正义[③]；在教育改革方面，道德教育研究者应批判反教

① 诺丁斯．关心：伦理和道德教育的女性路径［M］．武云斐，译．北京：北京大学出版社，2014.

② 金生鈜．为什么要塑造学校的道德文化：学校作为一个道德共同体的再道德化思考［J］．西北师大学报（社会科学版），2005 (4)：71－75.

③ 杜时忠，张添翼．教育制度和教育政策的伦理属性及其实现［J］．中国教育科学（中英文），2017 (4)：91－105.

育行为的伪改革，将教育的道德标准作为重要的维度纳入评价指标之中[①]。

此外，我国德育研究还存在一些“痼疾”。比如，不少研究者习惯于做当下教育政策的简单诠释，而损害了德育研究应有的科学品质，其结果是德育概念的大而不当、名实不符等问题至今悬而未决。依据我国学校教育的制度安排，德育的外延远远超出道德教育，不仅包含了政治、思想、道德、心理、法治五大内容，而且教育政策上强调的所有不属于智育、体育、美育的教育任务都会归于“德育”名下。为了迁就这一现实，德育原理教科书只好宣称我国的德育是“大德育”。然而在实际的德育研究中，无论是德育理论的建构、德育规律的阐述，还是德育过程的展开，以及学生品德发展规律的论述等，实质内容仍然主要是道德教育而没有包括政治教育、思想教育、心理教育和法治教育。[②] 德育概念理解“守一而望多”[③] 的原则落实，仍然任重道远。

### （三）德育研究发展的学术逻辑

上述成绩与不足同时存在，其中原因值得深思。人文社会科学与研究物质世界、强调事实与规律的自然科学不同，有其自身的学术逻辑，即以人文世界、社会世界为研究对象，关注价值与意义，注重呼应时代精神、回应时代挑战，强调研究活动的社会历史和人文精神属性。德育研究本质上属于人文社会科学研究，有其内在的学术逻辑，有其内部独特的矛盾和困惑要去面对和解决。在学科信念上，是学科独立与学科依附之间的拉锯；在价值取向上，是集体主义与个人主义的博弈；在发展路径上，是西方化与本土化的此消彼长；在研究方法论上，是人文主义与科学主义的融合。

---

① 吴康宁．教育改革成功的基础［J］．教育研究，2012，33 (1)：24 － 31.

② 张忠华．论中国特色的德育概念之研究［J］．现代大学教育，2008 (3)：86 － 92 ＋ 113.

③ 檀传宝．学校道德教育原理［M］．北京：教育科学出版社，2000：4 － 5; 檀传宝．德育原理［M］．北京：北京师范大学出版社，2017：4 － 5.

### 1. 德育研究的学科信念：学科独立与学科依附之间的拉锯

在教育学的众多二级学科之中，德育研究的政治从属性特别明显。这一特征可能与其研究对象的政治属性有着重要的关联。德育最突出的特点之一是深受政治影响，因为道德与政治之间具有千丝万缕、密不可分的亲缘关系，有的道德要求本身就是意识形态的要求。从理论上讲，道德教化、道德教育是政治实施的基石。[①]在我国传统政治思想中，"修身"一直是"治国"与"平天下"的逻辑起点。今天，"培养什么样的人"依然是教育的核心问题，它决定道德教育的走向。因此，道德教育不应也不可能摆脱政治的影响。

然而，德育研究作为揭示德育问题、探索德育规律的科学活动，毕竟不能直接混同于政治上意识形态的宣传工作，不能满足于对现行政策的简单解释和论证。故如何保持学科的相对独立性，这成为道德教育学者们努力的一个重要方向。鲁洁曾经指出："……基础性的工作，就是努力把德育作为一门学问来研究它，既不是对党和政府的政策的诠释，也不是直观经验的描述。"[②]

改革开放以来，道德教育研究经历了三次重大的主题转换，其中对人的关切一直是不变的价值诉求与研究基点。[③]德育研究者以其对人的关切、对人性的呼唤来建构学科的独立性，来促进学科的原创性。主体性德育、欣赏型德育、生活德育、情感德育、制度德育、公民教育等理论都是围绕着德育的现代化与人性化而进行理论建构的，它们响应了时代精神，试图将德育从政治的附庸变成为人的德育、属人的德育。尽管各自使用的术语

---

① 任剑涛．道德与中国传统政治的合法性［J］．华中师范大学学报（人文社会科学版），2005 (1)：27 － 34.

② 鲁洁．回望八十年：鲁洁教育口述史［M］．北京：教育科学出版社，2014：233.

③ 胡金木．改革开放以来道德教育研究主题的回顾分析［J］．江苏教育研究，2009 (4)：16 － 18.

不同，但它们的追求完全一致。第一，反对道德教育的专制化、唯知识化、唯理性化，希冀道德教育促进人的完整发展、促进人的美好生活；第二，德育理论研究更多地关注儿童，特别是儿童的解放，更多地借鉴现代道德心理学的研究成果，更多地关注儿童的道德发展与道德学习；第三，追求道德理性、道德自主和道德宽容，而反对道德强制、道德绑架和道德高压。

### 2. 德育研究的价值主线：集体主义与个人主义的博弈

中国德育研究面临的一个理论难题是在社会日趋多元的环境下，如何重构道德价值，并形成道德共识。新中国成立以后，共产主义、集体主义道德观实际上延续了中国传统伦理观中的整体主义（由家族血缘伦理转到集体组织伦理），如重义轻利、重群轻己的道德价值观。之后，集体主义教育在学校教育实践中产生了异化，否定了个人合理欲望及追求个人幸福之行为存在的价值。[①]改革开放后，随着市场经济对个人利益的肯定、保障及刺激，义利关系发生了重大的变化与重组，即大众意识形态推崇义利并举，甚至重利轻义。这一过程持续了数十年，使得学校德育面临一个复杂的社会道德环境。社会主义核心价值观的提出，在某种意义上可以看作义利关系重组过程的阶段性完成，自此义利并重、群己和谐应该成为主导的价值观。

在义利关系和群己关系的转型中，道德价值观逐渐突破了传统价值观，走向多元。诺丁斯的关怀伦理的引入[②]，不仅符合中国重视人际关系的传统，而且其充满人性关怀的笔触也填补了康德、涂尔干、杜威理论中忽视个人情感的缺陷，成为教育理论的润滑剂。并且，诺丁斯所代表的女性主义伦理学，对过于注重理性与公正伦理的男性主义伦理学提出了挑战，引入了

---

① 杨建朝．从虚假到真实：集体主义教育反思［J］．教育学报，2011，7（5）：41－47.

② 侯晶晶，朱小蔓．诺丁斯以关怀为核心的道德教育理论及其启示［J］．教育研究，2004（3）：36－43；孙彩平．在道德关系建构中生成德性：析诺丁斯道德教育的新理念［J］．比较教育研究，2003（9）：6－10.

道德教育的性别视角，进一步推进了道德教育理论的多元化。21 世纪以来，随着社会发展不平衡矛盾的凸显，大众对社会公平的呼声渐高。在这种背景下，罗尔斯的社会正义理论产生了广泛的影响。[①] 至此，德育理论界基本达成了价值共识，即推崇康德式的道德自由与罗尔斯式的社会正义、涂尔干式的理性权威、杜威式的教育民主与诺丁斯式的教育关怀。自由、正义、理性、民主、关怀已经成为德育学者共同的价值追求，这与整个中国社会转型中的时代精神是相符合的。

### 3. 德育研究的路径选择：西方化与本土化的此消彼长

中国现代化进程包括现代教育发展中始终有一组基本的矛盾，即如何处理传统文化与现代文化之间的冲突，如何在东方文化与西方文化之间进行取舍。

自五四新文化运动直至整个 20 世纪 90 年代，传统文化都被视为落后文化、黑暗文化而被攻击、被批判。于是，教育现代化的目标一度是科学化与民主化，其过程是不断舍弃传统文化，不断学习、引进和复制西方文化教育。[②]21 世纪以来，随着经济全球化过程中民族主义的复兴、后现代哲学思想对西方中心主义和后殖民主义的挑战，世界各国的文化自觉与本土化需求变得越来越强烈和深刻，传统文化复兴成为必然的趋势。现代化不是西方化、一元化，而是本土化、多元化。这一趋势同样表现在德育理论研究中。德育理论研究者开始自觉地反思全球经济和信息一体化带来的价值多元与文化多元对道德教育的冲击[③]，批判现代化对人精神需求的漠

---

① 罗尔斯 . 正义论［M］. 何怀宏，何包钢，廖申白，译 . 北京：社会科学出版社，1988; 赵敦华，江立成 . 罗尔斯的正义说［J］. 求索，1994 (2)：66 － 68; 姚大志 . 罗尔斯正义理论的道德基础［J］. 江海学刊，2002 (2)：37 － 42.

② 杨东平 . 艰难的日出：中国现代教育的 20 世纪［M］. 上海：文汇出版社，2003：4.

③ 黄书光 . 全球化时代的学校德育思考［J］. 思想・理论・教育，2002 (2)：3 － 7.

视，自觉地肩负起道德教育研究应承担的社会责任与文化使命。德育研究者业已形成的共识是：德育现代化必然立足于中国大地，必然包含传统文化教育的现代转型，也必然包含德育理论本土化的探索。[①] 当前对传统德育资源的挖掘，对优秀传统道德文化的重新阐述，对中国特色的德育理论的探索，均属于德育理论本土化的自觉尝试。

### 4. 德育研究的方法转换：人文主义与科学主义的融合

纵观中国德育研究的主题，经历了从学科本位、主义本位到问题本位的发展历程。20 世纪 80 年代，德育理论研究的重点是探索德育规律，推动学科独立。20 世纪 90 年代，德育理论大量借鉴西方哲学流派和社会思潮，同时，德育各分支学科也开始萌芽，如德育社会学、德育文化学等。及至 21 世纪，聚焦于德育问题的研究更多了，特别是关于德育实效、德育课程、德育改革等实践命题的研究，问题导向得到了前所未有的强调。

从学科本位、主义本位到问题本位，这一过程背后也体现了德育研究方法论的转换。学科本位、主义本位侧重于哲学思辨，主要的研究方法是逻辑演绎，即用某一哲学理论的视角来看德育问题，将其基本原理推至德育研究，其思维方式是整体的、人文的，关涉很多问题，并不聚焦于特别具体的教育实践问题。而以问题为本位的研究，则聚焦于一个个具体的德育问题的解决，常常不拘泥于教育学科，而是用多学科的视野来研究，从而凸显了德育研究的跨学科性质[②]；或者运用实证研究的方法对问题存在的频率、后果进行揭示，用定量研究方法尤其是以问卷法为主、访谈法为辅来揭示德育问题成为一种普遍的做法；或者用行动

---

① 易连云．全球共同利益视阈下的中小学德育课程改革思考［J］．教育学报，2018，14(1)：45－50.

② 戚万学，唐爱民，韩笑．改革开放 40 年德育理论研究的主题及进展［J］．教育研究，2018，39(10)：20－31.

研究来验证德育理论的效用，用质性研究方法对教育现象的精神意味做更深入、立体的揭示。总体看来，目前中国德育研究在方法论上正在努力超越简单的“主义”与“问题”的二元对峙，逐步走向人文主义与科学主义的深度融合。

以上，我们在回望 70 多年中国德育的发展历程的基础上，努力总结了中国德育研究的历史、成就与不足以及德育学术发展的基本逻辑。“缺什么，补什么。”这一历史的全面总结，尤其是现存局限的分析，其实已经构成了对未来中国德育研究发展应有趋势的严肃探讨。

当然，任何理论研究从来都不可能没有实体性研究对象或者研究的“质料”。对中国德育研究未来发展方向更为准确的把握，当然还需要从对于新时代中国社会的发展方向以及由这一方向所决定的中国德育发展的逻辑中去获得进一步的深入理解。也就是说，只有清晰了解新时代中国需要有什么样的德育，我们才能更为明晰也更为脚踏实地回答新时代中国德育研究应有的努力方向。

## 三、时代逻辑的转换与中国德育事业及德育研究应努力的方向

2017 年，党的十九大宣布“中国特色社会主义进入新时代”，我国社会主要矛盾已经转化为“人民日益增长的美好生活需要和不平衡不充分的发展之间的矛盾”。[①] 与此相应，新时代的中国德育如何为切实解决“人民日益增长的美好生活需要和不平衡不充分的发展之间的矛盾”作出应有贡献？进一步说，依据新时代的发展逻辑，我们需要什么样的德育实践、德育研究？对于这些时代之问题作出全面、认真的回答，实乃新时代中国德

① 习近平．决胜全面建成小康社会　夺取新时代中国特色社会主义伟大胜利［M］．北京：人民出版社，2017：11.

育理论工作者必须承担的重要历史使命。

### （一）新时代教育发展逻辑的重要转换

由于改革开放以来中国社会经济的长足发展,我们已经进入了一个“物质丰裕的时代”，而这无疑是新时代教育发展逻辑转换的物质基础。

我们可以 2019 年的经济发展指标为例。这一年，中国有两项发展指标特别具有划时代意义：一是人均 GDP 首次超过 1 万美元（国家统计局的数据显示，2019 年中国人均 GDP 达到 10276 美元[①]）；二是城乡居民平均恩格尔系数（居民食物支出占家庭生活总支出的比重）首次降到 30% 以下（国家统计局的数据显示，2019 年全国城乡居民平均恩格尔系数为 28.2%[②]）。

人均 GDP 首次超过 1 万美元、恩格尔系数首次降到 30% 以下，都是了不起的成就，但对于人民的幸福生活而言，平均恩格尔系数显然更为重要。这是因为国家、社会发展的终极目标都是人民生活的改善，而恩格尔系数所直接反映的，正是人民生活水平的高低。虽然横向比较，我们与发达国家尚有不小差距，现实发展的挑战甚多（如基尼系数居高不下），未来发展也未必会一直一帆风顺，但若纵向比较或做大历史的总体考察，我们仍然要承认一个基本的事实——中国已经进入了一个全新的历史发展阶段：几乎所有国民都摆脱了极端贫困、解决了温饱问题、实现了全面小康，国家在整体上已经进入了一个国民物质生活普遍较为富足的新时代——而这一点具有特别重要的历史意义。因为支持各项事业发展的经济基础日益雄厚，所以我们才有可能、有底气达成许多过去可能难以企及的成就。即便还存在教育质量有待提升等诸多挑战，我国教育事业已有长足的发展就

① 据《每日经济新闻》 2020 年 1 月 17 日发表的文章，2019 年，中国人均 GDP 首破 1 万美元，GDP 总量与日、德、英、法四国之和大体相当。国家统计局 2022 年 2 月 28 日公布的《2021 年国民经济和社会发展统计公报》显示，2021 年中国人均 GDP 已经达到 80976 元，按当时的年均汇率折算为 12551 美元，已经超过世界平均线。

② 2019 年全国居民恩格尔系数 28.2%　连续 8 年下降[N]. 中国青年报，2020－01－22.

是不争的事实。我们再以2019年的数据为例。据有关部门的统计：2019年，我国九年义务教育巩固率为94.8%，义务教育普及程度达到世界高收入国家的平均水平；2019年，我国高等教育毛入学率从2000年的12.5%提高到51.6%[①]，高等教育在校学生总规模超过4000万人，实现了从大众化向普及化的历史性跨越，中国已建成世界上最大规模的高等教育体系[②]……这些成就，无疑都以改革开放以来国家综合国力大幅度提升从而能够有力支持教育事业的发展为基本前提。以国家对教育的投入为例，2012年以来，国家财政性教育经费支出连年超越GDP的4%，总规模以数万亿元计[③]。因此，我们完全可以预期，只要国家保持目前的发展势头，不断提升的经济实力、综合国力也必定会在未来支撑中国教育事业的进一步腾飞。

不过，“物质丰裕”的社会对人类发展，尤其是对教育事业的发展的挑战也是空前巨大的。中国教育事业发展从现在开始必须直面的挑战至少来自两个方面：一是教育需求类型的升级；二是社会人口结构的变化。

所谓教育需求类型的升级，指的就是无论受教育者（学生）还是教育者（教师），大家接受和从事教育的动机类型都已经悄然发生范型上的变化。受教育者，以后当然还会继续考虑教育的工具性价值（如获得文凭、找一份好工作），但越来越多的人会从过去接受教育的“饥饿逻辑”（如“跳农门”、找工作等）的控制中逐步摆脱出来，更多地关注通过教育去追求修身养性、实现人生梦想等教育的本体性价值。2020年，湖南省一位贫困家

---

① 根据美国学者马丁·特罗的研究，以高等教育毛入学率为指标，可以将高等教育发展历程分为精英(15%以下)、大众(15%至50%)和普及(50%以上)三个阶段，当高等教育毛入学率超过50%，高等教育就进入了普及化阶段。

② 据《2019年国民经济和社会发展统计公报》，2019年我国九年义务教育巩固率达到94.8%。据2021年全国教育事业统计主要结果，2021年我国九年义务教育巩固率达到95.4%，各种形式的高等教育在学总规模4430万人，高等教育毛入学率达到57.8%。以上数据均不包括我国港澳台地区。

③ 国家统计局数据：2020年教育经费总投入达53014亿元。

庭出生的高分考生不顾网上许多人的劝阻，没有选择更赚钱的金融专业而毅然报考了自己所心仪的考古系，就是一个典型案例。贫困子弟的这一抉择，虽然未必已是普遍现象，但在过去物质匮乏的时代却一定是更难想象的。类似心理需求的变化，在教育工作者身上也呈现出了同样的变化趋势。2015 年河南省一位重点中学教师辞职的理由居然是“世界那么大，我想去看看”，这封“史上最具情怀的辞职信”，当然不是说明教师们以后都不在意薪酬、待遇了，而是意味着在新的历史时期，除了物质上的回报，将会有越来越多的人更倾向于在教育工作、日常生活中寻求生命的安顿、意义的获得。

以上接受、从事教育的动机范型的变化，其实是可以理解的。因为“仓廪实则知礼节，衣食足则知荣辱”（《管子・牧民》）。依据心理学家马斯洛的需要层级理论，当一个人的基础需要获得满足之后，其“优势需要”就一定会转移到对真善美、自我实现等高级需要、超越性需要上去。接受教育、从事教育的心理需求类型变化，或者学习与工作动机类型的变化，正是悄然发生的时代巨变的典型表征之一。就德育而言，获得良好生活所需的道德教养、建构安身立命的价值观念、追求人生的终极意义，同时在社会生活中成为拥有公共参与能力的有尊严的社会主体，对于新时代学习者的重要性将越来越大。

所谓社会人口结构的变化，指的是由于社会经济以及教育事业的迅速发展，我国人口的社会阶层、文化素养等正在悄然发生的结构性变化。首先是中等收入群体（或者中产阶层）的不断壮大。目前中等收入群体有多大，学术界尚有争议，但是改革开放以来中等收入群体迅速发展壮大的趋势，则是大家普遍认可的。而且，只要中国经济、社会继续向前发展，中等收入群体就会不断壮大。中等收入群体，并不只是一个合乎某些财富指标的人群，其突出特征之一就是基本生活问题已经解决，与之相应，心理需要的类型也会随之变革——与获得个体尊严、寻求社会正义等精神需要相关的自由、平等、公正、民主、法治的意识、诉求都会普遍提高。

除了社会阶层结构的变化，还有一项与教育发展直接相关的结构性变化，就是人口文化素养结构的变化——中国受教育人口的比重已经达到前所未有的高度。与新中国成立初期 80% 以上国民是文盲相比较，九年制义务教育已经全面实现、高等教育进入普及化阶段的中国，其人口文化素养结构——其实就是受教育人口占比已经发生翻天覆地的变化。越来越多的国民接受了良好的基础教育、高等教育，固然是我们时代最伟大的成就，也更有利于国家治理现代化的实现，同时，由于“民智已开”，包括教育治理在内的全部社会治理将面临全新的挑战，也是不言而喻的。我们可以肯定地讲，许多不讲公平正义或“不讲道理”的社会治理与教育治理的旧模式必将越来越不合时宜，而社会主义核心价值观所蕴含的自由、平等、公正、民主、法治等精神，将成为我国公民普遍而真实的现实诉求。近年来一些人们过去习以为常的社会“小问题”常常能在一夜之间就迅速形成重大网络“舆情”，重要原因之一，也在于此。

总之，“中国特色社会主义进入新时代”，或者中国进入“物质丰裕的时代”，都已经让国家教育需求的类型、社会大众的结构发生了重要变化。中国教育只能顺应历史大势，努力做出与时俱进的改革。换言之，新时代教育发展逻辑即将发生重要转换——中国教育实践与理论建设一定要有回应“2019 年以后”时代要求的范型之变[①]——以提供优质、公平的教育供给为教育事业发展的基本逻辑。而在德育领域，顺应“物质丰裕的时代”来临的历史大势，我们应该努力做出与时俱进的变革，形成优质、公平的教育供给，至少包括完成在德育主题（内容）、德育形态（形式）两个方面的继往开来与品质提升。

再换言之，依据新时代教育发展的大逻辑，中国德育研究如何为推进德育实践在教育主题（内容）、教育形态（形式）两大转型提供全面、专

---

① 檀传宝．发展范式转型的意味：论“2019 年以后”的中国与中国教育应有的变革［J］．中国教育学刊，2022 (8)：64－69.

业的理论支持，也就势必成为新时代中国德育理论建构责无旁贷的使命。

## （二）新时代必须坚守的德育主题

### 1. 加强基础道德教育——讲求基本人伦与道德教养

人类生活有一个重要且普遍的常识：若日常社会生活不讲基本人伦和道德修养，社会成员行为粗鄙，人际以及家庭、社会关系普遍紧张，何谈美好生活？所以，加强基础道德教育，既是教育领域一个千古不变的旧主题，又是“物质丰裕的时代”亟待应对的新课题。

中国是一个伦理型的文明古国，一直有强调基础道德的传统。孟子有云：“恻隐之心，人皆有之；羞恶之心，人皆有之；恭敬之心，人皆有之；是非之心，人皆有之。恻隐之心，仁也；羞恶之心，义也；恭敬之心，礼也；是非之心，智也。仁义礼智，非由外铄我也，我固有之也，弗思耳矣。”（《孟子·告子上》）“四端”说固然重点讲的是仁义礼智的发端，但也同时强调了基础道德发乎自然的“天理”属性。“父子有亲，君臣有义，夫妇有别，长幼有序，朋友有信”（《孟子·滕文公上》）等“五伦”与天理的自觉结合，强化了基础道德教育的重要性。故古代设立学校，“夏曰校，殷曰序，周曰庠，学则三代共之，皆所以明人伦也”（《孟子·滕文公上》）。“明人伦”等道德教育无疑是学校德育的基础或者根本。

“道德教育是学校德育的根本”[①]其实也是许多西方教育学家的共识。杜威曾经明确指出：“民主政治热心教育，这是众所周知的事实。”“民主主义不仅是一种政府的形式；它首先是一种联合生活的方式，是一种共同交流经验的方式。人们参与有共同利益的事，每个人必须使自己的行动参照别人的行动，必须考虑别人的行动，使自己的行动有意义和方向，这样

① 檀传宝．道德教育是学校德育的根本［J］．全球教育展望，2001（6）：9－14.

的人在空间上大量地扩大范围，就等于打破阶级、种族和国家之间的屏障，这些屏障过去使人们看不到他们活动的全部意义。”[①]美国著名的品德教育倡导者里克纳也曾经明确指出：“我们民主的奠基人认为，道德教育是我们民主社会得以存在的关键。”“他们的理由是：民主的政府是由人民当家做主，人民自己对社会的自由与公正承担责任。这意味着人民至少在某种意义上说必须是善良的，他们必须理解民主的道德基础，并为之尽责……”[②]因此他们的一个共同点就在于他们看到了政治教育虽然重要，但必须建立在最基本和最有效的道德教育基础之上。

对于当代中国社会而言，基础道德教育不仅具有永恒的、理论的意义，而且还具有十分迫切的现实意义。这是因为，物质生活的相对富裕会凸显人们对于精神生活的强烈需求。2014 年，人民论坛问卷调查中心曾经进行过一项有关中国“社会肌体健康”的调查（调查对象 8015 人）。据此形成的分析报告显示，超过八成的受访者认为当前中国社会正处于“亚健康状态”（“若请您为当今中国社会的健康程度打分，从 0 到 10，分值越高越健康，您的打分是？”选择 5 分及 4 分以下的各为 24.4% 和 57.7%），网民们认为最大的“社会病”包括：信仰缺失（55.3%，百分比越高意味着越多人认为这是最大的“社会病”）、看客心态（48.7%）、社会焦虑症（44.5%）、习惯性怀疑（40.4%）、炫富心态（38.9%）、审丑心理（36.5%）、娱乐至死（34.3%）……传统中国是一个乡土社会，特别强调以道德和信仰形成社会规范来规约各种利益主体。但这一调查发现，当今社会有高达 88.0% 的人认同（完全认同、比较认同者分别占 60.2% 和 27.8%）“信仰缺失、道德滑坡”是中国当代社会一种普遍的“社会病”。[③]基础道德本身及其信仰基础的缺失，恰好与先秦儒家、宋明理学建立的基础道德的“天理”“伦常”的论证逻辑

① 杜威．民主主义与教育［M］．王承绪，译．北京：人民教育出版社，1990：92.

② 里克纳．美式课堂　品质教育学校方略［M］．刘冰，等译．海口：海南出版社，2001：5.

③ 数据来自人民论坛问卷调查中心 2014 年 9 月发布的《当前社会病态调查分析报告》。

以及杜威和里克纳的共识走向了完全相反的方向，同时也反映出了日渐富裕的中国社会在精神层面的饥渴状态以及人民群众心理需求的时代转向。

为了因应新时代社会发展趋势和人民群众的精神需要，2019 年 10 月 27 日，中共中央、国务院印发了《新时代公民道德建设实施纲要》。该纲要开宗明义指出："中国特色社会主义进入新时代，加强公民道德建设、提高全社会道德水平，是全面建成小康社会、全面建设社会主义现代化强国的战略任务，是适应社会主要矛盾变化、满足人民对美好生活向往的迫切需要，是促进社会全面进步、人的全面发展的必然要求"，"要把社会公德、职业道德、家庭美德、个人品德建设作为着力点。推动践行以文明礼貌、助人为乐、爱护公物、保护环境、遵纪守法为主要内容的社会公德，鼓励人们在社会上做一个好公民；推动践行以爱岗敬业、诚实守信、办事公道、热情服务、奉献社会为主要内容的职业道德，鼓励人们在工作中做一个好建设者；推动践行以尊老爱幼、男女平等、夫妻和睦、勤俭持家、邻里互助为主要内容的家庭美德，鼓励人们在家庭里做一个好成员；推动践行以爱国奉献、明礼遵规、勤劳善良、宽厚正直、自强自律为主要内容的个人品德，鼓励人们在日常生活中养成好品行。"对于教育工作者来说，这不仅是对社会发展中道德建设的强调，更是对于基础道德教育最为明确的强调。

基础道德教育既是对儿童道德发展逻辑的尊重，也是完整人格建设逻辑的必然要求。因为儿童总是在与身边人友好相处的日常生活中发展其道德的；而没有基本道德人格建设，任何宏大的社会政治理想、价值观念都会失去其有效生长的起码逻辑基础。强调基础道德教育，既是一个超越时空的永恒、普遍的教育命题，也是当代中国德育直面当代中国社会现实精神需要必须作出的理性回答。

### 2. 开展民主法治教育——协力政治文明建设

"美好生活"一定是共和国每一个公民都拥有人格尊严，合法权利都得到充分保障的生活。因此"不断满足人民对美好生活的向往"，一方面要求大力加强民主与法治建设，建设社会主义政治文明，另一方面则需要扎实开展民主、法治教育，确保公民成为负责任的权利主体、共和国真正的主人翁与建设者。因此，民主与法治教育、社会主义民主政治教育，或者中国特色社会主义的公民教育的开展就是这一美好生活建构的应然之义。

关于人的现代化，美国社会学家阿历克斯·英格尔斯曾经有过精彩的论述。在深入研究西方发达国家现代化进程并考察了第三世界国家现代化发展出现的诸多问题之后，英格尔斯发现：一个国家或企业即使有先进的制度，但如果缺乏能赋予这些制度以真实生命力的广泛的现代心理基础，如果执行和运用这些现代制度的人自身还未从心理、思想、态度和行为上都经历一个现代化的转变，那么就会导致制度的畸形发展甚至失败。再完善的现代制度和管理方式、再先进的技术工艺，也会在一群“传统人”的手中变为废纸一堆。这就是著名的“英格尔斯效应”。因此,英格尔斯断言:“人的现代化是国家现代化必不可少的因素。它并不是现代化过程结束后的副产品,而是现代化制度与经济赖以长期发展并取得成功的先决条件。”①

中共中央、国务院于2019年2月颁布的《中国教育现代化2035》明确指出，要“大力推进教育理念、体系、制度、内容、方法、治理现代化，着力提高教育质量，促进教育公平，优化教育结构，为决胜全面建成小康社会、实现新时代中国特色社会主义发展的奋斗目标提供有力支撑”。而与之配套的由中共中央办公厅、国务院办公厅印发的《加快推进教育现代化实施方案（2018—2022年）》所制定的5年教育现代化总体目标则是:“经过5年努力，全面实现各级各类教育普及目标，全面构建现代化教育制度体系，教育总体实力和国际影响力大幅提升。实现更高水平、更有质量的普及，教育改革发展成果更公平地惠及全体人民，教育服务经济社会发展的能力显著提高，社会关注的教育热点难点问题得到有效缓解，多样化可

---

① 英格尔斯．人的现代化［M］．殷陆君，编译．成都：四川人民出版社，1985：8.

选择的优质教育资源更加丰富，人民群众受教育机会进一步扩大，学习大国建设取得重要进展。”在以上两个文件中，无论是“推进教育理念、体系、制度、内容、方法、治理现代化，着力提高教育质量，促进教育公平，优化教育结构”，还是“教育改革发展成果更公平地惠及全体人民，教育服务经济社会发展的能力显著提高，社会关注的教育热点难点问题得到有效缓解，多样化可选择的优质教育资源更加丰富，人民群众受教育机会进一步扩大”，都说明教育现代化在制度、观念层面均得到了前所未有的强化。这是因为，无论我们的教育现代化在器物层面的进步指标如何亮眼，若教育制度民主与法治水平还不够高，若我们培育的社会主义建设者和接班人还不完全具备独立人格和创造精神、不能积极和理性参与社会治理，若我们不能在制度、精神层面实现彻底的现代化，我们就不可能真正意义上全面实现教育现代化。

若是做国际比较，社会主义民主法治教育、社会主义民主政治教育、社会主义核心价值观教育，其实就是世界各国所说的公民教育。我们与他人的区别，只在于我们的公民教育是中国特色社会主义的公民教育。公民教育所要培育的“公民”，既与“臣民”相对，也与“私民”相对。前者要求社会成员告别等级社会和人身依附，成为民主社会的权利和责任主体，因此公民教育的核心内容就必然包括自由、平等、公平、正义、民主、法治等；后者要求受教育者告别自给自足、不问政治的小农人格，成为有责任感、有能力参与社会治理的社会成员，因此公民教育的内容就必然包括道德责任、法治精神、爱国、敬业、诚信、友善等。无论中外，公民教育的目的，都在于促进受教育者健全的公民身份（Citizenship）的建构，从而在人格上告别人身依附和小农人格，实现人的现代化。正是在这个意义上，公民教育是现代教育性质的体现，是现代教育的目的性要求，因而公民教育意味着“全部教育的转型”[①]。当然，中国公民教育是中国特色社会主义公民教育。

① 檀传宝．论公民教育是全部教育的转型：公民教育意义的现代化视角分析［J］．安徽师范大学学报（人文社会科学版），2010，38 (5)：497－503.

教育即生活。要实现人的现代化、培养现代公民，不仅需要设置如“道德与法治”“思想政治”等专门的德育课程，还需要系统“重构学校制度生活”。因此加强学校制度建设以及开展与之相应的制度德育，就成为加强民主与法治教育的必然选择。依据制度德育论的理论主张，第一，“制度是教育资源”，应当彰显学校制度正向的多方面的育德功能；第二，“制度是教育过程”，应当确立优良学校制度的品质，对现行学校制度进行批判性审视，建构公平正义、民主平等、自由发展的学校教育制度，把制度建构活动变成教育过程；第三，“制度是生活方式”，应当把成文的制度规定与有组织的制度活动，通过内化与外化双向机制，变成稳定的制度化行为模式，化为学校制度生活，通过学校制度生活来培养学生品德。① 从本质上看，制度德育论是从学校制度重建、优化的角度主张加强教育生活意义上的民主与法治教育。

### 3. 推进“人类命运共同体”教育——促进全球公民责任和团结

当代社会，人类生活已经是一个相互依存的整体。一国人民的“美好生活”，一定与其他国家有直接和间接的关联。所以近年中国一直大力倡导构建“人类命运共同体”（a Community of Shared Future for Mankind）。“人类命运共同体”这一理念的提出，既是为了维护中国人民的尊严，维护国家的核心利益、主权、安全及发展，也是为了更好地承担国际义务，反对单极化霸权，推动建立更加公平正义的全球治理新秩序。“人类命运共同体”，是一种政策宣示、一种社会理想，更是一种客观现实。②

“人类命运共同体”理念之所以成立，首先是因为世界经济的“全球化”

---

① 杜时忠．制度何以育德？［J］．华中师范大学学报（人文社会科学版），2012，51（4）：126－131＋4.

② 据中国外文局当代中国与世界研究院 2020 年 9 月 15 日发布的《中国国家形象全球调查报告 2019》，已有六成以上海外受访者认可“人类命运共同体”这一理念对个人、国家、全球治理的积极意义。

已经是一个具有突出现实性、普遍性的客观事实与发展趋势。市场经济的发展已经使得全球化市场成为当代各国经济面临的客观现实，产业、市场、资本的全球化分工会使得资源配置更好地实现优势互补，世界经济的发展也更有效率与活力。所以尽管在理论上一直存在对于全球化进一步加剧了国家间的贫富差距，加重资本对于普罗大众的经济剥削、政治压迫，导致政治、文化、生态危机日益严重等广泛的批评，尽管近年一些发达国家出于一己之私也采取了许多“逆全球化”的政策干预，经济全球化仍然是一个不可阻挡的历史潮流。

经济全球化除了使得世界变小、成为“地球村”，还加快了科技、文化、教育的交流，互联网的产生与发展，新媒体尤其是智能化的社交媒体的涌现和全球化覆盖，也使得整个世界在信息交流方面实现了前所未有的相互开放，而更加开放的世界反过来又使得全球化的范围和程度不断加深，“人类命运共同体”建构的现实性也因此得到进一步强化。

此外，当代世界还面临着许多亟待解决的现实问题，如战争与冲突、环境和气候问题、发达国家与发展中国家的贫富差距等。这些问题也都具有全球性，非一个国家或者某一国家集团可以单独解决。因此，各国如何和平相处、各国国民如何作为“全球公民”参与国际秩序的重建，迫切需要我们努力在德育上开展“人类命运共同体”意识的教育或者“全球公民”身份的培育。

联合国教科文组织 2015 年发布的《反思教育：向“全球共同利益”的理念转变》（*Rethinking Education: Towards a global common good*, 2015）[1] 明确指出，虽然“目前关于公民的定义仍以民族国家为核心，但在全球化

① 中文版已经由教育科学出版社于 2017 年出版。原文“common good”应译作“公共善”而非“共同利益”(common interest)。公共善着眼于社会正义，共同利益强调利害关系。联合国教科文组织的这一报告强调应该重新思考教育的使命，将教育视作在全球范围内促进公平正义、培育全球公民身份的事业。

的影响下，这种概念和相关做法正在改变”[①]。跨国社会和政治共同体，民间社会和行动主义都是新型“后国家”公民的表现形式。全球化创造出了超越民族国家的新型经济、社会和文化空间，正在促成超越民族国家界限的新的身份认同和动员模式。而“国家教育”面临挑战，人类社会要“重新思考多元互联世界中的公民教育”。[②]

超越民族国家层面的“人类命运共同体”教育，与国际上通行的“全球公民教育”（Global Citizenship Education，简称 GCE）相通。总结联合国及世界各国全球公民教育的政策与实践经验，为了真正“促进全球公民责任和团结”，“人类命运共同体”教育，或者“全球公民教育”至少应当包括如下几个重要的教育主题：第一，文化理解与和平教育。第二，经济发展与可持续发展教育。第三，全球治理与公民的建设性参与。

以上基础道德教育、民主法治教育、“人类命运共同体”教育，刚好构成了一个由近及远的逻辑系列。只有在教育内容上不断扎实强化这些主题的教育，我们的世界才可能更加美好，中国德育也才能满足人民群众对于美好生活的向往。但无论是基础道德教育、民主法治教育还是“人类命运共同体”教育，在内容选择、界定和有效开展上，都有许多需要德育理论工作者勇敢面对、深度回应的重大课题。

### （三）新时代应当建构的德育形态

实现优质、公平的教育供给这一新时代中国教育事业发展的基本逻辑，不仅要求有高品质的德育内容安排，也要求有高品质的德育形式保障。让中国德育在教育形态上更加美好、让新时代少年儿童有更多接受优质德育

---

① 编译自 TAWIL S. Education for ‘global citizenship’: A framework for discussion［C］// ERF Working Papers, Series No. 7. Paris: UNESCO, 2013.

② 联合国教科文组织．反思教育：向“全球共同利益”的理念转变［M］．联合国教科文组织中文科，译．北京：教育科学出版社，2017：57.

的幸福感，具体说来，让中国德育成为专业的德育、审慎的德育、美好的德育，理应成为新时代德育形态变革的主要方向。

### 1. 让德育成为专业的教育——对德育规律的严格遵循

立德树人是教育的根本任务，故在教育上“人民日益增长的美好生活需要”也就自然表现为人民群众对于德育实效提高的广泛期待。而要让中国德育实效提高、让德育形态更为美好，这就需要严格遵循德育的客观规律，实现经验型德育向专业化德育的历史转型。

首先，由经验型德育向专业化德育的历史转型，要求德育实践充分尊重儿童道德发展的客观规律。

关于儿童的道德发展，劳伦斯·柯尔伯格（一译科尔伯格）曾经在道德认知发展上有过经典的描述。柯尔伯格不仅通过实证研究归纳出了儿童道德判断三水平（前习俗、习俗、后习俗）、六阶段（奖惩与服从定向、工具主义的相对主义定向、好孩子定向、法律与秩序定向、社会契约定向、普遍伦理原则定向）的发展轨迹，而且通过图利尔等人的试验得出结论：发展性道德教育的第一个心理学原则是，儿童只能同化在发展意义上合乎他们自身水平的那些道德说理；第二个心理学原则是“道德发展上的向前运动不仅依赖于向儿童揭示下一阶段的思维，而且要使儿童体会到运用他们自己当前的思维水平到道德问题情景中发生认知冲突的经验，如果经验不到足够多的认知冲突和不确定性，道德发展就不会发生”。[①] 柯尔伯格的道德认知发展理论及其生发出来的两难讨论、公正团体等德育方法至今仍然有重要的应用价值。当然，儿童道德发展并不只有道德认知发展一个维度，精神分析理论、社会学习理论、积极心理学等许多品德发展理论都从

① KOHLBERG L.Cognitive-developmental theory and practice of collective moral education［M］// WOLINS M, GOTTESMAN M. Group care: the education path of youth aliyah. NY: Gorden & Breach,1971 : 367.

人格发展、道德情感、亲社会行为等方面补充了儿童道德发展的其他维度。即便是儿童道德认知发展理论本身，通过图利尔、努奇等人的努力，也发展出了社会认知领域理论，将道德发展领域与社会习俗、个人生活领域的发展严格区分开来，人们对儿童道德认知发展图景的描绘也越来越具体、准确。吉利根、诺丁斯等人则以他们在关怀教育理论上的杰出贡献，从性别视角补充了我们对于儿童道德发展的认识。道德发展理论的不断发展已经告诉我们的基本常识是，儿童道德发展的阶段性特征是客观存在的，发展的逻辑也是有规律可循的。而要求得德育实效提升，教育实践只能遵循这些规律。若我们将“德育”定义为思想、道德、法治、心理教育等更广泛的领域，则思想、道德、法治、心理教育等教育实效提升的前提，也一定是对儿童思想、道德、法治、心理发展实际与客观规律的敬畏与遵循。

其次，由经验型德育向专业化德育的历史转型，还要求德育实践充分尊重德育活动的客观规律。

在当代中国德育实践探索中，德育的课程改革一直是德育实践改进的重点领域，而德育课程改革的一大进步，就是在课程理念上对于德育规律的尊重。其中最重要的就是鲁洁所倡导的“生活德育”理念对于课程改革的巨大贡献。鲁洁指出：“道德学习的本质，不是知识学习，而是生活的、实践的学习。”① “当代的教育却无视道德之知的实践特性，同其他知识一样也把它放在科学理性主义的过滤器中筛选成普遍化、客体化的知识，彻底割断了它长在母体身上的脐带，断绝了它与生活实践的联系，也就使它再也回不了自己的家。”② 因此，“新德育课程的基本理念是回归生活。德育课程要‘源于生活，通过生活，为了生活’，在课程的实施中，不仅要关注课程的内容贴近生活，

---

① 鲁洁．江苏社科名家文库：鲁洁卷［M］．南京：江苏人民出版社，2015：18.

② 鲁洁．边缘化　外在化　知识化：道德教育的现代综合症［J］．教育研究，2005（12）：11 － 14 + 42.

还要努力促使课程学习能真正改变生活”[①]。德育课程改革的具体目标应当表现为“道德观：从知识道德向生活道德转变”“课程观：从唯知识论走向生活经验论”“学习观：从单向传输转向交互作用”[②]。

不管德育课程标准与课程实践如何发展，我们可以肯定的是：不仅德育课程，而且全部德育实践，在坚持中国特色社会主义德育方向的同时，如何克服德育内容“假大空”、德育方式“强制灌输”等违背规律的德育惯习，始终是中国德育追求进步的重要方向之一。

再次，由经验型德育向专业化德育的历史转型，在教育实践上必然要求德育工作专业化水平的全面提升。

“德育专业化”既是历史的趋势，也是逻辑的必然。在进入现代社会之前，包括德育在内的所有教育活动都是经验型的。从事个体化教学工作的教师，其教育实践与手工艺人师傅带徒弟的模式并无本质差异。其基本逻辑在教育内容上都是“会什么，教什么”，在教育形式上也都是借助经验探索教育的有效性。尽管中外都不乏杰出的教育家和教育思想家，但是他们的教育实践、教育理论都是经验性的探索。以机器大工业为代表的现代生产的迅猛发展以及义务教育普及运动所催生的大规模学校教育，特别是“师范教育”的产生，是经验型教育到专业化教育的一个重要分水岭。师范院校的产生，意味着人类社会在制度上认可了教育工作两种专业性：一是在教育内容上，现代科学各学科知识意义上的“学科专业性”得到进一步认可；二是在教育方式上，教育学、心理学、教学法等所代表的“教育专业性”得到了体制性的认可。如果说“学科专业性”是旧式教育“会什么，教什么”逻辑的延续与升级，那么“教育专业性”则是现代教育与古代教育的根本区别所在。从此，包括德育在内的全部现代教育，都必须

① 鲁洁．江苏社科名家文库：鲁洁卷［M］．南京：江苏人民出版社，2015：18.

② 鲁洁．德育课程的生活论转向：小学德育课程在观念上的变革［J］．华东师范大学学报（教育科学版），2005 (3)：9－16＋37.

兼顾“学科专业性”和“教育专业性”。在这一意义上，现代教育、德育必须实现由经验型到专业化的范式变革，当然就是一个历史的必然。

之所以说“德育专业化”不仅是历史的趋势而且也是逻辑的必然，还因为：若全部教育都要承认“学科专业性”和“教育专业性”，实现由经验型到专业化的范式变革，德育作为教育的“根本任务”当然也要完成这一历史的转型。而要完成这一历史转型，德育就必须在研究、决策和教师的德育专业化等方面做出应有的努力。

完整的“德育专业化”无疑应当包括德育研究的专业化和德育决策的专业化。因为没有研究的专业化，德育决策及实践就没有“专业”的基础，专业化也就无从谈起。而德育决策的专业化则是德育事业专业化发展的关键。因为没有对于儿童道德发展规律的把握，没有对于德育原理、德育规律的尊重，就不可能有教育政策所追求的德育实效的取得与提高。“文革”时期一些政策对于德育规律的否定直接导致了德育内容的混乱以及德育方式非理性，其结果是灾难性的。“文革”结束后，“五讲四美三热爱”运动在全国范围内广泛开展，其实就是因为绝大多数国民已经意识到基本德性丧失的灾难性后果。20 世纪 70 年代末 80 年代初出现的青年一代的“信仰危机”更是意味着强制灌输无法建构真正的信仰。而新世纪伊始开启的德育课程改革之所以取得重要进步，最为根本的经验无疑也是教育决策对于德育专业或德育规律的应有尊重。

“德育专业化”还应当包括教师德育专业化。[①] 迄今为止，日常教育生活中人们常常将教师专业化理解为课程、教学意义上的专业化，这是一个严重的“概念的缺损”。其结果，“一方面，教师大学毕业拿到教师资格证书时基本没有学习过如何进行德育，在继续教育过程中对德育的学习也是偶然和不系统的，故所有教师都在以‘摸着石头过河’的方式

① 蓝维．德育专业化的关键：德育教师的专业发展［J］．教育研究，2007（4）：26－27.

从事德育；另外一方面，现代教育与心理科学已经在德育理念、德育基础理论、德育策略与技能、品德及德育心理等许多维度都累积了十分丰富的研究成果，但这些成果只在教育研究者圈子里面循环，而较少与一线教师和其他实际教育工作者联系”[①]。因此，如何分门别类让所有实际承担着德育使命的从教人员都获得相应教育岗位所必需的德育观念、德育理论与德育事务等方面的专业知识与能力，是新时代中国教育事业尊重德育规律，实现德育实效、品质提升的关键之关键。

### 2. 让德育成为审慎的教育——对后真相时代的理性应对

当前，由于经济全球化的不断深化以及媒介生活形态的突飞猛进等原因，社会生活的复杂性、价值观的复杂性都已经空前提高。如何应对“后真相时代”的挑战成为全球性话题。

2016年，《牛津英语词典》将“后真相”（post-truth）一词选为年度词汇，并将之定义为“诉诸情感与个人信仰比陈述客观事实更能影响民意的一种情形”。尔后《经济学人》在一篇文章中将“后真相”解释为：“真相并未被篡改，也未被质疑，仅仅是变得次要了。”[②]也就是说，“后真相时代”的公众在求真相没有希望的情况下，往往不再“较真”，人们更趋向于相信他们在情感上愿意相信的“事实”。概括说来，“后真相时代”的突出特征有二：一是由于种种原因，尤其是基于各种利益的考量，与过去相比，当代社会已是一个真相更难把握的社会；二是由于媒体发达、信息爆炸，人类很难像过去那样轻易获得真相，因此许多人便“方便行事”“反求诸已”，只相信自己愿意相信的“真相”。后者不仅让形形色色的民粹思维大行其道，也让真相的求索、共识的形成变得更为困难。而“未经反思就接受的观点

① 檀传宝．再论“教师德育专业化”［J］．教育研究，2012，33（10）：39－46.

② NOGUEIRA J. Post-truth politics：art of the lie［J］. The Economist，2016（9）：a27－a33.

和草率作出的决定有可能给我们的家庭、朋友、同事、社会、环境以及星球造成破坏性的灾难”[①]。

虽然“后真相时代”的到来,也有碍于自然世界里真相的发现,但是“诉诸情感与个人信仰比陈述客观事实更能影响民意的一种情形”肯定更多地发生在社会领域，尤其是价值观及其教育领域。故在当代社会，德育不可避免地面临两大维度的时代挑战。

首先是在教育目标、内容上，当代德育会面临不同价值观的同台竞技，其次是德育的形式方面，如德育的方式、方法等，同样会在不同制度、不同意识形态的国家间竞争，这都要求德育能够帮助道德学习主体在复杂的当代社会生活中作出明智且经得起考验的价值选择。此外，在“后真相时代”，人们对情感与信仰的服膺往往超过了对事实真相的究问。批判性思维有助于人们基于事实追求道德生活的真相。故在“后真相时代”，德育要理性应对上述挑战,批判性思维（Critical Thinking,又译作“审慎性思维”）就显得前所未有地重要。

所谓批判性思维，不过是“做出有目的、自我监督的判断的过程”，是“就观点和行为建构一个合理且公正的判断”。[②]批判性思维的关键能力，包括质疑能力和理性思考能力。[③]与彼得·法乔恩的前述定义相似，诺希克列举过另外三个有代表性的定义 :“批判性思维是合理的、反思性的思考，着重于决定相信什么或做什么”（来自恩尼斯）;“批判性思维是熟练的、可靠的思考。因为它对背景很敏感，依赖于标准，并且是自动调整的，所以有助于形成有效的判断”（来自李普曼）;“批判性思维是你

① 法乔恩 . 批判性思维 : 思考让你永远年轻［M］. 李亦敏 , 译 . 北京 : 中国人民大学出版社 , 2013 : 6.

② 同 ① 7.

③ 美国学者恩尼斯的观点 , 转引自 COTTRELL S . 批判性思考 : 跳脱惯性的思考模式［M］. 郑淑芬 , 译 . 台北 : 寂天文化 , 2007 : 12.

在思考的时候，考虑自己的想法，以使自己更好地思考”（来自理查德·保罗）。①

批判性思维所要求人的，不过是严肃反思自己的判断和行动，不过是“讲理”（reasoning）——依据“理”（依据可靠标准并推理）、“据”（客观事实）作出理性的抉择并服从真理。批判性思维是一种明智的思维方式，其本身并不等同于某种道德上的善或恶。换言之，一些邪恶之徒也可能具有某种批判性思维的能力并让这一能力为犯罪服务。但对于德育而言，批判性思维要求分析信息来源与背景，依据一定标准，通过重新组织概念、展开逻辑推理，从而合理反思、评估所获取的信息及其附着的价值观，这不仅会帮助个体获得事实意义上的真相，更有利于帮助个体在置身于价值信息的洪流时能够以公正客观的态度作出理性的道德判断，避免无意中被未经反思的道德情感带来的猛烈冲击俘获而成为无脑的“乌合之众”。很显然，当代人要在纷繁复杂的价值世界中真正安顿自己、安顿年轻一代的精神生命，与其在眼花缭乱的价值观面前无所适从，不如在德育实践中强化批判性思维的培育，让德育对象在“风吹雨打”中自由、理性地选择并牢固建构起自己的价值观。由于批判性思维具有特别强调反思、强调标准、强调真实、强调理智等特性②，批判性思维的培育当然也一定会让合理的德育活动在内容、形式的竞争中拥有更强大的竞争力。

“物质丰裕的时代”和“后真相时代”无疑是同一个时代。前者意味着精神需要的凸显和德育对于这一需要高质量回应的必要；后者则要求高品质的德育，应该将批判性思维纳入日常德育生活，不仅提升德育的实效，而且因为实效的获得而让德育对象体会自主、自由地接受德育的美好。

---

① 诺希克．学会批判性思维：跨学科批判性思维教学指南［M］．柳铭心，译．北京：中国轻工业出版社，2005：2.

② 同①3－5.

### 3. 让德育成为美好的教育——主体自由的真正实现

如果用发展批判性思维的方式去应对“后真相时代”的德育的挑战是一种相对“防守”的策略，那么更为积极的教育战略就是让德育成为一种最“美好”的教育事业。当代德育应当成为一种能让道德学习主体自由真正实现的德育，一种自主、生活和审美的德育。

与自主的德育相反，在德育领域最不美好的学习体验，当然就是蔑视学习者的主体性、“按着马头让其喝水”（杜威语）式的强制灌输了。关于“灌输”，或者“强制灌输”，柯尔伯格曾经有过一段十分精辟的论述：“灌输既不是一种教授道德的方法，也不是一种道德的教授方法。说它不是一种教授道德的方法，是因为真正的道德应当包含对可能出现的价值冲突作出审慎的抉择；说它不是一种道德的教授方法，是因为合乎道德的教学必然意味着尊重儿童正在发展的对所学内容进行推理与评价的能力。”[①]

与灌输式的德育相反，让道德学习主体自由真正实现的德育，一定是自主、生活的德育。“唯物辩证法认为外因是变化的条件，内因是变化的根据，外因通过内因而起作用。”[②]因此自主的德育不仅是现代教育学、心理学的主张，也符合唯物辩证法的基本原理。就像石头不可能孵化出小鸡一样，没有德育对象内在学习动机的发动，没有对特定价值观念的情感接纳、认同，没有学习者学习经验（生活）、发展阶段等“内因”条件的支持，就没有任何有效学习发生的可能性。由于涉及情感、态度、价值观的改变，与一般文化课知识学习相比较，强制灌输在德育上会更加无效。也正是因为这一点，柯尔伯格才说灌输“不是一种教授道德的方法”。自主的德育、自我建构的德育不仅是教育“效益”的要求，而且是教育伦理的要求。现

---

① POWER C, KOHLBERG L. Using a hidden curriculum for moral education [J]. Education Digest, 1987 (2) : 12.

② 毛泽东选集：第一卷［M］. 北京：人民出版社，1991 : 302.

代德育乃至全部教育之所以区别于古代德育、教育，一方面是彻底的人身依附的否定，另一方面是教育基于人是目的而非手段的伦理基础。因为无视学习主体的尊严，将学习者看作达成某种目的的工具或者器皿，所以“按着马头让其喝水”式的强制灌输意义上的德育才“不是一种道德的教授方法”。就是说，由于违背现代教育伦理，德育的强制灌输范式在本质上是反德育的。

自主的德育可能面临价值观教育的强制与放任之间的矛盾；强调生活的德育也可能面临德育对生活的适应与超越之间的张力。而促成价值引导与自主建构的矛盾解决的“中庸之道”，在于德育内容与形式的审美化。因为“道德教育的内容与形式如果可以处理成一幅美丽的画、一曲动听的歌，那么与这幅画、这首歌相遇的人就会在‘欣赏’中自由地接纳这幅画、这首歌及其内涵。道德教育的价值引导与道德主体的自主建构两个方面就可以在‘欣赏’过程中得以统一”[①]。所以，让道德学习主体自由真正实现的德育更一定是审美的德育。

正如自主、生活德育的意义不仅在于德育绩效的提升，也在于教育伦理的落实一样，审美化的德育最为重要的也不仅仅在于通过对德育内容、形式、师生关系等的审美化改造而使得德育更为生动、克服道德规范之于学习者的“顽强的疏远性”，审美化的德育最重要的意义，也在于席勒所言的“在有文化教养的圈子里，在审美的国度里，人就只需以形象显现给别人，只作为自由游戏的对象而与人相处”[②]这一极富美感的教育境界的达成。由于道德及其学习自由的真实获得，德育才可能让学习主体摆脱奴隶式的被动道德规训状态，也脱离“人和人以力相遇”的丛林法则所支配的

---

① 檀传宝．德育美学观［M］．北京：教育科学出版社，2021：224.

② 席勒．美育书简［M］．徐恒醇，译．北京：中国文联出版公司，1984：145.

野蛮生活。因此，审美化的德育实践是一种能使道德主体的意义求索和学习自由兼得的当代德育之道。

无论是自主的、生活的、审美的德育，或是其他许多浪漫、理想的中国当代德育理论主张，本质上都是在主张让德育成为因道德学习主体自由的真正实现而变得更加“美好”的教育，而这正是“物质丰裕的时代”中国社会对于德育最核心的要求。

依据新时代的发展逻辑，我们需要什么样的德育实践、德育研究？

我们认为，加强基础道德建设、开展民主法治教育、促进“人类命运共同体”的形成，应该成为新时代必须坚守的最重要德育主题；让中国德育成为专业的德育、审慎的德育、美好的德育，理应成为新时代德育形态变革的最重要的改革方向。如果上述德育主题（内容）、德育形态（形式）的发展方向的确是新时代发展逻辑的必然，那么新时代的德育研究理所当然服从这一时代转型的逻辑去求得自身的发展。新时代的中国需要高品质的德育，相应地也就需要与之相应的更高品质的德育研究。换言之，如果中国德育理论工作者要“将论文写在大地上”，就一定要投身于以高质量的学术研究推进中国德育在内容与形式维度的品质提升这一伟大的事业之中。

在这一时代背景之下，《中国德育研究大系》可谓当代中国德育学人对于高品质德育实践与理论建构这一时代责任的一次集体性的学术承担。

## 四、《中国德育研究大系》的缘起与编撰历程

湖北教育出版社是一家情系教育、志存高远的专业出版社。自 2002 年以来，出版社曾经与多位德育研究者一起合作研制、出版国家义务教育新课程标准教材《品德与生活》《品德与社会》（鄂教版），为基础教育课程改革添砖加瓦。在愉快而高效的合作过程中，出版社与德育专家们不仅加深了了解，而且获得了高度互信。2020 年 10 月，全国德育学术

委员会第 29 届学术年会在海南召开，湖北教育出版社方平社长专程与会，提出与全国德育学术委员会合作出版《中国德育研究大系》的详细设想。《中国德育研究大系》选题价值也受到了全国德育学术委员会许多专家的高度肯定。会后，我们就立即着手谋划书系的框架、邀请和遴选作者、商讨编撰工作的日程安排。

2021 年 6 月,《中国德育研究大系》启动会在华中师范大学召开。长江出版传媒股份有限公司领导、湖北教育出版社领导和多位编辑参加会议，全国德育学术委员会时任理事长檀传宝教授、副理事长杜时忠教授，以及十位作者:孙彩平教授、卜玉华教授、齐学红教授、唐爱民教授、程红艳教授、班建武教授、叶飞教授、刘长海教授、李敏教授、刘春琼副教授参会研讨。为了认真总结中国当代德育研究的重要成果、应对德育研究面临的时代挑战、回应社会对德育实践的重大关切，与会专家一致认为在“两个一百年”的历史交汇点，编写《中国德育研究大系》适逢其时。在这次会议上，大家对《中国德育研究大系》的编写思想、风格定位、内容体例等问题进行了深入讨论，并形成如下共识：第一，丛书要成为高水平研究成果的集成，要优先考虑德育研究的学术性、专业性。第二,要突出时代气息和中国特色，充分反映中国德育发展和德育理论进步的整体风貌。第三，要具有国际视野、中国立场，要成为一个具有民族特色和世界眼光的德育研究精品系列。

最终呈现的《中国德育研究大系》由《德育基本理论研究》《学生品德发展研究》《教师道德研究》《德育课程研究》《班级德育研究》《家庭与社会德育研究》《德育方法研究》《德育评价研究》《中国传统德育研究》《中国德育研究新进展》十个分册组成，基本实现了预期目标。为了确保《大系》的学术水准与出版质量，在十册图书编写、审校完成后，我们又特别邀请了十位学者分别对上述十部书稿进行了审阅，他们分别是：周小李教授、张添翼副教授、蔡辰梅教授、郑航教授、李家成教授、李太平教授、朱晓宏教授、唐汉卫教授、冯永刚教授、郑富兴教授。十位审稿人认真阅读了书稿，并提出了大量中肯而有益的建设性意见，各册作者在此基础上进行了修改完善。

在此，我们对十位审稿人表示衷心感谢！

这十册图书汇集了中外德育研究的最新成果，在深入探讨德育基本理论、中国传统德育及面向未来的中国德育等诸多理论课题的同时，也系统分析、回应了教师道德、品德发展以及影响青少年品德成长的课程、教材、教学评价等德育领域的重大实践课题。《中国德育研究大系》既是汇集当代德育研究成果的百科全书，更是推进中国特色社会主义德育理论建构的工作平台。它不仅为中国特色社会主义德育理论的建构提供了一个系统、深入的崭新起点，更为构建方向正确、内容完善、学段衔接、载体丰富、常态开展的新时代德育工作体系，大力促进德育工作的专业化，提升德育的创新性、实效性，落实立德树人的根本任务，奠定了重要的教育理论之基。再加上作者团队——全国一批深具专业实力的德育研究者的积极参与和倾情奉献，我们有充分的理由相信：这是一套集权威性、公益性、原创性和实用性于一体的集大成之作。其出版，无论对于中国德育理论的建设还是德育实践品质的提升，都具有十分重要的时代意义。

汇集一批好学人，做成一桩大事情。在《中国德育研究大系》即将出版之际，作为主编，我们由衷感谢出版社有关领导、编辑团队对于本书系的有力支持，真诚感谢十位作者在百忙之中的积极响应、倾情投入和高品质的产出。与此同时，我们更是和全体作者一样，由衷地希望与更多的读者们同行，携手迎接一个中国德育研究更加美好的新时代！

檀传宝　杜时忠

# 目录

# 导 论

本书主要是对改革开放以来中国德育研究展开历史回顾和理论梳理，同时也是对未来德育研究走向的一种学术展望。改革开放以来，尤其是20世纪90年代以来，伴随着当代中国社会的不断发展以及德育理念与实践的不断革新，中国道德教育研究领域当中产生了一批在全国范围内具有较大学术影响与社会影响的德育理论。这些德育理论是在当代中国社会背景及教育现实的基础上提出来的，是为了解决德育发展过程中的某些方面或者某一方面的问题而逐渐形成和建构的。它们在理论上具有一定的原创性，在实践上也具有一定的针对性，通过理论与实践的双重作用推动了中国德育研究的进步以及学校德育实践的改善。本书正是致力于梳理这些德育理论的发展脉络，对当代中国德育研究的整体发展进程进行分析，并且聚焦于情感德育、活动德育、欣赏型德育、生活德育、制度德育等具有重大影响的德育理论及模式，展开全面而系统的研究。这些德育理论往往都具有学术上的独到之处，体现着学者们的探索和创新；同时，它们在解决当代中国德育实践问题的过程中也发挥出了重要的引领作用，指导和推动了当代学校德育实践的改革。

为此，在梳理、搭建本书的框架结构的过程中，我们的研究团队也经过了很长时间的思考和探索，通过集体智慧来构思如何更好地展现改革开放以来的德育理论研究进展，并期望书稿所呈现的内容体系不仅有对当代中国德育研究进程的全局性、系统性的观照，同时也有细致的、具体的德育理论思想的分析和梳理，从而实现更加全面而具体的理解和把握。在丛书主编以及整个丛书编写组的支持下，在研究团队的深入研讨和共同努力下，我们形成了整体框架布局，构成了全书九章的框架结构。从逻辑上而言，本书的第一章是总体分析，从总体的、全局的角度来对当代中国德育理论研究进展进行概要性的阐释和介绍；第二章到第八章，则是从具体的德育理论思想发展的角度来进行具体的梳理，对当代德育理论研究中具有较大学术影响和社会影响的德育理论思想进行更加具体而细致的阐述；第九章是面向未来中国德育研究的展望，是在前期探索的基础上进一步去展望德育研究的未来，通过一些前瞻性的思考来更好地把握未来的发展方向。为此，本书的具体章节布局和核心内容如下：

第一章是对中国德育研究进展的整体回顾。中国德育研究以改革开放为分界线。首先，对改革开放以前的德育研究进行了简要回顾，包括德育研究的“苏联化”改造、德育研究的“中国化”探索、德育研究的停滞等。然后，继续探索了改革开放以后德育研究发展的主要历程，包括德育研究逐渐走向了复苏，并伴随着 20 世纪八九十年代的市场经济发展和社会进步而不断前进；同时，到了 20 世纪 90 年代以后，迎来了中国德育研究的学术创新和学术争鸣的阶段，形成了一系列具有显著的学术影响及社会影响的德育理论模式。

第二章到第八章，则是分别对情感德育、活动德育、欣赏型德育、生活德育、制度德育、公民道德教育、主体性与主体间性德育、交往德育、生命德育等展开具体而详细的探索。第二章到第八章主要是以这些德育理论及其核心思想所提出的时间先后来排序的，而非按照重要性排序。这七章在逻辑结构上是相对统一的，每一章都是围绕着某个德育理论兴起和发展的背景、该德育理论的核心理念及主要观点、该德育理论的实践探索等方面来展开阐述，以期读者能够更好地了解当代中国德育研究（尤其是这些具有重大影响力的德育理论思想）的进展，从而对改革开放以来我国德育研究的发展状况形成更深刻的理解和把握。

第九章是面向未来中国德育研究的展望。本书认为，伴随着改革开放以来思想解放与学术争鸣的进程不断展开，我们德育理论研究的现代化转型及改革创新也正在不断推进；尤其是新世纪以来，德育学者们更加注重在本土教育语境及现实教育问题背景下展开中国德育新理念、新路径、新方法的学术探索，从而在构建具有中国特色的德育理论话语体系中发挥出了越来越重要的作用，促进了德育理论研究体系的不断深化和拓展。因此，展望未来，中国德育研究必将继续以多元、包容、开放的姿态来直面本土的、现实的、亟待解决的德育问题，全面地展开德育理论的中国探索，从而在新时代中国特色社会主义背景下构建出中国德育的理论话语体系，促进理论与实践的创新发展。本章聚焦于面向未来的德育基本理论问题研究，德育一体化建设的理论与实践研究，新媒体、媒介素养与德育研究，大数据、人工智能与德育研究以及生态道德、生态公民与德育研究等核心主题，展望德育研究的未来走向，深入把握中国德育研究发展的趋势，并致力于促进中国德育更好地培育德智体美劳全面发展的时代新人，在实现中华民族伟大复兴的进程中贡献重要的力量。

本书的学术研究和书稿撰写工作前后经历了三年左右的时间。在这三年时间里，“中国德育研究大系”丛书主编檀传宝教授、杜时忠教授多次组织了学术研讨会，邀请大家齐聚武汉，共同探讨丛书的整体结构布局以及每本书稿的核心主题和框架结构。在两位主编的关心和支持下，本书的研究团队也在内部召开了书稿撰写会，根据整套丛书的整体布局和结构要求，商讨和确定本书的核心主题和框架结构，使得本书能够更好地契合整套丛书的结构布局，同时也能体现出自身的特色。整个研究过程还是比较辛苦的，经过了一个比较漫长的思考、讨论、商定和撰写的过程。具体而言，2021 年，本书的研究团队主要开展了研究框架结构的思考和搭建的工作，并开展了初步的研究分工，根据研究分工去大量地阅读和掌握相关文献，梳理好各自所负责部分的研究文献并对研究进展进行分析、总结。2022 年开始，根据前期的文献梳理和研究工作，书稿的撰写工作开始启动，研究团队按照各自的任务要求来开展书稿的撰写工作，有序地推进书稿的写作。

到了 2023 年初，整个书稿的初稿撰写工作告一段落，开始进行书稿的统稿、修订和完善工作，前后增删了三次，并对整个书稿进行修改和打磨，以使本书的核心主题、框架结构、思想脉络更加合理和清晰。这是本书大体的研究过程。

在本书的研究和撰写过程中，研究团队得到培养和锻炼，大家的研究能力和水平得到了成长，形成了一些新的研究心得与学术体会：一是研究团队深入地了解了新中国成立以来我国德育理论研究经历的数次重大转型和变革，从新中国成立初期的“苏联化”改造再到中苏关系破裂之后的“中国化”探索，从“文革”十年的全面停滞再到改革开放以来的探索创新，德育理论研究在波折中不断前进，在波折中不断探索，实现着自身的改革创新与现代化转型。在没有做这个研究之前，我们对这段历史的理解和把握是比较肤浅的，虽然有所了解，但是不够深入、不够透彻。通过这次学术研究和书稿撰写工作，我们对这段历史进行了更加深入地分析和梳理，这让我们有了新的理解，形成了一些新的思考和观点。这是非常难得的一次经历和机会。二是我们有机会深入地探索和梳理这些年来所形成的具有重大学术影响和社会影响的原创德育理论思想。20 世纪 90 年代以来，尤其是新世纪以来，中国德育学者继续开展德育基础理论的研究，同时在本土教育语境及现实问题背景下展开中国德育新理念、新路径、新方法的探索创新，形成了一批兼具理论原创性与实践引领性的德育理论思想，展现了多元开放姿态下的学术争鸣与学术创新。通过梳理这些理论思想的成果，我们有了更充分、更全面，同时也更具体地了解当代中国德育研究发展进程的机会。通过对这些德育理论研究成果的分析和梳理，我们自身形成了更加深刻的理解。当然，我们也希望同行学者和广大读者能够对这些德育理论思想形成更加深刻的理解，并推动他们对中国德育理论研究的持续关注。三是这次研究也让我们坚定了文化自信、德育自信。当代中国德育研究在中西方学术思想的交流与碰撞中不断走向了深化和拓展，中国德育学者已然站在更加开放性、多元性和本土性的立场上来审视中国德育问题，并且在努力建构中国德育的理论话语体系，这也是为什么我们能够产生出这么多兼具理论原创性与实践引领性的德育理论思想的重要原因。在新时代的背景下，我们完全可以以自信的姿态来回顾德育理论研究的发展历程，同时展望新时期德育理论研究的未来走向，并有信心促进德育理论研究的进一步开拓和创新，逐步构建起具有中国特色的德育理论话语体系。

在本书撰写的过程中，我们参考了学术前辈和同行们的大量的学术著作和论文成果，在此我们对各位前辈和同行表示衷心的感谢！同时，德育理论研究需要一代一代德育学人的不懈努力，我们希望这本书不仅是对当代德育学人研究成果的总结和归纳，同时也希望它成为一个引子，来“引”出更多的具有理论原创性的德育研究成果，从而推动德育研究以及德育学科建设的进步。我们也坚信，在新时代的背景下，中国德育理论研究将更好地实现“中”与“西”、“土”与“洋”、“一”与“多”的辩证统一关系，推进德育理论研究的自主发展与创新发展，从而为人的发展、社会的发展和国家的发展做出更大的学术贡献。

# 第一章
# 中国德育研究发展的回顾

中华人民共和国成立以来，我国的德育研究经历了多次重大转折和变革。新中国成立初期,我们对教育学以及德育研究进行了“苏联化”的改造，伴随着中苏关系的破裂，进而开始探索“中国化”的德育改革与发展之路。“文化大革命”期间，德育研究工作乃至整个教育工作都处于停滞的状态，直到改革开放以后，伴随着国家政策的春风以及各项教育改革工作的推进，德育研究的探索与创新迎来了新的历史机遇。从新世纪开始，中国德育学者坚持对德育理论进行深度探索，同时更加注重在中西方视域融合的背景下探索本土德育问题，创新中国德育研究的理念、体系、路径、方法等，形成了一批具有理论原创性、价值引领性和实践创新性的德育模式，在学术争鸣中形成了一批具有代表性的理论研究成果，不仅促使德育学术理论更上一层楼，同时也推动了德育实践的深度转型与革新。展望未来，中国德育研究必将在中西方文化以及学术理论思想的相互碰撞与交流中不断拓展和深化，并在新时代的背景下进一步构建具有中国特色的德育理论话语体系，更好地培育德智体美劳全面发展的人。

## 第一节 改革开放以前德育研究的简要回顾

从1949年新中国成立至1978年改革开放前，中国德育研究在曲折中前行，最初是在模仿苏联经验的基础上开展新中国德育事业的“破旧立新”，然后试图摆脱苏联模式的束缚，探索德育的“中国化”“本土化”之路。但到了“文革”时期，这种探索则遭到了致命的打击，“在这样一个政治形势之下，学校德育完全被政治宣传、政治运动取代，德育科学研究当然也没有了存在、发展的可能”[①]。直到1978年，随着党的十一届三中全会的胜利召开，学校教育和德育工作才逐渐恢复。对改革开放前德育研究的脉络进行梳理，可以帮助我们更好地分析、归纳和总结德育研究的历史成就及经验教训，同时也有助于引导我们更好地展望中国德育研究的未来方向，肩负起促进中国德育研究高质量发展的重要使命。

### 一、德育研究的“苏联化”改造

1949年到1956年，中国德育研究大致处于“苏联化”改造的阶段，试图通过学习、模仿乃至照搬苏联德育模式，来完成中国德育理论及实践的“破旧立新”。1949年12月23日至31日，中华人民共和国中央人民政府教育部召开了第一次全国教育工作会议，这次会议明确提出了新中国的教育事业及教育研究不仅要吸收老解放区的经验，同时更要借鉴苏联教育的先进经验，要对中国教育及研究实行“苏联化”改造。这一点正如瞿

① 檀传宝.德育原理［M］.北京：北京师范大学出版社，2007：341.

葆奎先生所指出的，这一阶段的教育“一改以往‘仿美’的面貌，它伴随着新中国的成立呈现出了新气象”[①]。这种“新气象”,即中国教育以及德育开始了“苏联化”的改造，试图通过照搬苏联模式来完成新中国教育的建设。这种“苏联化”改造，在时间上大约从 1949 年新中国成立一直持续到 1956 年社会主义改造的完成和社会主义制度的建立。

### （一）全面模仿和照搬苏联德育经验

这一时期德育研究的基本特点是开始全面模仿和照搬苏联经验，试图通过模仿苏联德育模式来完成新中国德育的社会主义改造。新中国成立伊始，当时的德育学者们就投入到苏联著作的翻译工作中，广泛地阅读、学习和翻译苏联的教育著作、德育著作，并试图从这些著作中汲取思想滋养，吸收苏联教育工作及德育工作的经验，进而完成新中国的教育体系及德育体系的改造。1949 年，生活 · 读书 · 新知三联书店率先出版了苏联学者叶西波夫（B. P. Yesipov）和龚察罗夫（N. K. Goncharov）的著作《苏联的新道德教育》，该书详细阐述了苏联的德育理论及经验。该书共分为八章，分别介绍了苏维埃爱国主义教育、社会主义人道主义教育、集体主义教育以及列宁、斯大林论苏维埃道德教育等内容，阐明了苏联共产主义道德教育的原则及方向。这本书在当时的中国德育学界产生了较大的影响，使中国学者比较全面地了解了苏联的共产主义道德教育的核心思想及实践模式。1950 年，凯洛夫（И. A. Каиров）的《教育学》也随即由人民教育出版社出版发行，该书建构了苏联教育学的理论体系，在当时的中国教育领域产生了广泛的影响。该书的第八章至第十二章集中分析和阐述了共产主义道德教育的原理、内容、方法等，在当时中国德育领域引起了热烈的反响。此外，这一时期还翻译出版了冈察洛夫（H. K.

---

① 郑金洲，瞿葆奎. 中国教育学百年［M］. 北京：教育科学出版社，2002：101.

Гончаров）的《教育学原理初译稿》（该书的第八章专门讨论了“道德教育的原理”）、奥格罗德尼科夫（И. Т. Огородников）的《教育学》（该书的第十章至第十二章讨论了苏维埃的德育原理、德育方法以及爱国主义教育），等等。这些著作详细地阐述了苏联共产主义道德教育的目标、内容及方法等，成为了当时中国德育研究者眼中在实行新民主主义的教育、培养共同纲领里面所规定的新国民道德时非常有用的书[①]，从而被大家争相学习和模仿。

在模仿苏联德育模式的基础上，中国学者也发表了一系列德育研究成果，这些研究成果往往并非“独立”地阐发对中国德育的看法，而是“依赖”于苏联德育模式及经验来“看”中国德育问题，倡导和模仿苏联德育模式。比如，陈友松的《学习苏维埃爱国主义的教育》（1951）、熊承涤的《介绍两本共产主义道德教育的书》（1954）、何之的《加强对学生的共产主义道德教育》（1955）、杨成的《集中进行共产主义道德教育的几点经验》（1955）、章炼烽的《关于共产主义道德教育中的几个问题》（1955）等研究成果，主要是介绍苏联德育工作的经验，倡导学习和借鉴苏联模式。此外，这一时期教育领域还发生了一件具有标志性意义的事件，即北京师范大学教育系以凯洛夫《教育学》为摹本组织编写了《教育学讲义》，在国内产生了很大的影响。该教材的第十二章至第十七章是关于道德教育的内容，主要是模仿和照搬凯洛夫《教育学》中德育部分的理论结构和思想体系，阐述了共产主义道德教育的原则与方法、爱国主义教育、集体主义教育、劳动教育、纪律教育等。从一定意义上来说，这本教材也正是这一时期中国德育研究的缩影，即在全面学习和模仿苏联德育模式的基础上，以苏联共产主义政治思想和德育理念为指导，倡导、模仿乃至照搬苏联德育模式，走中国德育的“苏联化”改造道路。

---

① 王雁冰．介绍“苏联的新道德教育”［J］．人民教育，1950，1（4）：67－70.

### （二）批判杜威的实用主义教育哲学

在模仿和照搬苏联德育模式的同时，这一时期还展开了对杜威的实用主义教育哲学的严厉批判。批判的主要目的是旗帜鲜明地与美帝国主义教育思想划清界限，并展示出全面“苏联化”改造的决心和意志。当时，《人民教育》连续刊发了苏联学者冈察洛夫的《实用主义与实验主义的教学论批判——教育原理教学论节录》（1950）、梅里维里的《实用主义——帝国主义的反动哲学》（1951）等论文，指出实用主义哲学是“为美帝国主义统治世界的要求作辩护并为新的世界战争的挑拨者撑腰”[①]。哲学家金岳霖也在《哲学研究》上发表《批判实用主义者杜威的世界观》一文，认为“杜威的世界观是主观唯心论的、庸俗进化论的，认识论上反理性论的，行动上盲目主义的。这个世界观和我们马克思列宁主义者的世界观是根本对立的”[②]。而以马克思主义世界观为指导的中国德育研究显然必须要摆脱杜威实用主义哲学的影响。随即，曹孚也在《人民教育》1950 年第 5、6 期以连载的方式发表了《杜威批判引论（上篇）》《杜威批判引论（下篇）》两篇论文，指出杜威教育思想中的生长论、进步论、知识论、经验论等都犯了主观唯心主义的错误，而我们最应该学习的是苏联先进经验。这些观点在当时引领了中国教育领域及德育领域对杜威思想的批判风潮。此外，张腾霄的《实用主义教育学的反动实质何在》（1955）、张凌光的《评杜威的“思维与教学”》（1952）、张健的《批判杜威实用主义教育学说中有关学校教育的谬论》（1955）等论文也纷纷批判杜威的实用主义教育哲学及其世界观、价值观，认为它是“集世界资产阶级各种反动教育学说之大成”，

---

① Ю. К. 梅里维里. 实用主义：帝国主义的反动哲学［J］. 田雨，商福家，译. 人民教育，1951，4 (2) : 37 − 45 + 30.

② 金岳霖. 批判实用主义者杜威的世界观［J］. 哲学研究，1955 (2) : 3 − 27.

“在过去三十几年来，对我国教育界的影响最大、毒害最深”[①]。通过对杜威实用主义教育哲学的猛烈批判，当时的学者们表明了与西方资本主义世界观及德育理念划清界限的决心，同时也展示了向苏联德育模式学习的坚定信念。

与此同时，对杜威思想的批判也波及了陶行知、陈鹤琴等先生。两位先生均曾在哥伦比亚大学留学，受过杜威教育思想的熏陶。1951 年，曾担任陈鹤琴先生秘书的张文郁在《人民教育》上发表《我和“活教育社”的关系》一文，宣称陈鹤琴先生的“活教育”思想是杜威思想在中国的遗毒，自己只是因为一时的思想混乱而遭受了毒害。[②] 林英才发表《希望倡导“活教育”的先生们进行自我批评》一文，认为有必要对“活教育”思想展开批评与自我批评，“以便清算杜威反动的教育学说对中国近几十年来教育思潮的坏影响”[③]。张凌光发表《评“活教育”的基本原则》一文，指出“活教育”思想与杜威教育学说的基本观点大致相同，而“杜威的教育学说，在新民主主义社会是不适用的，并且是有害的”[④]。此外，王泰然发表的《活教育的主张能使中国旧教育变活吗？——与活教育杜商榷》（1951）、余之介发表的《我对“活教育”的再认识和自我批评》（1951）等论文，均公开表示与陈鹤琴先生及其“活教育”思想划清界限，主张“活教育”思想必须进行根本改造，才能适应新中国的需要。随后，批判的矛头也指向了陶行知先生。1952 年，凯旆在《人民教育》上发表《“教学做合一”的批判》一文，批评陶行知先生的思想“表现了哲学上的二元论……反映了中国民

---

① 张健 . 批判杜威实用主义教育学说中有关学校教育的谬论［J］. 人民教育，1955 (6)：23 － 25.

② 张文郁 . 我和“活教育社”的关系［J］. 人民教育，1951，4 (1)：16 － 17.

③ 林英才 . 希望倡导“活教育”的先生们进行自我批评［J］. 人民教育，1951，3 (4)：56 － 57.

④ 张凌光 . 评“活教育”的基本原则［J］. 人民教育，1951，2 (6)：20 － 24.

族资产阶级的革命性与动摇性”[①]。张凌光发表《评“生活即教育、社会即学校”》一文，认为陶行知先生的思想“有不少进步的地方，但和马列主义毛泽东思想，还是根本不同”[②]。陈之平发表《对陶行知先生教育思想的探讨》，该文指出“陶行知的教育思想是属于片面的、资本主义教育思想范畴的……是以实用主义教育的哲学思想‘无定论’作根据的”[③]。如此种种，这场批判的深层次目标是彻底清除杜威思想在中国教育及德育领域的影响，与以美国为代表的资本主义世界及其德育道路划清界限，更坚定地走模仿和照搬苏联模式之路。

## 二、德育研究的“中国化”探索

从 1956 年开始，一直到 1966 年“文化大革命”开始之前，德育研究处于一个“中国化”探索的阶段。其中一个重要的原因，就是 1956 年以后中苏关系不断恶化并最终走向破裂，标志性事件是《人民日报》于 1956 年以编辑部名义先后发表了《关于无产阶级专政的历史经验》《再论无产阶级专政的历史经验》两篇评论文章，批评苏联是“现代修正主义”，指出苏联在社会主义建设中犯了严重的政治错误。这推动并形成了一股反思和批判中国教育及德育“苏联化”改造的浪潮，中国学者开始反思过去这些年对苏联德育模式的过度依赖，开始重新思考和探索中国德育研究及实践工作的“中国化”之路。这一时期的“中国化”探索，主要体现在以下两个方面：一是全面反思和批判凯洛夫《教育学》及苏联德育模式，二是逐步探索德育研究的“中国化”道路。这种“中国化”探索持续到了 1966 年“文化大革命”开始之前。

---

① 凯旆．“教学做合一”的批判［J］．人民教育，1952 (1) : 17 − 20.

② 张凌光．评“生活即教育、社会即学校”［J］．人民教育，1952 (1) : 13 − 16.

③ 陈之平．对陶行知先生教育思想的探讨［J］．人民教育，1953 (8) : 54 − 55.

### （一）批判凯洛夫《教育学》及苏联德育模式

1956 年中苏关系破裂之后，我国教育领域（包括德育领域）就展开了对苏联模式的批判，批判的矛头最先指向了凯洛夫《教育学》及其德育思想体系。1957 年春，曹孚在中央行政学院做了《教育学研究中的若干问题》的学术报告，他指出我们不能照搬凯洛夫《教育学》，而是要推进“中国化”的探索，避免理论研究中的模式化、教条化和孤立化。1957 年 10 月，瞿葆奎先生也发文指出，我们应当对凯洛夫《教育学》以及苏联模式保持清醒的头脑，我们存在着教条主义的学习态度，这种学习态度我们必须努力批判和克服[①]。瞿葆奎先生希望学界以理性的态度来反思凯洛夫《教育学》及苏联模式，从而达到批判性地学习和吸收的效果。但是，到了 1958 年以后，随着“大跃进”和人民公社化运动在全国范围内如火如荼地展开，对凯洛夫《教育学》及苏联德育模式的批判呈现出了“一边倒”的态势，理性批判淹没在了群众运动当中，各级各类学校纷纷对凯洛夫《教育学》进行批判。批判者认为，凯洛夫《教育学》的思想框架及其德育体系受到了“修正主义”的影响，而我们的德育理论体系应当是以毛泽东思想为指导，并“以毛泽东教育思想为武器批判教育战线上的资产阶级思想和修正主义思想”[②]。批判者还认为，凯洛夫《教育学》及其德育体系错误地以书本为中心、以课堂为中心、以教师为中心，脱离了生产劳动、脱离了社会实践，无法为无产阶级专政服务。1958 年 8 月，《红旗》杂志专门刊发了陆定一的《教育必须与生产劳动相结合》的评论文章，强调教育（包括德育）必须与生产劳动相结合，必须为无产阶级、劳动人民服务[③]。紧随其后，中共中央、国

① 瞿葆奎 . 关于教育学“中国化”问题［J］. 华东师范大学学报（人文科学版）, 1957 (4) : 26 － 38.

② 郑金洲 , 瞿葆奎 . 中国教育学百年［M］. 北京 : 教育科学出版社 , 2002 : 141.

③ 陆定一 . 教育必须与生产劳动相结合［J］. 红旗 , 1958 (7) : 1 － 12.

务院于 9 月 19 日发布政策文件《关于教育工作的指示》，该文件明确指出党的教育方针就是“教育为无产阶级的政治服务，教育与生产劳动结合”[①]。于是，对凯洛夫《教育学》及其德育思想的批判越来越激烈，从而形成了 50 年代前期和 50 年代后期对凯洛夫《教育学》的两种截然不同的态度，即“50 年代初期，对凯洛夫《教育学》惟恐学得不认真、不系统、不全面、不彻底；50 年代后期，则对凯洛夫《教育学》惟恐批得不认真、不系统、不全面、不彻底”[②]。这种矛盾性展现出了当时中国教育及德育思想领域在中苏关系破裂之后的困境，即必须从原有的模仿和照搬苏联模式的轨道上摆脱出来，艰难地寻找中国教育及德育发展的新道路。伴随着中苏关系的破裂，50 年代初期全面学习和照搬凯洛夫《教育学》及其德育体系的浪潮已经宣告结束。中国教育学及德育理论界必须独立自主地在当时的社会背景下寻找适合中国自身的德育理论体系，展开德育研究的“中国化”探索，以适应新的政治形势及教育需要。

### （二）独立探索德育理论体系的“中国化”道路

伴随着对凯洛夫《教育学》及苏联德育模式的全面反思和批判，学界随即展开了教育学及德育理论体系的“中国化”探索。1956 年，瞿葆奎先生在《人民教育》上发文指出，我们要避免用苏联模式来“生搬硬套”中国教育实践，当前，我们“在很大程度上还是采取你引凯洛夫和别洛夫斯基的话，我引崔可夫和斯达西耶娃的话，来证明你或者我早已作出的结论”[③]。这显然无助于中国教育及德育的发展和完善。1957 年，瞿葆奎先生又发表《关于教育学“中国化”问题》一文，他认为当时对苏联模式和经验的学习，与我国的情况结合不够，是一种僵化的教条主义态度，它不利

---

① 中共中央、国务院．关于教育工作的指示［N］．人民日报，1958－09－20.

② 郑金洲，瞿葆奎．中国教育学百年［M］．北京：教育科学出版社，2002：140.

③ 瞿葆奎．如何在教育学领域中实现“百家争鸣”［J］．人民教育，1956 (11)：62－64.

于教育走出一条“中国化”的道路[①]。在瞿葆奎先生的多次呼吁之后，德育学者们也逐步开展了德育理论体系的中国化探索。许宗实在《人民教育》上发文指出，凯洛夫《教育学》在德育问题上只是一般性地提出要培养共产主义道德，但是并没有充分紧密地联系社会实际，而“我们要从德、智、体几个方面生动活泼地、主动地得到发展，成为有社会主义觉悟的有文化的劳动者”[②]。孙陶林发文指出，我们必须坚决批判教条主义倾向，建立我国自己的教育学，走我们自己的发展道路[③]。这也激发了当时德育学者结合中国德育的实际问题，不断对德育理论的“中国化”展开探索。一个具有代表性的事件是，北京师范大学、华东师范大学、南京师范学院、华南师范学院等高等院校迅速组织学术力量，在批判凯洛夫《教育学》及苏联德育模式的基础上，以毛泽东思想为指导编写了一系列新的《教育学》教材，其中的德育部分也做了显著的中国化改造，比如北京师范大学编写的《教育学教学大纲》（1958）、华东师范大学等编写的《教育学（初稿）》（1960）、南京师范学院编写的《教育学》（1959）、华南师范学院编写的《教育学讲义（初稿）》（1959）等，均围绕中国学校德育的性质和任务、共青团组织及活动、班主任工作等方面的特色，对教材中的德育部分进行了“中国化”的探索和改造。这次改造的重点不再是以苏联共产主义道德教育思想为模板，而是以毛泽东教育思想为指导，结合中国教育实际阐发了学校德育、思想政治教育的意义、任务、原则、过程、方法等内容，初步搭建了中国德育理论体系的新框架。此外，众多学者也纷纷发文探索德育发展的中国道路，黄济的《对〈中小学共产主义道德教育的内容和方法〉的意见》（1958）、卢达君的《当前学校中思想政治教育的迫切任务》（1959）、孟豫的《谈谈

① 瞿葆奎．关于教育学“中国化”问题［J］．华东师范大学学报（人文科学版），1957 (4)：26 － 38.

② 许宗实．社会主义教育学中的一个重要问题［J］．人民教育，1964 (6)：33 － 36.

③ 孙陶林．建立我国教育学，革新教育学的教学工作［J］．学术月刊，1958 (8)：25 － 28.

关于共产主义道德的教学问题》(1962)等一系列论文，展现出了中国学者探索德育“中国化”道路的努力。这些研究成果不再是照搬照抄苏联德育模式，而是试图结合中国的实际情况走出一条属于自己的德育发展之路。总而言之，这次“中国化”探索有其特殊的政治背景及社会背景，它是中苏关系破裂之后我国德育领域摆脱苏联模式的一次尝试。这次“中国化”探索与反右派斗争、“大跃进”、人民公社化运动等不期而遇，阶级斗争扩大化、政治意识形态“左”倾化、学校德育“泛政治化”等不良倾向也对这次探索产生了消极影响。这也在一定程度上导致了这次中国化探索逐渐陷入了“左”倾误区，无法助力中国教育以及中国德育研究的稳步发展。

1966—1976年的十年“文革”，既是一场国家政治的灾难，也是一场文化和教育的灾难。“文革”的开始宣告了这次德育研究“中国化”探索的结束。“文革”十年期间，党和国家政治生活的民主化、法制化秩序遭受严重破坏，社会生产力、生产秩序也遭受了严重的损害。在教育领域，大量的学校设施及组织机构遭到破坏，大量的教育学者受到迫害，而中国教育及德育理论体系的研究也几乎处于停滞状态。

这一时期的学校德育越来越泛化为政治宣传，沦为了“左”倾政治运动的牺牲品。政治挂帅、以阶级斗争为纲等政治口号、政治标语在青少年学生中间不断传播。青少年学生接受的不再是关于道德品质、思想境界的教育，更多的是“无产阶级专政”“阶级斗争为纲”的意识形态的教育。课堂教学和教育活动一片混乱，学校德育工作名存实亡。可以说，“文革”在某种意义上已经成为了一次“反道德教育”的运动，它削弱了社会道德教化的正能量，使青少年学生的道德成长遭受了前所未有的伤害。

1976年，十年“文革”终于结束，中国德育研究开始踏上了新征程。在德育领域，拨乱反正的工作也有序地展开，德育研究也逐渐走向复苏。

# 第二节　改革开放以来德育研究的主要历程

从1978年开始，伴随着改革开放政策的不断推进，中国德育研究稳步推进了德育理论体系及学科体系的现代化建设。从新世纪以来至今，伴随着中国政治、经济、文化的飞速发展，中国逐渐跻身世界强国之列，中国德育研究也在中西方文化交融、兼容并包的基础上进行着更深层次、更高水平的探索创新，并致力于建构具有中国特色的德育理论体系，产生了一批有重大学术影响和实践影响的德育研究成果，形成了学术争鸣与探索创新的发展趋势，使德育研究与新时代中国特色社会主义的伟大理论、伟大实践实现同频共振，从而更好地培育能够担当中华民族伟大复兴重任的时代新人。

## 一、德育研究的恢复与前进

改革开放以来，中国德育研究不断向着现代化与科学化的方向前进。这一时期，德育研究体现出了阶段性的特征。从“文革”结束后到20世纪80年代初期，德育研究的进展集中表现为对“文革”错误路线的集中反思和批判，以走出“文革”的泥沼。而从20世纪80年代中期到20世纪末，德育研究领域则稳步开展了德育理论体系及学科体系的现代化和科学化建设，对德育的本质、功能、内容及方法等展开了全方位探索，并形成了德育学科的分化与融合的新趋势，逐步推进了现代化德育理论体系的构建。

### （一）矫正“文革”的德育路线

“文革”时期，学校几乎没有了真正意义上的德育，有的只是阶级斗争和政治宣传。“文革”结束后，这种德育方式受到了深刻的反思，拨乱反正的工作也逐渐进入德育研究者的视野。学者们纷纷呼吁要深刻反省“文革”对学校德育工作的伤害，要更加重视德育的地位及作用。比如，北京师范大学王炳照的《“四人帮”“批智育第一”是对德育智育的全面破坏》（1978），吴庆粲、陈子茂的《必须把德育摆在领先地位——论当前在贯彻教育方针中一个值得重视的问题》（1983），木子青的《学校德育的地位和作用》（1983）等论文，均指出了“文化大革命”把德育工作过度政治化、阶级斗争化了，篡改了德育的性质和方向，从而导致学校德育遭受了严重的破坏。学者们认识到，我们必须对“文革”的错误德育路线进行拨乱反正，使学校德育回到正确的轨道上来。当时学校德育的拨乱反正工作，主要体现为两个方面：一方面，德育理论界展开了对“文革”时期“四人帮”团伙的批判，反省以阶级斗争为纲、以政治宣传为唯一目的的学校德育政策。王炳照先生在当时曾反思道：“‘四人帮’高喊极‘左’的口号，推行极右路线，表面上十分重视德育，实际上他们对学校教育中的德育破坏最为严重。”① 这也成为了当时很多学者的普遍心声。另一方面，理论研究者和实践工作者开始对德育工作重新进行定位，把德育放在学校教育的首要位置。“文革”时期学校德育几乎从人们的视线中消失。“文革”结束后，一批德育理论工作者重新思考德育的地位，指出必须把德育摆在领先地位，因为德育是建设社会主义精神文明、全面贯彻党的教育方针的必然要求。② 另外一些文献也反映出，当时很多一线教师已经认识到了德育的重要性，认为学校德育工作应该得到加强。③ 随着这种批判与反思在学界中的开展，德育研究也呈现出了复苏的态势。

---

① 王炳照．“四人帮”“批智育第一”是对德育智育的全面破坏［J］．北京师范大学学报（社会科学版），1978 (3)：41 － 48.

② 吴庆粲、陈子茂．必须把德育摆在领先地位：论当前在贯彻教育方针中一个值得重视的问题［J］．学术论坛，1983 (6)：32 － 34.

③ 衡阳县第一中学党支部．工作重点转移，德育更要加强［J］．湖南教育，1979 (4)：14 － 15.

与此同时，诸多学者还对中国古代德育思想进行了批判与继承。“破四旧”“批林批孔”等一系列的政治运动过后，传统文化成为“过街老鼠”人人喊打，文化传统中优良的德育传统也被抛弃得无影无踪。“文革”结束后，德育理论工作者对“文革”时期的“破四旧”“批林批孔”等展开了集中性的批判，并自发地开始了文化“寻根”之旅，重新评估传统文化的德育价值，开始了对古代德育思想的批判与继承工作，强调对传统文化应当取其精华、去其糟粕，继承和发扬传统文化的精髓，从而形成了一系列的学术作品，如陈本铭的《孔子教育思想试评——兼论五四时期“打倒孔家店”的口号》( 1979 )、毛礼锐的《论儒家的道德教育思想》( 1980 )、陈景磐的《论孔子的道德教育思想》( 1980 )、王炳照的《批判地继承古代道德教育思想遗产》(1984)、张惠芬的《教育史中的批判与继承》(1980)、宋惠昌的《关于道德的继承性的几个问题》(1980)，等等。这些研究成果都集中反思了“文革”对传统文化及儒家思想的错误批判，认为我们应当辩证地看待传统文化及儒家思想，既要有批判也要有继承和创新。通过对“文革”时期错误路线的集中反思，德育研究开始逐渐实现了“拨乱反正”，逐步回归到正确的轨道上来。

这一时期学者们还对一批革命家、教育家的德育思想进行了分析、梳理。“文革”时期，一些教育家的思想被贬得一无是处，孔子、孟子等先哲们的思想也遭受到了前所未有的批判。基于这样的一个现实背景以及改革开放的契机，德育研究在这一时期也展开了对一批革命家、教育家的德育思想进行梳理的工作。当时形成的理论成果主要有：李惠成的《试谈〈学记〉德育的方法论》(1983)、卢曲元的《试谈毛泽东德育思想的基本内容》(1982)、陈景磐的《论孔子的道德教育思想》(1980)、李道仁的《学习马克思的德育思想》(1983)，等等。通过对这些革命家、教育家的德育思想的梳理，使得诸多的德育思想、德育理论得到了批判性的继承，这对于德育理论的发展来说是有积极意义的，它促进了德育研究的恢复和发展。

## （二）建构现代化的德育理论体系

从 20 世纪 80 年代中期开始，整个德育研究领域开始进入了一个宽松的、快速的发展时期，现代化和科学化成为了这一时期德育研究的价值追求。德育学者们开始着手建构现代化的德育理论体系，就德育的本质、功能、内容以及方法等展开了全方位的探索。其一，在德育本质层面上，这一时期的德育研究经历了从“外铄论”到“内化论”再到“适应性与超越性的统一论”的转变。20 世纪 80 年代，德育的“外铄论”得到了不少学者的认同，学者们认为德育就是“把一定社会的思想道德规范转化为受教育者个体的思想品德”[①] 的活动。这主要还是从外在的角度来理解德育本质。到了 90 年代初期，学者们逐渐认识到德育不仅要依靠外在的传授，同时更要依靠受教育者自身的“内化”，因而强调了德育的本质是“通过受教育者积极主动的内化和外化，促进其养成一定品德的教育活动”[②]。而到了 20 世纪 90 年代末，鲁洁教授发表了《道德教育：一种超越》《论教育之适应与超越》等论文，提出了德育的本质是“适应性与超越性的统一性”的思想观点，这在全国范围内引起了巨大反响，从而也使对德育本质的讨论更加深入。其二，在德育功能层面上，这一时期的德育学者从现代化建设的角度出发，认为我们不仅要重视德育的政治功能，同时也要重视德育的经济功能、个体功能等。鲁洁教授在《商品经济与教育》一文中指出，学校德育不能脱离商品经济发展的需要，而是要通过培养人的竞争观念、开拓精神、创造意识等促进商品经济的发展[③]。胡晓莺在《学校德育与社会主义商品经济》一文中也指出，学校德育不仅要培养人的理想信念，同时也

---

① 胡守棻．德育原理［M］．北京：北京师范大学出版社，1989：36.

② 扈中平．教育学原理［M］．北京：人民教育出版社，2008：384.

③ 鲁洁．商品经济与教育［J］．江苏高教，1989（1）：15－19.

要为商品经济服务[①]。与此同时，鲁洁教授又率先提出了“德育的个体享用性功能”的观点，她认为德育还应重视个体发展的功能，促进人的自我实现，满足人的精神需要[②]。这引起了学者们对德育个体功能的普遍关注。其三，在德育内容层面上，这一时期展开了德育内容的现代化和科学化的探索工作，搭建了更加完善的德育内容体系。德育学者们普遍比较注重社会主义教育、爱国主义教育、集体主义教育、社会公德教育、基本文明礼仪教育等方面的德育内容[③]，并且把这些内容分别归入思想政治教育、道德教育、法制教育、心理健康教育等范畴，形成了“大德育”的体系。这一德育内容体系也更好地适应了当时社会主义现代化建设的需要。其四，在德育方法层面上，这一时期的德育研究者主张运用更加多元、科学的德育方法开展德育工作，包括榜样示范法、理想激励法、情感陶冶法、对话讨论法、行为训练法等，从而以更加科学的、符合规律的德育方法来促进学生的道德成长，提升学校德育工作的实效性。比如，严正的《中小学德育原理与方法》（1989）、魏贤超的《现代德育原理》（1993）、檀传宝的《学校道德教育原理》（2000）等著作都在德育方法上展开了深入探索，强调通过更加现代化、科学化的德育方法，促进受教育者道德品质的全面发展。

### （三）促进德育学科的分化与融合

随着德育研究的不断推进，20 世纪 90 年代以后，德育作为一门独立学科已经初具规模，并且通过不断向内挖掘、向外拓展，形成了学科不断分化与融合的发展趋势。德育学科的不断分化，使得德育研究能够不断地走向细化和深化，促进自身的突破和创新；而德育学科知识体系从分化走向交叉、融合，则可以不断拓宽学科发展的视野，对于整个德育学科体系

① 胡晓莺．学校德育与社会主义商品经济［J］．中国教育学刊，1989 (1)：19 － 21 ＋ 61.

② 鲁洁．试论德育之个体享用性功能［J］．教育研究，1994 (6)：46 － 47.

③ 詹万生．整体构建德育体系总论［M］．北京：教育科学出版社，2001：311.

的发展具有显著的促进作用。

这一时期，从“德育原理”这一母学科中分化出来的子学科非常之多，子学科的研究领域涉及了德育目标、德育内容、德育方法、德育价值、德育过程、德育管理等诸多方面，比如：探讨德育过程的德育过程论、分析德育方法的德育方法论、研究德育教学的德育教学论、探讨德育价值的德育价值论、研究学校德育管理的德育管理理论以及对中西方德育进行比较研究的比较德育学，等等。这些从母学科分化出来的子学科，从不同的角度推动了德育理论体系的建构，促进了德育研究的深化。德育学科分化的另一个重要体现就是围绕德育研究的一系列交叉学科、边缘学科的兴起，从而在跨学科、交叉学科的视角上研究德育问题，比如，德育与艺术学交叉产生了《德育艺术论》(1998)，德育与心理学交叉产生了《品德心理研究新进展》(1999)、《道德认知发展与道德教育——科尔伯格的理论与实践》(1999)、《德育学科教学心理研究》(1998)，德育与美学交叉产生了《德育美学观》(1996)，德育与环境学交叉产生了《德育环境学》(1992)，德育与社会学交叉产生了《德育社会学》(1998)，德育与管理学交叉产生了《高校德育管理学》(1995)，等等。对于这一时期的德育学科发展而言，“学科分化的趋势是不可避免的，不只是‘德育学’这一学科，其他学科也面临着同样的分化趋势”①。通过学科分化与交叉，德育研究从更开阔的理论视角看德育问题、研究德育问题，从而拓宽了自身的学术视野。

当然，在德育学科不断走向分化的背景下，德育研究也出现了显著的融合趋势。一方面，德育学科的融合趋势体现为德育研究构建出了更加成熟化、体系化的研究成果，众多学者根据长期以来的德育理论及实践的经验积累，撰写了大量的德育学著作以及理论教材，对已有的研究成果进行了归纳和综合，促进了学科理论体系的融合发展。比如魏贤超的《现代德

① 叶飞，檀传宝．改革开放30年德育理论发展脉络探析［J］．教育研究，2009 (1)：19－24＋85.

育原理》（1993）、鲁洁和王逢贤的《德育新论》（1994）、檀传宝的《学校道德教育原理》（2000）、黄向阳的《德育原理》（2000）等著作，对德育学科的基础理论思想及研究成果进行了归纳和综合，促进了德育学科知识体系的综合化。另一方面，这种融合趋势还体现在德育领域出现了一批致力于促进德育理论与德育实践走向融合的研究成果。这些研究成果基于现实的德育问题，通过综合性的理论体系及实践策略的构建来促进学校德育工作的有效开展，使德育理论与德育实践走向互融、互通。比如李长喜和卓晴君的《德育理论与实践》（1992）、魏贤超的《现代德育理论与实践：主体参与式德育与整体全息德育课程的理论与实践》（1994）、张耀灿的《中学德育理论与实践》（1994）等著作。这些研究成果在德育学科不断走向分化的过程中，结合理论与实践两个维度对德育问题展开了综合性的研究，促进了理论与实践的融合及对话，从而在德育学科与德育研究的发展进程中发挥出了积极的影响。总体来说，在融合中走向分化、在分化中走向融合，是现代学术理论体系发展的基本特征。这既是德育学科不断走向科学化、现代化的必然结果，同时也是德育学科获得更长远发展必须要经历的过程。

## 二、中国德育模式的探索与争鸣

进入新世纪，中国德育学者开始站在更加多元、开放和包容的立场上来审视中国德育问题，并且努力建构中国德育的理论话语体系，产生了一批兼具理论原创性与实践引领性的德育模式，形成了学术争鸣的态势。这种学术争鸣的形成，具有多方面的原因：一是在理论发展的背景上，中国德育研究经过了 20 世纪八九十年代的复苏和发展，理论积淀越来越深厚，理论层面的创新动能也越来越足，这为学术争鸣奠定了坚实的理论基础；二是在社会环境层面上，伴随着改革开放的深入推进以及思想领域的进一步解放，宽松的思想氛围以及学术自由理念愈加深入人心，学者们得以从多元、开放的视角来对德育理论展开积极探索；三是从国际化的背景来看，这一时期的国际学术交流日益加深，中西方德育理论的碰撞也不断地启发着中国学者的思考，促进了多样化的德育思想及德育模式的生成。

因为篇幅的关系，本部分无法全面而详尽地介绍这一时期所有的德育模式，仅就以下几种比较具有代表性的德育模式进行简要的介绍和阐述。同时，本书在介绍这些德育模式时，是以这些德育模式及其核心思想的提出时间为顺序，以期更好地还原这些德育模式的提出背景及发展状况。

### （一）情感德育模式

情感德育模式强调学校德育不能仅仅关注道德知识、道德理性，而是要注重情感的重要作用。情感德育模式主张，德育应以情感体验为基础，以情感与认知相互影响、彼此促进为主要过程，以情感态度的养成为基本表征，从而更有效地培养受教育者的道德人格。情感德育模式认为，情感是道德的核心动力，个体的道德行为选择不断地接受着情感的引导和调节，良好的道德情感促进着个体的道德人格的生成与发展，失去了情感则使道德成长失去了原动力，成为了无源之水、无本之木。因而，促进德育中的情感交流，加深学生在道德生活及道德行为选择中的情感体验、增强人与人之间的情感关系，是培养学生的道德品质、提升德育实效性的重要基础[①]。为此，德育工作必须建构教师与学生、学生与学生之间的融洽活泼的情感关系，以激发和养成学生良好的道德情感，通过情感来陶冶、培育和涵养学生的道德品质。情感德育模式促进了一线学校德育工作对情感陶冶、情感体验、情感叙事等的重视，对学校德育逐步摆脱理性主义的束缚、重建情感与道德的内在联系发挥了重要作用，取得了显著的效果。

---

① 朱小蔓．情感德育论［M］．北京：人民教育出版社，2005：74.

### （二）活动德育模式

活动德育模式的提出是对传统德育的道德灌输和认知主义的一种反思和批判，它凸显了道德教育的实践属性以及人的道德主体精神。活动德育简要而言“就是在活动中通过活动而且为了活动的道德教育”[①]。人的自主自觉的活动，既是道德教育的目的，同时也是道德教育的手段。作为目的，意味着要把形成一种道德的生活方式作为学校道德教育所追求的最高境界；作为手段，则意味着道德教育要把活动作为学生的道德发生、道德发展以及道德之个体生命意义实现的源泉和基础来理解，并且作为促进人的道德发展的重要手段来加以运用[②]。活动德育模式强调人的道德主体性以及道德发展的实践属性，主张建立以实践活动为主导的德育课程体系，营造民主性、对话性的师生交往关系，强调教师在德育活动中充当组织者、引导者和参与者等多重角色。活动德育模式在理论上凸显了创新的价值，同时也影响了德育实践的探索，受到了一线教师以及广大学生的欢迎，对于激发学生的道德学习自主性及学习兴趣、促进教师角色的转换、推进德育课程教学的创新等发挥了重要作用。

### （三）欣赏型德育模式

欣赏型德育模式是在集中反思中国德育的“功利主义症候群”的基础上提出来的。欣赏型德育模式认为，中国德育陷入了功利主义的怪圈，这导致了德育信度和效度的缺损，造成了德育危机的出现。对于德育危机的超越，需要我们摆脱功利主义德育的影响，重建非功利的审美意趣与德育的本真联系，使德育从美学那里获得滋养，增强德育的超功利的审美内涵。欣赏型德育模式强调，德育不能没有精神追求，德育不能失去审美意

---

① 戚万学．活动道德教育论［M］．天津：南开大学出版社，1994：5.

② 戚万学．活动道德教育模式的理论构想［J］．教育研究，1999（6）：69－76.

趣，美学能给予德育的最根本的东西便是审美的精神内涵，并且通过美来达到育德的目标和效果①。建基于审美意趣与德育的有机联系，德育可以成为“一幅美丽的画”“一曲动听的歌”，使受教育者在审美意趣中自然而然地接受道德教育，达到“美善相谐”的道德境界，实现以美育德的教育效果。②欣赏型德育模式一经提出就对一线学校德育工作产生了积极的推动作用，众多的一线学校和教师纷纷以欣赏型德育模式为理念指导，开展了广泛的欣赏型德育实践活动，促进了学校德育工作实效性的提升。檀传宝教授还基于欣赏型德育模式编写了大型德育画本《我的家在中国》，在德育实践领域产生了热烈的反响。

### （四）生活德育模式

生活德育模式是我国德育领域的重大理论创新，它对基础教育德育课程改革及学校德育实践产生了重要影响。以鲁洁教授为代表的一批学者于20世纪90年代末21世纪初期提出了德育要回归儿童的生活世界的思想主张，她强调德育应尊重儿童的身心发展规律，德育的内容应当是儿童可以接受和理解的，不能与儿童的生活形成分裂③。在推进基础教育阶段“品德与生活”“品德与社会”课程改革的过程中，学者们更加明确地提出了生活是德育的根基，回归生活是德育改革的基本方向，从而形成了生活德育模式的基本观点。生活德育模式主张，学校德育与学生的生活世界具有本真的、内在的联系，德育工作以及德育课程教学必须从儿童的生活出发、从儿童的思维立场出发，与儿童的心灵世界息息相通④。回归生活世界的道

---

① 檀传宝.1979—1994: 功利主义德育观美学超越的历程［J］. 高等师范教育研究，1996 (4)：21 – 27.

② 檀传宝 . 让德育成为美丽的风景：欣赏型德育模式的理念与操作［M］. 合肥：安徽教育出版社，2006：6.

③ 鲁洁，王逢贤 . 德育新论［M］. 南京：江苏教育出版社，2000：178 – 182.

④ 高德胜 . 生活德育论［M］. 北京：人民出版社，2005：40 – 41.

德教育，不是为了培养人的道德知性，而是为了培养人在生活中的德性，使人真正去过一种美善的德性生活。生活德育模式强调，德育必须以生活为本，是为了生活、通过生活而进行的[①]。生活德育模式推进了基础教育课程改革中德育课程体系的改革与创新，在学校德育实践中发挥了重要的引领作用。

### （五）制度德育模式

制度德育模式认为，制度不仅是一种外在的规范性力量，同时制度本身也具有丰富的道德内涵，德性的制度可以培养德性的人。当制度本身是不道德的时候，生活于这个制度下的人也将遭受不良的道德影响，甚至成为道德败坏的人。因而，制度德育模式主张，学校德育不仅要重视德育课程及教学的作用，更要重视德性制度的建设；只有建构德性的制度，学生才能在德性的制度生活中逐步成长为道德的人。为此，根据制度德育模式的核心主张，建设德性的制度是学校德育工作的重要环节，学校应以平等性、民主性、公正性以及人本性等基本原则建构德性的学校制度，通过道德的制度培养道德的人[②]。唯有建立起德性的制度，实现学校制度的德性化改造，学校德育才能真正培养具有德性精神的人，否则学生的德性成长必然会因为缺乏制度的保障而面临阻碍。制度德育模式不仅在理论体系上有创新，同时也推动了一线学校和教师反思自己所在学校的制度问题，形成了德性制度的理念，从而在无形中提升了学校道德教育的效果。

### （六）公民道德教育模式

伴随着当前我们的法治国家、法治政府、法治社会的建设以及公民主

---

① 鲁洁．回归生活："品德与生活""品德与社会"课程与教材探寻［J］．课程·教材·教法，2003（9）：2－9.

② 杜时忠．人文教育与制度德育［M］．合肥：安徽教育出版社，2012：298.

体意识的不断觉醒，公民道德教育研究成为了德育研究中的热点主题，引发了学者们乃至社会公众的广泛关注。作为中国教育的现代诉求，公民道德教育展示了中国教育发展的新方向，这种新方向是由中国社会转型以及教育转型的内在逻辑决定的[①]。在社会主义民主法治国家的建设中，教育要培养“具有民主与法制意识的社会成员，使这些成员在走上社会之前就了解社会政治运作的基本模式和关系，了解如何参与到社会的政治生活中来，了解作为公民的基本权利和义务，了解公民如何通过合法的手段保护自己的权利和推动社会的发展”[②]。在新的历史时期和社会背景下，公民道德教育发挥着不可替代的作用，它能够培养年轻一代人的公民品质和公共精神，发展受教育者的公共品德、权利品格以及普遍性的公共伦理理念[③]。当前的公民道德教育，应当促进公共德性与个体善性、公民的权利与义务的统一，培养社会主义的健全公民。为了更好地达成此目标，则应当重塑学校交往生活以及社会交往生活的公共性原则，使公共价值观的传递具备更加坚实的公共交往生活基础，为青少年学生的公民成长营造良好的公共空间和公共精神氛围[④]。公民道德教育的理论及模式在当前学校教育中发挥出了重要的影响和辐射作用，在不断促进德育工作的革新，为培养社会主义合格公民贡献了重要力量。

### （七）主体性及主体间性德育模式

主体性德育认为，传统德育强化了主客体二元对立关系，造成了知行分离、智德脱节，它在很大程度上抹杀了学生的主体性，不利于学生的道

---

① 檀传宝．公民教育引论：国际经验、历史变迁与中国公民教育的选择［M］．北京：人民出版社，2011：208.

② 蓝维，高峰，吕秋芳，等．公民教育：理论、历史与实践探索［M］北京：人民出版社，2007：399.

③ 叶飞．公共交往与公民教育［M］．北京：人民出版社，2014：11－12.

④ 同③120.

德主体人格的发展。它强调教育以及德育要彰显学生的主体精神，推动学生的主体意识、主体能力以及主体行为的生成和发展，培养能够更好地适应未来的社会发展和时代发展需要的主体人格。近十几年以来，我国德育研究者在吸收和借鉴“主体间性”哲学思想的基础上，又进一步提出了主体间性德育理论及模式[①]。主体间性德育进一步批判了传统德育模式过度重视道德价值观的知性灌输，知性化的传统德育模式导致师生关系异化为主客体二元对立的关系，阻碍了德育实效性的提升[②]。主体间性德育强调德育活动在本质上应该是建立在实践基础上的人与人之间的特殊的主体间交往活动，德育不是由教育者向受教育者单向度地传递道德价值观，而是要在主体间的交往关系中传递道德价值观，从而形成教育者与受教育者之间的真正意义上的交往对话[③]。从这个意义上而言，主体间性德育是对主体性德育的一种超越，它避免了教师或者学生单一主体性的弊端，进一步解决了主客体二元对立的缺陷，使德育活动回归于教师与学生之间平等与开放的交往对话，在交往对话中达成价值的共识，促进道德主体人格的健全发展。

### （八）交往德育模式

交往德育模式认为，传统德育主要采用的是灌输式的方法，学生在道德价值观的灌输过程中往往失去了对自身的道德主体身份的认同，也失去了主体间交往的可能性，这事实上造成了德育实效性的低下。交往德育模式主张，我们必须对灌输式的德育模式展开反思与批评。这种灌输式的德育模式导致了教师与学生在德育过程中走向了分离乃至对立，它使师生关

① 冯建军．主体教育理论：从主体性到主体间性［J］．华中师范大学学报（人文社会科学版），2006 (1)：115 – 121.

② 彭未名．交往德育论［M］．太原：山西教育出版社，2005：220.

③ 张天宝．走向交往实践的主体性教育［M］．北京：教育科学出版社，2005：71.

系逐渐异化为主客体二元对立的关系，而非主体与主体之间的交往对话关系。它使学校德育工作脱离了学生的交往生活世界，导致学校德育陷入困境之中。因此，交往德育模式强调要把“交往”重新引入德育领域，通过交往理论、对话理论来重新构建德育的基本理念，来重新反思和审视德育实践中的具体问题，从而使德育回归于人的主体间交往，并通过主体间的交往对话来实现道德价值观的有效传递与学习。交往德育模式致力于重塑学校德育的主体间性和交往对话性，这对于解决当前德育工作中的一些问题具有重要的学术价值与实践价值，它可以推动当前德育理论与实践的革新，从而更好地实现学校德育的目标。

### （九）生命德育模式

生命德育模式的提出是对现代社会及现代教育中“生命扭曲”“生命异化”“生命颓废”等现象的反思和拷问。生命德育模式认为，现代社会和现代教育在一定程度上导致了人的生命异化，使人脱离了生命的本真存在，使人失去了对生命意义的追寻[①]。生命德育模式认为，道德教育要以人的生命为基点，展现生命的完整性与独立性，凸显生命的价值与尊严[②]。人的生命的本质特征，就在于人不仅拥有物质性的生命，还拥有精神性的生命；人不仅要活着，而且要活得有意义。这意味着，德育不仅要保全生命、使人“活着”，同时更要激扬生命、促进生命、提升生命，使人活得“有意义”“有价值”“有尊严”[③]。生命德育模式凸显了个体生命的尊严与价值，使道德教育在促进生命的整全、生命的健康以及生命的意义方面发挥出了更加重要

---

① 刘济良．生命的沉思：生命教育理念解读［M］．北京：中国社会科学出版社，2004：66－73.

② 刘铁芳．生命与教化：现代性道德教化问题审理［M］．长沙：湖南大学出版社，2004：121.

③ 冯建军．生命教育与生命统整［J］．教育理论与实践，2009，29（22）：8－11.

的作用。生命德育模式促进了学校德育对青少年学生生命的本真内涵的关注，使教育不再只是关注知识和考试，同时更加关注学生健全生命的发展，关注学生生命价值的实现。生命德育模式在引导青少年学生的生命成长中发挥了重要作用，使青少年学生的生命发展越来越趋向于真善美。

总而言之，改革开放以来，我国德育研究在思想解放与学术争鸣的过程中不断进行探索创新，并在此过程中逐步实现了德育理论体系的现代转型。尤其是新世纪以来，德育研究者们更加注重在本土教育语境及现实教育问题背景下展开中国德育新理念、新路径、新方法等的探索，从而在构建具有中国特色的德育理论话语体系中发挥了重要作用，促进着德育理论体系的不断深化和拓展。展望未来，中国德育研究必将继续以多元、包容、开放的姿态直面本土的、现实的、亟待解决的德育问题，全面地展开德育理论的中国化探索，从而在新时代中国特色社会主义背景下构建出中国德育的理论话语体系，促进德育理论与实践的创新发展。在此基础上，中国德育也将更好地培育出德智体美劳全面发展的时代新人，在实现中华民族伟大复兴的进程中贡献重要力量。

# 第二章
# 情感德育的建构与发展

情感德育模式是20世纪90年代初期开始形成的一种重要德育模式。在当时的教育环境下，应试教育的模式及方法的弊端日益显现，它在教育目标及内容上重知识灌输，轻价值传递和情感陶冶；在教学过程中忽略教师与学生、学生与学生之间融洽、活泼的人际关系，学生的情感需求得不到应有的满足；在教学评价上走向了评价标准的单一化，重卷面分数、轻综合素质，致使学生兴趣特长受到压抑，情感交流及人格发展得不到肯定，从而出现了情感关怀能力减弱、不懂得关爱他人、社会责任感差等问题[①]。在此现实背景之下，情感德育理论主张将“情感”这一要素引入学校德育，探讨了人的品德发展与情感之间的关系，从全新的视角关注“以情感人”的道德教育。情感德育强调应以情感体验为基础，以情感与认知相互影响、彼此促进为主要过程，以情感态度的养成为基本表征，从而有效地培养受教育者的道德人格[②]。情感德育强调，学校德育不能仅仅关注道德知识、道德理性，还要注重情感的重要作用；情感是道德的核心动力，个体的道德行为选择不断地接受着情感的引导和调节，良好的道德情感促进着个体道德人格的生成与发展，而失去了情感则使道德成长失去了原动力。

---

① 朱小蔓．情感德育论［M］．北京：人民教育出版社，2005：98－99.

② 同①74.

因而，促进德育中的情感交流，加深学生在道德生活及道德行为选择中的情感体验、增强人与人之间的情感关系，是培养学生的道德品质、提升德育实效性的重要基础。为此，德育工作必须建构教师与学生、学生与学生之间融洽活泼的情感关系，以激发和养成学生良好的道德情感，通过情感来陶冶、培育和涵养学生的道德品质。情感德育对过于注重认知和思维的传统道德教育模式进行了反思和批判，很好地适应了社会发展和教育发展的需要，为 20 世纪 90 年代以来学校德育的发展提供了新的可能性，对学校德育不断摆脱理性主义的束缚、重建情感与道德的内在联系发挥了重要的作用，取得了显著的效果。

## 第一节 情感德育研究的缘起

自改革开放以来，中国社会出现文化多元和价值观多元的局面，这既为青少年的价值观发展提供了自由选择的空间，又暗藏着道德相对主义、道德冷漠的危机。与此同时，学校教育中唯理智主义盛行、道德情感缺失的现象，也不断引发教育者的思考与探索，情感德育在这样的社会背景中产生。此外，埃里克森（E. H. Erikson）的社会心理发展理论，霍夫曼（M. L. Hoffman）、巴特森（C. D. Batson）和斯洛特（Michael Slote）等人的移情理论研究，以及吉利根（Carol Gilligan）、诺丁斯（Nel Noddings）等人的关怀理论等西方心理学研究成果，为我国情感德育的发展提供了重要的理论支撑。

### 一、社会道德危机重重

自 20 世纪 80 年代以来，中国社会发生了巨大的变化，市场经济的发展、城镇化进程的加速、西方文化的引进等使得未成年人生活在一个崭新却又充满风险的情境之中，价值观的冲突日趋严重。人们已然身处多元而又充满冲突的文化环境之中，加之信息技术的影响使未成年人在尚未成熟之前就已经经历过太多，他们在一个有限的范围内体验着生活的各种可能性[①]。尽管相较于过去未成年人有了更多的价值选择，但是这种自由选择权利的背后却隐藏着道德发展的危机，即道德相对主义带来的情感缺失危机。道德相对主义的观点主要包括两个方面：第一，个体是道德规范的制定者与评价者，是道德原则的尺度；第二，道德准则往往随境遇发生变化，不存在绝对的、客观的、唯一的道德律令[②]。道德相对主义的相关理论根植于西方个体主义的传统，但是在中国的文化传统中，个人的道德与他人、家族、社会、国家相关，换言之，个人的道德发展位于整体性的关系伦理之中，维系这种关系伦理的命脉在于人情。因此，道德相对主义所带来的矛盾与冲突在中国的文化环境中更为剧烈。

具体来看，道德相对主义带给青少年的情感性危机主要包括以下几个方面：第一，道德冷漠。道德冷漠是"一种人际道德关系上的隔膜和孤独化，以及由此引起的道德行为方式的相互冷淡、互不关心，乃至相互排斥和否定"[③]。道德上的冷漠与互不关心，实际上就是道德情感的匮乏。如果个体具有正确的道德认知，却没能付诸行动，其原因便在于情感的疏离使得知与行相脱节。第二，对生命的漠视。主要表现为未成年人自杀率的不断升高，以及对待他人生命的无动于衷。情感是生命的特质，生命与生命的相遇亦是人与人之间情感的交汇，如若个体放弃自己或是他人的生命，既是对生命的不尊重，也是情感冷漠的表现。第三，社会责任感的薄弱。当个人将自我视为定义或解读道德的主体，而忽视他人、社会之于伦理建构的意义，

① 朱小蔓，其东．面对挑战：学校道德教育的调整与革新[J]．教育研究，2005(3)：3－12.
② 王泽楠．道德相对主义研究［D］．昆明：云南财经大学，2013：6.
③ 万俊人．再说"道德冷漠"［M］//万俊人．我们都住在神的近处．沈阳：辽宁人民出版社，1998：86－87.

便会陷入道德的孤我状态。尽管交往活动就发生在人与人之间，却是单子式个体间的利益评估与交换，彼此之间缺少情感上的相通。因此，他人对“我”来说，不是亲密的伙伴，而是竞争者或合作者，维系两者关系的唯一纽带是约定的规则和共同的利益。在此情况下，人对人便丢失了道德关怀意识以及责任意识。

面对中国社会转型期间未成年人遭遇的情感问题以及道德发展危机，学校德育应当承担起相应的时代责任，情感德育的理论随之应运而生。该理论试图找寻青少年情感问题的出路，解决其道德冷漠、漠视生命以及社会责任感薄弱等问题，使其得以健康成长，真正地过一种道德的生活。

## 二、对学校德育唯理智倾向的反思

从学校教育的维度来看，情感德育理论的提出是对德育情感缺失的反思。20 世纪八九十年代，学校教育呈现唯理智主义的倾向，注重学生在认知上的发展，以培养其理性能力为重要目标，在实施教育的过程中主要依靠概念、逻辑、命题等理性化的工具。在唯理智主义的导向下，学生的全面发展受到阻碍，成为了“单向度”的人。

唯理智主义的导向使得理性与情感处于二元对立的状态，学校教育活动中对理性展开追求的同时，情感受到忽视乃至压制。这一现象的蔓延，致使与情感有着天然密切联系的德育也未能幸免，具体表现为：首先，在德育目标的设置上缺少对学生情感发展的关怀，片面强调道德认知上的发展。德育目标具有引导、激励和评价作用，有何种德育目标便会有何种德育方法与内容，从而出现何种育人效果。在目标的设定上缺少对于情感维度的考虑，培养出的主体将会缺失道德情感。从应然的角度来看，德育是一门导人向善的学科，而善的源泉在于人的情感。如果将情感剥离，那么，德育无疑将成为另一种形式的智育，道德之善则停留在理念的层面而无法浸入学生的心灵。因此，唯理智主义导向下的德育培养出的多为利己的守法者，而非善良的道德主体。其次，在德育课程实施上缺乏对学生道德情感发展规律的深刻理解与认知。在心理学上，个体的道德发展具有多个维度，包括认知的维度、情感的维度、意志的维度以及行为的维度。然而，德育并未关注到情感这一向度，试图仅以认知维度贯穿人的整个道德发展过程。纵使忽视情感发展规律而出现问题时，唯理智主义导向下的德育在给予解决方法时依旧从认知上寻求突破，试图追寻更加科学的理论做指导。再次，德育课程中缺少系统性的情感教育内容。道德知识被异化为道德概念，教与学皆停留在颈部以上，道德的人文精神在德育的课堂上逐渐失落。同时，在德育课程的具体实施中缺少情感性的环境氛围的营造。在课堂中，单向的讲授式教学模式成为教学主流，师生往往只处于一个情境之中，即知识教学的情境。师生之间缺乏情感层面的交流、互动与共鸣，教学难免空洞、乏味、效果差。最后，课程评价趋于工具化、标准化，无法对学生的情感发展给予全面的观察、评价与指导。相较而言，道德认知的量化评价更容易操作，标准化测验能够给予师生即时的、可量化的反馈。但是情感无法在这一模式下被测量出来，甚至情感本身与量化是无缘的，德育评价不是单向度的而是多维度的。

“轻视情感即轻视生命，最终将会消解人的本体性价值。”① 失落了情感的德育容易使学生走向自我封闭，丧失与他人交流的能力，难以使学生形成健全的道德人格。对此，一些学者重新思考了情感与道德、道德情感与道德认知、情感与道德教育这几对范畴之间的关系，从更宽的视域出发定位情感，将情感与生命、存在相联系提出了许多有价值的理论见解，为解决唯理智主义德育造成的困境提供了良好的思路与对策，更使德育因重拾情感而真正具有善的特质与育德价值。

---

① 赵鑫．国外情感教育研究的进展与趋势述评［J］．比较教育研究，2013 (8)：54 − 59.

## 三、情感德育的理论渊源

### （一）社会心理发展理论

埃里克森是美国著名的精神分析学家、发展心理学家，他的社会心理发展理论为情感德育提供了重要的理论依据。埃里克森认为：自我在人格中的作用是，建立自我认同感和满足人控制外部环境的需要。个体的人格发展贯穿人生的全程，在这个过程中存在阶段性[①]。在人生的每个阶段，个体都会遭遇某种人格发展的危机，如果能够成功克服危机，个体就会获得良好的自我认同体验，并为下一阶段的发展做好奠基；反之，个体则易陷入自我怀疑，其人格难以获得健全发展。

埃里克森将人的社会心理发展分为八个阶段，即出生到18个月、18个月到3岁、3到6岁、6到12岁、12到18岁、成年初期、成年中期以及成年晚期，他关于前五个阶段的论述对情感德育理论的影响最为关键。从出生到18个月是人格发展的第一个阶段，信任感对不信任是婴儿期最基本的冲突。如果婴儿得到成人悉心的照料，就容易对周遭世界产生信任感，否则就会出现怀疑、不安等负面情绪。18个月到3岁是人格发展的第二个阶段，自主对羞怯是这一阶段的基本冲突。儿童在这一阶段开始学习一些社会行为，他们喜欢自己动手，不愿意过分依赖成人。如果成人能够给予儿童信心，鼓励他们去做一些力所能及的事情，就会使儿童获得自信；反之，儿童将会怀疑自我的能力，从而产生羞怯感。3到6岁是人格发展的第三个阶段，主动感对内疚感是这一阶段的基本冲突。随着年龄的增长，儿童的活动范围逐渐扩展，主动性行为也随之增多。如果成人能够肯定他

---

① 陈琦，刘儒德．教育心理学［M］.2版．北京：高等教育出版社，2011：50.

们的主动性行为，并提出合理建议，儿童便会对事物充满热情，逐渐具备探索世界、与他人交往的主动性；反之，如果成人过分干涉儿童甚至否定他们的主动性行为，就易使儿童形成压抑、被动、内疚的人格。6 到 12 岁是人格发展的第四个阶段，勤奋感对自卑感是这一阶段的基本冲突。在这一阶段，儿童进入学校学习，与教师和同学的关系较为密切。如果儿童的学习能力能得到教师与同学的认可，他就容易形成勤奋向上的个性品质；反之，则会发展出自卑的人格，不利于自我认同的获得。12 到 18 岁是儿童人格发展的第五个阶段，角色的同一性对角色混乱是这一阶段的基本冲突。在这一阶段，儿童尝试着将自我的各个方面整合起来以形成对自我的完整认知与评价。如果儿童顺利通过前几个阶段的发展将有助于其角色同一性的树立，否则就会陷入角色混乱之中。

埃里克森的理论启示着儿童的情感发展有其自身年龄特征和运行轨迹，德育在儿童生命发展的每一个阶段都有其相应的主题与特殊任务。换言之，德育的重要责任是关注儿童成长每一阶段与道德人格发展相关联的情感需求，并通过设计相应的德育课程与教学策略来帮助儿童获得道德上的发展。例如，在儿童好动的 1 岁，德育的重点应在于儿童安全感的建立；在儿童容易冲突的 12 岁，德育要注重培养儿童自我肯定的自尊感；在儿童成熟的 18 岁，德育则要助力儿童获得学会反思的使命感，对其进行崇高使命的教育[①]。

### （二）道德情感的移情研究

20 世纪六七十年代，移情开始受到人们的关注。总的来说，移情是对事物进行判断和决策之前，将自己处在他人位置，考虑他人的心理反应，理解他人的态度和情感的能力[②]。但在不同学者的视域中，移情的涵义与机

① 朱小蔓．情感德育论［M］．北京：人民教育出版社，2005：75－76.

② 陈琦，刘儒德．当代教育心理学［M］.2 版．北京：北京师范大学出版社，2007：415.

制略有不同。我国情感德育理论的思想基础主要源于霍夫曼、巴特森和斯洛特等人。

美国道德心理学家霍夫曼总结了以往心理学家对移情的解释，将其分为两种方式：（1）移情是对另一个人的内在状态的认知觉察，内在状态是指他的思想、感受、知觉和意图；（2）移情是对另一个人产生同感的情感反应[①]。霍夫曼研究的重点是后者，他提出了“移情忧伤”的概念，将移情忧伤视为一种“亲社会动机”。霍夫曼通过实验发现，移情忧伤与助人行为相联系，其先于助人行为，并且在助人行为发生之后，移情忧伤的强度会逐渐减弱，否则会延续产生。这表明，移情忧伤是激发人们道德行动的重要机制，正是通过这一情感的唤醒，个体才能走出自我，以他人为焦点，去想象他人的感受，进而步入更加广阔的社会道德空间。但是，移情忧伤并不总是导致人们的助人行动。当众多旁观者在场时，个人的助人动机与强大的自我中心动机之间会形成剧烈冲突，从而受到削弱。不可否认的是，移情忧伤仍旧是一种有效的亲社会动机[②]。它有力地为人性之善做着辩护，也在一定程度上为“助人为乐”提供了心理学的解释。

当代道德心理学家巴特森强调的是一种具备他向性质的“移情关心”。他向性质即利他主义，在巴特森看来，利他主义主要有两重涵义：第一，利他同时涉及助人动机与助人行为；第二，利他的目的在于减少因目睹他人痛苦而引起的厌恶刺激。因此他提出的“移情—利他主义”认为当我们通过移情感受到别人的痛苦之后，并不会选择无视而是会采取行动去帮助他消除这种痛苦，而且感受到的痛苦越多，消除这种痛苦的动力也就越强[③]。巴特森还将利他主义的移情与自我利他主义相区分，后者的

---

① 霍夫曼．移情与道德发展：关爱和公正的内涵［M］．杨韶刚，万明，译．哈尔滨：黑龙江人民出版社，2002：34.

② 同①40.

③ 张一鸣．斯洛特移情伦理研究［D］．石家庄：河北师范大学，2019：10－11.

助人动机在于使自我的良心得以宽慰，而前者则是一种不由自主的情感动机与行为反应。显然，自我利他主义的心理倾向并不是真正意义上的移情。

斯洛特的移情理论的起点在于对理性主义伦理学的批判。他认为，理性主义的道德判断存在一定的局限性，道德的好与坏、善与恶、对与错等的区别并非由理性觉知。道德判断之所以能够唤起人与人之间的共鸣，其关键就在于情感，更准确地说是移情。同时，斯洛特也不赞同传统情感主义者将同意与不同意的态度视为道德判断的先在条件和判断基础的观点。在他看来，移情倾向决定着人们同意与不同意的态度。这表明同意与不同意的态度是在移情的基础之上的，先于道德判断，并成为道德判断的基础[①]。具体而言，道德判断源于二阶移情，即对行为者移情状况的移情，而不是对移情目标的移情[②]。换言之，人们在以旁观者的身份观察他人的移情行为时，能够深切地体验到当事人的情感状态。另外，斯洛特还强调移情倾向是一种先天判断，先天意味着人们在做出道德判断之前，就先有移情能力和移情体验。移情能够帮助人们明辨善恶、好坏、对错等范畴，其重要性正如康德的时间与空间作为先天感性直观形式在认识中所具有的重要地位。

### （三）女性主义关怀伦理学

吉利根是西方女性主义关怀伦理学的著名代表，基于对老师科尔伯格（Lawrence Kohlberg）的道德认知发展心理学理论的继承与批判，吉利根提出了自己的伦理学学说。她认为，在道德概念和道德标准上，男性更注重诸如公正和尊重他人权利之类抽象而理智的原则，而女性则更容易移情，即在与他人交往时，女性更容易理解他人的看法，她们对亲密的人际关系

① 谈琰．斯洛特移情思想研究［D］．南京：南京师范大学，2016：23.

② 同①24.

特别敏感，在心理取向上，男性更倾向于竞争取向，而女性更倾向于合作取向。在道德推理方面，男性的道德推理关注个体的利益，女性的道德推理则更关注个体对他人所负有的责任，因此在解决道德两难问题时，女性一般倾向于认可利他主义和自我牺牲，而不是权力和规则①。总之，与男性不同的是，女性把世界看成由关系而不是由独立的个人构成，把世界看成通过人们之间的关系相关联，而不是通过准则体系联系起来，以此去理解道德问题，解决道德困境②。换言之，女性是将道德理解为对关系的承认，相信人与人之间的交流是解决道德冲突的重要方式。

在吉利根之后，一些研究者进一步发展了关怀伦理学，教育学家诺丁斯便是其中的重要代表人物。诺丁斯对“关心”进行了重释，并将关怀伦理引入了道德教育领域。诺丁斯的“关心”具有关系性，其最基本的表现形式是两个人之间的一种连接或接触③。值得注意的是，单纯地付出关心以及接受关心并不能构成真正的关心关系。不论是关心者还是被关心者都必须满足一定的条件，任何一方出现问题，关心关系就无法成立。一方面，关心者要具有以专注和动机移位为特征的心理特质，能够认真地倾听、观察、感受并愿意接收关心对象的需求信息，并在这一过程中具有想要帮助他的愿望；另一方面，被关心者对于关心者关怀行为的接受、确认和反馈也非常重要，当被关心者这种确认反过来被关心者认知，完整的关心关系才得以完成④。从这种关怀伦理的角度出发，诺丁斯认为道德教育主要包括了四个组成部分，即榜样、对话、实践与求证⑤。这意味着，道德教育并不

---

① 陈琦，刘儒德．教育心理学［M］.2 版．北京：高等教育出版社，2011：367－368.

② 卡罗尔·吉利根．不同的声音：心理学理论与妇女发展［M］．肖巍，译．北京：中央编译出版社，1999：28.

③ 内尔·诺丁斯．学会关心：教育的另一种模式［M］.2 版．于天龙，译．北京：教育科学出版社，2011：33.

④ 同③ 34－35.

⑤ 同③ 41.

是向儿童呈现规则，用权威的力量将其约束，以说教的方式使外在的规则内化于儿童的心中，从而使儿童获得所谓的道德感，而是帮助儿童建立起真正的关怀关系，促使儿童在被理解、被尊重、被鼓励、被认可的过程中培养自身的优良道德品质。

## 第二节 情感德育的理论建构

情感与道德、生命之间具有相辅相成、密不可分的关系，因而情感具有独特的德育价值，是道德教育中不可忽视的一大重要影响因素。情感德育理论尊重儿童自身的感受和体验，关注儿童整体的生命状态和所处环境，其核心理念是借助情感所具有的特殊作用以及学校教育中的理想交往范式，使知识与儿童的生活世界建立起精神联结，使知识真正进入儿童的灵魂深处，实现儿童道德精神和道德人格的整体性发展。

### 一、情感德育的基本范畴

#### （一）情感与道德

在情感与道德关系的研究上，情感德育的理论研究者主要从情感之于道德的建构以及情感之于个体的道德成长两个维度出发进行探讨。

第一，情感与道德是一种相辅相成的关系。情感是道德的基石，道德是情感的重要表现形式。没有情感的道德就是一种人际的理性计算公式，空洞且脆弱；没有道德的情感则等同于剥离了人性的情欲，充满野性而无所拘束。具体来说，首先，情感对人类道德起着奠基的作用。在西方，卢梭曾以怜悯为道德奠基，他将怜悯视为自然人的天性之善，“严格说来，就连仁慈和友善都是怜悯的产物”，而“如果让一个旁观动物发自内心地将自己等同于另一个受苦的动物，那么怜悯的力量将会更加强大”[①]。实际上，怜悯正是人的一种自然情感，当人在生活中将这种情感流露并扩充，就将道德调动了起来。在中国传统儒家思想中，孟子认为人皆有善端，“仁义礼智，非由外铄我也，我固有之也”。人性之善的奥秘就在于人的恻隐之心、羞恶之心、是非之心和辞让之心，尽管“我固有之”的“仁义礼智”并非能使人皆有道德，但它却是道德发展的基础。人通过存心养性、扩充四心，便可增益自身道德之能。法国当代学者于连也将孟子的恻隐之心视为道德的基石，他认为恻隐之心具有共通的生存意义。“它其实是在我与他人的交往当中（由彼此境遇之差异出发），从对方身上散发出的影响力，通过我的感受力，在我身上所引起的即时反应。”[②] 其次，道德情感是个人道德品格的构成要素之一。个体的道德结构包括道德认知、道德情感、道德意志与道德行为。其中道德情感是一种自我监督和自我检查的力量[③]。道德情感对于个体道德品格的发展主要有两大作用：第一，激发与引导道德认知；第二，调节与控制道德行为。这意味着，个人在道德上知行合一的关键正在于道德情感。情感是以两种形态指引着个体的知行合一：一是显性的形态，使人的道德认识处于被激活的状态，并以道德感觉的方式引发或调节行为；二是隐性的形态，即情感的状态水平构成了人的稳定的道德心境，这也是人的道德行为的恒常心理背景[④]。最后，道德感是情感的重要内容维度。理性主义道德哲学将道德等同于法则，尽管这一法则为人自己所立，但个人对其始终只能抱有一种敬畏之感，这

① 让-雅克·卢梭．论人类不平等的起源和基础［M］．邓冰艳，译．杭州：浙江文艺出版社，2015：64.

② 弗朗索瓦·于连．道德奠基：孟子与启蒙哲人的对话［M］．宋刚，译．北京：北京大学出版社，2002：25.

③ 汪凤炎，燕良轼，郑红．教育心理学新编［M］.4 版．广州：暨南大学出版社，2016：476.

④ 朱小蔓．情感德育论［M］．北京：人民教育出版社，2005：44－46.

种敬畏之感就是窄化过的道德感。而在情感德育的视域下，道德感侧重指道德意识在个体心理感受层面的反应，或者说人的作为意识形态的情感具有道德的内涵，它们是道德活动引起的心理上的感受状态[①]。道德感不是被动地接受社会道德规范对它的约束，而是作为“自为的存在”本体而内蕴向善的欲求。这种欲求的满足程度使主体产生不同的情感体验，自认为达到了善的要求，会产生自豪、愉悦感；反之，则会产生内疚和自责，从而激励自己不断追求[②]。在人的情感系统之内，道德感既是情感的构成，又与其他情感处于一种相互通达的关系。这表明情感与道德不可分离，德育从某种程度上也是一种培养道德感的教育。

第二，个体的道德成长须以情感为依据。一方面，“美德的标准之一应该是人的情感体验。在道德上对美好生活的追求，必须借助于情感为基础的体验，且反映在情感品质的提升上”[③]。情感是道德智慧的构成，是衡量一个人道德水平的重要维度，尽管情感不能被量化，也无法从人的身体中抽离出来，但情感却体现在人的一言一行之间。与此同时，情感亦是人生存的力量。即“人的情感的性质、内容与状态主宰着人的动机系统的指向与功能发挥。儿童在成长过程中，全部道德行为、履行道德义务、发展道德自我的背后，必须有强大的自我肯定情感来支持自己，无论是正向还是负向情感体验，都使人体会到力量”[④]。若个体能够道德地去做某事，便会获得精神上的愉悦与自足感，这种积极的情感还会进一步地强化个体的道德行为，使其建立起稳定的、合乎道德规范的行动范式；若个体未能以道德观照自身的行动，则会出现愧疚、不安的消极情感体验，为了逃避这

① 朱小蔓．情感教育论纲［M］．北京：人民出版社，2007：120.

② 同①.

③ 王平．价值观育人的情感教育阐论［J］．教育研究，2020 (10)：33 − 44.

④ 李亚娟．从情感教育视角审视学校德育课程：基于300所学校德育课程文本的分析［J］．教育发展研究，2019 (18)：71 − 77.

种消极情感，个体会重新规范己身、修养德行以寻求道德良心之安。另一方面，以情感育德有利于个体道德人格的健全。外在的规则、理性等所构成的道德材料并不能使人成为道德主体，它还需要情感系统来支撑自我道德的成长。"'德性'是理性的，但与情感生活不可分，它不是'纯粹'的，而是形式与内容、普遍与特殊、形上与形下的统一，一句话，是'具体理性'或生命理性而不是抽象理性或形式理性。这就决定了，它不仅不与情感相分离，而且以情感（特别是道德情感）为其心理基础，为其实质内容。"① "人缺少彼此的依恋和安全感，缺少人与人交往的美好感觉，缺少爱和被爱的感受，道德的种子就不会苏醒和萌芽。"② 正是在情感的滋养之下，人才懂得如何在道德上获得自我认同，如何在与他人交往时做到尊重、友爱与信任，如何走出小我的限制，步入更为广阔的伦理空间，使个人的道德精神力量在国家、社会乃至世界中得以彰显。

### （二）情感与生命

人的存在也体现为情感的存在，情感是人性的一部分③。情感亦是生命的重要内涵，正是由于情感的支持，生命长、宽、高三个维度才能获得不断延伸的可能性。由此来看，人之情感的发展即是人之生命的发展，没有情感便无法凝集人之生命的重要意义。正如约翰斯顿所言："离开了情感，生物脑内外发生的物理和化学变化本身不具有任何意义；除了变化，它们什么也不是。赋予这些客观存在意义的还是情感，即我们祖先生老病死所造就的是我们的神经通路的涌现特性。我们内在的情感，及生与死的进化表征，是所有语义网络的基础。新的事件只有与我们生殖成功的征兆建立

---

① 蒙培元．情感与理性［M］．北京：中国人民大学出版社，2009：56.

② 朱小蔓．情感德育论［M］．北京：人民教育出版社，2005：262.

③ 王平，朱小蔓．建设情感文明：当代学校教育的必然担当［J］．教育研究，2015(12)：12－19.

习得性联系后，才能获得意义。”[①] 此外，“正向的情感经验支持人的身心健康、道德成长以及人的智力学习与创造，反之，生命的有序和协调将遭到破坏”[②]。这表示积极的情感在与人合二为一的过程之中能构筑出健康、安宁、和谐的生命小宇宙，发挥独特的价值。

首先，情感是人生存适应的工具。情绪与情感是人类先天就具有的能力，并且这种能力是早期婴儿得以生存的首要心理凭借[③]。对于婴孩而言，情感是他与世界沟通的重要媒介，其重要程度相当于成人的语言。婴孩的情绪与情感之中往往承载着他的生理需求与心理需求，当成人读懂了他的情感表达，并给予其适当的反应，就会使婴孩对世界与他人产生依赖、信任、依恋等情感，而这些良好的情感正是其人格发展的重要内容；反之，若成人冷漠地对待婴孩的情感表现，就会使其生存的生理前提遭遇破坏，并对其接下来的人格发展起到消极作用。

其次，情感是认识发展的不竭动力。人类生命的意义在于“认识你自己”、认识人自身生存的世界，可以说具有“认识”的意愿以及能力是人区别于动物的重要标志。情绪与情感则是构成人认识发生的最直接的材料[④]。这是因为情感是构成主客体分化的重要条件：一方面，在自我认同感的驱使之下，个体从混沌的情绪体验中明晰出“我”的概念，将自我独特化、个性化，意识到自我不同于他者，甚至“我”是独一无二的存在；另一方面，情感又是生命体对于外界事物的反应，喜、怒、哀、乐、爱、恶、惧等皆是个体与外物之间建立起的重要联系，而情绪、情感的转变也意味着个体对于外界事物态度以及认识的转变。换言之，人对于事物有何种情感便有

---

① 维克托·S. 约翰斯顿 . 情感之源：关于人类情绪的科学［M］. 翁恩琪，刘赟，刘华清，译 . 上海：上海科学技术出版社，2002：197.

② 朱小蔓，王坤 . 情感人文素养提升：情感教育与生命教育的实践诉求［J］. 教育研究与评论，2017（1）：5－11.

③ 朱小蔓 . 情感德育论［M］. 北京：人民教育出版社，2005：143.

④ 鲁洁，王逢贤 . 德育新论［M］. 南京：江苏教育出版社，2010：71.

何种认识。

再次，情感是生命内部监察与对外行动的重要机制。人的情感体验以满意不满意的感受状态把人本身的自我感觉、自我评价、自我监督、自尊心、自信心、自制力携带构成一个主体对自己活动关系（物我、人我关系等）的一种内部监控系统[①]。尽管理性的审思与反省能够促使生命个体不断调整自我状态以及行为，然而，理性并不能直接使个体去选择、去行动。人恰恰是在情感的基础上去理解主体与客体之间的意义关系，在情感的激励下获得理性的力量，从主体的角度出发，对内进行自我评价，以自尊、自爱、自信的体验不断重构生命的内在特质，对外进行自主行动，建立起生命与生命、生命与非生命之间的密切联系，确立自我在世界中的地位。

最后，情感对生命具有享用价值。这一享用价值实际上是一种精神性的价值，却可在生活中对人产生保健的成效，从而提升人整体生命的质量。愉悦、自豪、信任等情感往往能够有助于个体与他人、与社会建立起良好且协调的关系，有助于个体高效地完成某些任务，还有助于个体在面对负担与压力时能够积极地加以应对，从而对未来生活充满信心与希望。反过来，良好的人际关系、成功的事业以及充满希冀的未来也会促进积极情感的体验，从而形成一种良性循环，使得个体在一次次的情感体验中渐增生命的厚度。

### （三）情感与德育

情感与道德是一种相互包含、相互建构的关系，道德情感是道德品格的内在构成，而道德感也是情感的重要内容维度。正如艾耶尔所言："值得注意的是，伦理的词不仅用做表达情感，这些词也可以用来唤起情感的表达，并由于唤起情感而刺激行为。"[②] 因此，真正的道德教育必然要考虑

---

① 鲁洁，王逢贤．德育新论［M］．南京：江苏教育出版社，2010：72.

② A. J. 艾耶尔．真理与语言［M］．尹大贻，译．上海：上海译文出版社，1981：123.

情感这一要素，并且情感本身也在德育中有着不可替代的价值。“当把情感从德育中抽离出来，只剩下干巴巴的道德规范知识传授的时候，德育就从根本上丧失了它的魅力。”①

情感与德育的联系，主要体现在以下几个方面：

首先，德育的过程同时包含理性逻辑与非理性逻辑，其中非理性逻辑中包括情感的逻辑。如果德育仅从理性逻辑入手，建立起相应的范式，那么德育就是一种停留在颈部以上的唯理智的教育，忽视了儿童完整人格的发展。现代教育的目的在于培养全面发展的、完整的人，“全面、完整”的内涵必然包括心理结构与精神世界的向度。这意味着教育要同时关注理性与非理性的因素，其中理性因素指向人的注意、观察、记忆、推理、语言表达等，非理性因素指向人的欲望、情感、情绪、意向、信仰等。对于德育而言，同样如此。如果说，在智育中，非理性承担着促进理性发展的工具作用，那么，在德育中，非理性的因素既是表现理性的内容，又是德育之所育的对象。换言之，非理性因素在德育中主要表现为非手段性的内在价值，其自身即是目的，而非促进理性发展的一种手段②。可以说，德育过程的完整性同时包括“逻辑—认知”与“情感—体验”这两种相互独立又相互联系的系统③。因此，德育价值的发挥必然依托于理性的价值与情感的价值。

其次，德育的内容具有情感性。道德教育是伦理之知的教育，它与科学知识不同，学生向教师学习的不是客体化的知识体系，是充满主观内在性的、立体选择性的观念体系。它们附着于情感化的人格身上，吸引学生自觉地趋近和认同④。这表示，道德教育的内容是“道德知识”而不是“关

① 朱小蔓．育德是教育的灵魂：动情是德育的关键［J］．教育研究，2000（4）：7－8.

② 朱小蔓．关注心灵成长的教育：道德与情感教育的哲思［M］．北京：北京师范大学出版社，2012：49－50.

③ 朱小蔓．情感教育论纲［M］．北京：人民出版社，2007：63.

④ 同②71.

于道德的知识”，后者的实质是对道德知识的理性审视，其情感性较弱，前者则偏向于一种智慧，同时包含了认知、情感、态度、直觉、行为等多个维度，并且各个维度之间具有密切的关联，情感在其中起到了最重要的枢纽作用，使道德智慧得以凝聚在个体身上。道德知识的情感特殊性使得德育相较于其他学科更具温度。

最后，情感是德育具有个体享用价值的体现，是维持德育生命力的源泉。德育的个体享用功能表现在可使每个个体实现某种需要、愿望，从中体验到满足、快乐、幸福，获得一种精神上的享受①。可以说，这种精神性的享受是属于情感的，快乐、幸福、满足等皆是德性的本体价值实现的情感性的结果。另外，“情感不仅是学习的动力源，决定着学生的学习动机、对知识的兴趣、对挫折的化解等，而且决定着学生存在的价值，只有情感才能充当人的内在尺度。缺少情感的参与，不仅使教育外在化、工具化，而且使人成为功利性追求的牺牲品，许多师生体会不到教育的快乐和幸福，对学习和生活失去信心②。这表示，没有情感的驱动，儿童就很难产生对道德知识的内发的渴望，甚至异化为有待灌输的“容器”；没有情感的维系，任何德育都无法真正触及儿童内在的灵魂，道德知识也随之与儿童形成主客体二分的关系，被儿童视为外在于自身的客体，致使儿童遗失自我道德人格发展的契机。

## 二、情感德育的核心理念

### （一）以促进儿童道德精神的整全发展为重要目标

在理性主义的导向下，人的理性被视为“在”的力量，人的生命价值

① 鲁洁，王逢贤．德育新论［M］．南京：江苏教育出版社，2000：222.

② 赵鑫．国外情感教育研究的进展与趋势评述［J］．比较教育研究，2013（8）：54－59.

由理性所成全，甚至人的历史性亦是理性作用的结果。固然，理性是人认识世界、发展自我力量之源，但是当理性不断膨胀，人生命的完整性便会解体，人之为人的意义也随之消解。诺尔曼·丹森曾言，一个真正有意义的人，必须是一个有情感的人①。情感参与塑造着人类的精神生命，引导着人性向善的方向发展。如果没有情感，日常生活将是一种毫无生气，缺乏内在价值，缺少道德意义，空虚乏味而又充满无穷无尽交易的生活②。从某种程度上说，人是一种情感性的存在，正是情感赋予了人存在的意义，使人在未特定化的状态中获得超越性力量。

情感德育理论研究者探索并发现了情感之于人的精神发展的奥秘，并以此展开，提出“道德教育以人对美好生活的追求以及在这个过程中围绕情感体验的精神成长作为目标”③。情感德育以个体的生命活动规律及其呈现出来的情绪、情感状态为生理依据，以教育的方式，将与人的发展密切相关并且对于人的发展具有重要影响的情绪、情感进行正向、积极的引导，并使其生长出新的情感品质④。但这不表示情感德育将理性的要素排除在德育之外，不是要与知性德育形成对立关系，准确地说，情感德育将情感作为人道德精神完整性的要素之一，与理性共同引导个体的道德发展。情感与理性、情感与认知等并不是处于割裂的状态，而是彼此之间具有相通性，但情感相较于理性而言，具有逻辑在先的地位。换言之，在德育中认知与情感处于整合的过程，情感以其与个体生命活生生的联系，相比理智层面处于先在的地位，以其作为动力系统的优势，打开了通往价值理性的道路⑤。在舍勒的价值伦理学中有一个重要的概念“伦常明察”，即对伦常的“心

---

① 诺尔曼·丹森．情感论［M］．魏中军，孙安迹，译．沈阳：辽宁人民出版社，1989：5.

② 同①.

③ 王平．价值观育人的情感教育阐论［J］．教育研究，2020（10）：33 － 44.

④ 朱小蔓，王平．情感教育视阈下的“情感－交往”型课堂：一种着眼于全局的新人文主义探索［J］．全球教育展望，2017（1）：58 － 66.

⑤ 朱小蔓，梅仲荪．儿童情感发展与教育［M］．南京：江苏教育出版社，1998：180.

的直观”，道德价值不是被定义的，而是被人们直观体验到的，在人们做出理性的判断之前，内心就已拥有了关于经验对象的道德价值的直接性认识[①]。这意味着个体通过情感体验这一“精神性的注视”可以直接认识道德的本质，继而通过理性的推理判断作用，获得道德精神的整体性发展。

在情感德育的视域中，儿童道德精神的整体性表现为三个方面，即真、善、美。首先，“善”指向的是道德精神中的“道德感”，它是作为“自为的存在”本体内蕴着向善的欲求，这种欲求的满足强弱使主体产生不同的情感体验，自认为达到了善的要求，会产生自豪感、愉悦感；反之，则会产生内疚和自责，从而激励自己不断追求[②]。道德感是一种自律的情感，具有道德感的个体不会因对社会道德规范的恐惧而自愿受约束，而是在用道德守望生命，指导着自我的行动。具体来看，道德感主要包括了秩序感、羞耻感和敬畏感。秩序感是指个体能将道德与自我的生命结构相契合、协调之后产生的舒适感。道德发展心理学表示儿童的一些道德观念往往是在与儿童之间形成了一定团结等秩序关系时才产生的[③]。即秩序感的价值主要在于建立并不断平衡自我与他人、自我与社会之间的伦理关系，以达至内外和谐的道德状态。在舍勒看来，羞耻感的地位十分重要，“人在世界生物的宏伟的梯形建构中的独特地位和位置，即他在上帝与动物之间的位置，如此鲜明和直接地表现在羞感之中，对此任何其他感觉无法与之相比”[④]。羞耻感是促使人反思自我的重要情感动力，直接参与着个体道德人格的建构。敬畏感是一种既崇敬又畏惧的复杂矛盾的情感体验，其“敬”的一面主要来自于被高尚的人、事物、强大力量所折服，而“畏”的一面主要来自于

---

① 娄雨．伦常明察与道德教育的奠基：舍勒价值现象学对道德教育的启示［J］．首都师范大学学报（社会科学版），2010 (4)：63 − 69.

② 朱小蔓，梅仲荪．儿童情感发展与教育［M］．南京：江苏教育出版社，1998：147.

③ 朱小蔓．情感德育论［M］．北京：人民教育出版社，2005：167.

④ 舍勒．价值的颠覆［M］．罗悌伦，等译．北京：生活·读书·新知三联书店，1997：164.

自我与高尚、与强大力量之间的差距所产生的恐惧感①。敬畏感使得个体不会轻易僭越道德，不会轻易做出有违伦理之事，儒家“慎独”修身之法的情感基础就包含了敬畏感。

其次，“真”指向的是道德精神中的理智感，它是人在探求未知、追求真理、运用智慧的过程中产生出来的冲动、愉悦和幸福的感受，它主要是以外在的客观尺度评价人对外部世界实践、认识和改造时产生的满意或不满意的感受②。理智感是情理交融的结果，它的存在意味着个体在进行道德认识的活动中，并非全然由理性所主导。尽管外在的、客观的标准对“真”做出了限定，让理性具有发挥的空间，但道德之“真”不是独立于主体而存在的，在具体的道德情境中最终还需个体在情感的体验中做出价值判断。

最后，“美”指向的是道德精神中的美感。它是人的一种思想意识和高级情感，是通过对客观现实中的美的反映而得到的一种体验和享受，美感的发生过程是审美主体对审美对象产生的感知、理解、联想等不同但又相互联系的心理活动的有机结合③。个体的审美不仅仅体现在对于艺术的欣赏，更多表现在生活中能够明辨是非、善恶的态度与能力。“审美活动本身具有非功利性，它不是对物质的占有，它欣赏的是事物的形式方面。”④消除了美感的道德变为一种人与人利益交换的规则，而消除了美感的德育则染上了功利性的色彩。人的道德自由状态的实现以及德育的人文关怀，皆离不开审美的中介性作用。

儿童的道德发展既是情感状态的敞开、舒展，进而向着完善的道德精神状态迈进的过程，同时又是充满了不确定和偶然性的过程。前者是德育

---

① 孙畅 . 情感思想政治教育研究［D］. 北京：中国地质大学，2018：115.

② 朱小蔓，梅仲荪 . 儿童情感发展与教育［M］. 南京：江苏教育出版社，1998：148.

③ 同②.

④ 檀传宝，徐承 . 论“德—美育”的建构：檀传宝教授访谈录［J］. 美育学刊，2011（2）：6－17.

的目标，后者是德育的限度[①]。真、善、美的且完善的道德精神状态是德育所要努力追求的目标，也是德育的价值导向。尽管在现实中，德育又是处于重重的限制之中，并不能保障每一位儿童都能在道德发展上获得完满的结果，但是引导人求真、求善与求美始终是德育不可推卸的使命。

### （二）德育过程中重视儿童的感受与体验

与传统以教师、知识、课堂为中心的德育范式不同，情感德育关注着每一个儿童整体性的精神发展，它超越了单纯的道德认知活动，将视域转向儿童的周遭生活世界，关注道德教育自身对于每一个体的生命意义；关注儿童能否通过德育在道德上获得对情感的安顿与寄托；也关注儿童能否走出自我，能否在人类命运共同体中承担起相应的伦理责任与道德担当。情感德育的旨趣在于发挥情感的力量，使道德通达每一位儿童的生命。因此，在德育的过程中，必须重视儿童的感受与体验，并以此作为内在机制，发挥育德的价值。

感受与情感之间存在密切的联系，感受是情感的感受，反之，情感经验的核心是自我感受[②]。德育之所以能够将情感作为教育的线索，达到以情动人、以情化德的效果，正是由于尊重了儿童的感受，以适应儿童感受的方式展开具体活动。具体来看，感受是人的一种特殊的感知方式，它既不是单纯的看，也不是单纯的听，而是各种感官作用所产生的一种综合效应，是主体对客体的一种整体的情绪把握[③]。与单纯的视听等感知方式不同，感受能够很好地体现儿童的主体性，它是对客观信息的主动接受，将信息在心灵中激活，进而形成个体化经验的重要机制。多年来，灌输式的教育模

---

① 王平，朱小蔓．建设情感文明：当代学校教育的必然担当［J］．教育研究，2015 (12)：12－19.

② 诺尔曼·丹森．情感论［M］．魏中军，孙安迹，译．沈阳：辽宁人民出版社，1989：1.

③ 朱小蔓，梅仲荪．儿童情感发展与教育［M］．南京：江苏教育出版社，1998：166.

式之所以遭遇批判，原因之一便在于它仅仅将儿童的感官感知作为道德知识传递的载体，忽视了感受对于道德知识的深度加工作用，从而使得儿童对于道德的学习处于浅表化的状态，导致道德知识未能在儿童心灵中留下印记。

但是，感受在情感德育的机制中发挥的是一种初步的情感性接受作用，儿童在感受的作用下形成了模糊的情绪状态或经验状态，它未能使主体深入地理解、领悟道德知识，未能使道德知识成为引导个体行为的价值根据。体验则能够进一步地将感受所选择、同化的客体感性信息再次进行处理，将其与儿童自身生命联结，从而丰富儿童作为道德自我的意义。

总的来看，情感德育理论强调“在德育过程中重视儿童的感知、体验”，主要有三点重要意义：

第一，让道德、德育与生活结缘，使儿童的道德生长位于生活世界的中心位置。儿童的感知、体验必定发生在他们的生活世界之中，情感德育直面着生活世界，将道德的发生与德育的实践置于生活世界之中，这点与生活德育的理念不谋而合。但与生活德育不同的是，情感德育更为重视人的生命的内在情感体验，强调在具体的生活情境中以情感为催化剂，感受并体验道德在生活中的气息，进而形成对道德现象的真实理解，将情感认同后的道德知识内化于心，完成道德自我的建构，成为“有情有义”的道德践行者。

第二，尊重儿童的直接经验，让以人为本的教育理念得以真正落实。道德经验主要分为直接经验和间接经验两类：后者是文本式的、属他式的经验，不以个体的儿童为转移，尽管儿童能够在先在经验的基础之上去感知这些间接经验，但是缺失了体验的重要环节，其道德情感难以得到升华；前者是生活式的、属我式的，植根于儿童自我的生活经历，是儿童感知、体验、探寻、理解的结果，是儿童主动与道德邂逅的结果，在直接经验的获取过程中，儿童能够更好地完成道德人格的发展。值得注意的是，尊重儿童的直接经验，不意味着德育对间接经验持否定的态度，而是讲求两者的有机结合，帮助儿童在直接经验建构的基础上去同化或顺应间接经验，再使间接经验为儿童的生活实践作价值导向，从而生成更具道德性意义的间接经验。

第三，让德育从封闭走向开放，让儿童在更大的空间中获得精神的整体性发展。在唯理智德育的导向下，德育实践呈现出封闭的状态：一方面，物理空间狭小，限制在教室、学校的围墙之内，形成了德育的“孤岛”；另一方面，精神空间狭隘，儿童被限制在认知发展的空间范围之内，难以获得整体性的精神发展。情感感知与体验活动能够将儿童的内心世界与外在的现实世界相连。因而，重视儿童的感知与体验就意味着，让儿童走出教室、学校，在更宽阔的社会空间中获得更多际遇；也让儿童能够从自我的内心世界出发，在现实世界中寻求伦理的归属感，再返回内心世界获得道德的自足感。

### （三）在“情感－交往”中发展儿童的道德精神

教育由交往所构筑，甚至教育活动本身就是一种特殊的交往。正如雅斯贝尔斯所言：“所谓教育，不过是人对人的主体间灵肉交流活动（尤其是老一代对年轻一代），包括知识内容的传授、生命内涵的领悟、意志行为的规范，并通过文化传递功能，将文化遗产教给年轻一代，使他们自由地生成，并启迪其自由天性。”[①]

从一般的意义上看，交往既是指实物、信息或意义的异地传输、移动或转达，也是指资源、信息或意义的分享或共享，以及由此带来的人与人之间的相互作用[②]。其包含物质交往与精神交往两种类型。德育则主要作为精神性的交往而存在，更准确地说，德育中的交往是交往主体基于情感而产生的精神性的相通。

---

① 雅斯贝尔斯．什么是教育［M］．邹进，译．北京：生活·读书·新知三联书店，1991：3.

② 王冬云．交往德育研究［D］．长春：吉林大学，2009：40.

情感德育理论之所以关注交往，主要有以下三个原因。第一，道德本身是人类交往的产物。人的本质特征在于自主、自由，然而人与人之间必然存在着各种交往关系，伦理道德便是维持这些关系的关键，它的存在也最大限度地保障了个体的自主与自由。第二，德育关系的建立、德育活动的展开皆离不开交往，一切教育不论是知识教育还是品格教育都是在交往中实现的[①]。在德育交往关系形成之先，个体在道德问题的认识上具有自我中心化的特征，不能深刻地理解与把握“我与他人”“我与社会”“我与国家”之间伦理共同体的关系。但当主体与主体相遇之后，对方的在场打破了孤我的存在方式，交往使得彼此相互认识、相互理解，并获得对道德意义的理解，从而达成某种共识。第三，德育交往是一种情感上的交往。理解是德育交往关系形成与维系的重要基础，没有理解，主体就无法超越自身去完成对道德善的追求，交往便异化为谈判、交易，失去理解的德育课堂其自身的道德性也会随之消解。而人与人之间的理解更多的不是基于理性的推演的结果，而是基于情感层面的认同。同情正是主体在德育中相互理解、达成共识的关键，它作为一种道德想象力，让主体暂时脱离自我中心的立场，试图站在他者的角度展开另一维度的理性审思。

情感德育理论中所强调的交往，准确地说是一种“情感－交往”。首先，“情感－交往”同时观照交往双方的情感体验，即在进行交往时，主体皆处于积极的情感状态。一方面，他要主动地了解对方的想法、需要与意见，以对方能够接受的方式表达自我，进而寻求对话的契机与情感的交融；另一方面，还需要对对方所施加的影响给予反应，让对方获得被尊重、被需要的情感体验。其次，“情感－交往”指向具有完整生命质量的德育

① 金生鈜.理解与教育：走向哲学解释学的教育哲学导论［M］.北京：教育科学出版社，1997：125.

生活[1]。情感德育超越了单纯的道德认知活动，其关注重点转向儿童的整体性的生命状态及其所处的教育环境。因此，在情感德育的课堂中，道德知识只是交往内容的一部分，以情感的方式打开儿童的认知、引导儿童的行动，使其过有意义的道德生活才是德育交往的旨归。最后，“情感－交往”寓于相互联结的伦理共同体之中。学校是师生共处的一个伦理实体，师生关系、生生关系等构筑了学校中的主要伦理关系，“情感－交往”是其交往活动的理想范式。但学校不是德育交往的唯一场域，儿童还处于社会、国家、世界这些更大的伦理实体中，如何帮助儿童在更为广阔的伦理空间中生存，成为伦理共同体的建设者、维护者，是德育不可推卸的责任。因此，德育交往必须基于儿童的生活世界，而不是让学校的围墙限制儿童的道德发展空间。

## 第三节　情感德育的实践探索

情感德育论是我国原创性的教育理论，它的提出为我国德育理论体系的建构注入了新的活力，并以情感为线索为学校德育实践指明了前行的方向。情感德育理论的重大成就之一在于它对社会道德问题与学校德育实践的唯理智倾向给予了深刻的反思。面对社会道德相对主义所引发的道德发展危机，情感德育理论一针见血地指出危机的实质——个体道德情感的匮乏以及人与人之间情感交流的困难；情感德育理论还批判了唯理智倾向的学校德育，认为在这种失落了情感的德育范式的导向下，儿童的情感发展遭遇阻碍，容易成为一种理性的利己守法者。情感德育理论通过对社会道德问题以及德育实践问题症结的分析，重新确立了情

① 朱小蔓，王平．情感教育视阈下的“情感－交往”型课堂：一种着眼于全局的新人文主义探索［J］．全球教育展望，2017 (1)：58 － 66.

感在社会道德建构以及个体道德发展中的重要地位，并引起德育实践场域中人们对情感的关注，让原本处于失落状态的情感及其价值得以彰显，进而在一定程度上扭转了学校德育唯理智的倾向。情感德育理论在反思社会道德问题与学校德育实践唯理智倾向的基础上还进一步地以情感为核心概念建构起了基本德育范式，即以情感体验为基础、以情感—态度系统为核心、以情感与认识相互影响与促进而发展为过程，从素质层面保证人的德性构成的道德教育理念、取向及其实践操作样式。这意味着情感不仅仅在人的道德发展过程中发挥着认知的功能，它更是内含于人的道德发展机制之内，成为了贯穿德育实践完整过程的关键线索，甚至作为德育的目标而显现，它揭示着德育所要培养的具有完整道德精神的主体必定是一个有情感之人。

情感德育的实践探索在我国的时间虽然不长，但是在一大批有见识的德育学者的努力下，仍旧形成了具有中国特色的情感德育实践路径。在情感德育理论中，“情感”是德育的生命逻辑，是儿童道德发展的重要线索，也是情境德育理论的灵魂。情感作为一条纽带将情境教育理念与德育实践相连，让情感德育的理论能够扎根德育实践。也正因为如此，情感德育不仅是一种理论，它还是对德育实践模式的有效探索。朱小蔓教授及其团队在上海、江苏等地展开了各种实验研究和实践探索。这些实验与探索既进一步论证了情感之于儿童道德发展的重要性，为情感德育的理论奠基，更为学校既有德育问题的解决以及德育模式的创新提供了宝贵的经验。情境德育模式、和谐德育模式、体验德育模式等具体情感德育模式的提出以及在中小学德育课堂的应用正是这一次次实验与探索的成果。

因而，在实践中，情感德育形成了重视“情境”的德育实践。儿童是情绪感受的主体，也是情境中的主人。优化的情境必然会激起儿童热烈的情绪，能让他们感受到学习活动带来的快乐和满足，并受到美的熏陶和感染[①]。道德具有境遇性的特征，如果将儿童拘于课堂的时空之内，不仅忽视了他们作为情感主体的意义，还会使儿童道德成长处于一种真空状态，从而削弱其道德敏感性。只有将儿童带入到一定的情境之中，才能激发儿童的情感，让情感充盈在儿童的精神生命之中，彰显其有血有肉的道德主体的形象。根据情境德育的原则，情境德育提出了四种德育工作展开方式：第一，优化情境，扩展德育空间。道德教育应当成为能让儿童主动参与的活动，若将德育完全放置在狭小的教室空间之内，儿童的道德成长空间也随之窄化。因此，学校德育必定要突破教室、学校的围墙，走入社会，在社会的情境中焕发生机。第二，缩短师生之间的心理距离。在中国传统的师生观中，教师扮演着权威者的角色，师生之间的心理距离较远，这让儿童成为被动的道德知识的接受者，极大地丧失了自主性。因此，缩短师生之间的心理距离，有助于儿童进入最佳的情感状态，并在情感的作用下促使儿童主动参与到德育活动之中。第三，让儿童进行角色扮演。德育的课堂是属于儿童的，教师可通过言语的描述，让儿童进入一定的道德情境，扮演某种角色，用自我的感受去体验、理解角色的责任与义务。这种方法不仅将课堂还给了儿童，还让儿童的主体意识、责任意识等得以发展。第四，注重实践和创新。情境德育模式具有开放性与适应性，其伴随着德育目标的发展而变化，但最终都要遵循以人为本的教育原则，将一切落实在儿童的活动中，守护儿童道德人格的发展[②]。情境德育的提出以及在中小学的实践运用，在一定程度上改变了德育以说教为手段、以理性为逻辑、以教室为阵营、以教材为权威的状况，让德育展现出无限的可能性。

同样地，在情感德育实践推进中，“体验”也逐渐被置于中国道德教育的前台。在一些学者看来，相较于理性主义的思路，“体验”更加符合

---

① 叶水涛．教育实践的“中国智慧”：李吉林情境教育理论的创建［J］．中国教育学刊，2018(8)：67－71.

② 李吉林．情境教育与德育［J］．中国德育，2006(9)：5－9.

道德教育的实践逻辑。与其说体验是一种道德教育的观念，不如说体验是道德教育的本体，道德体验是有魅力的道德教育，道德体验就是回归道德教育真谛的道德教育[①]。在实践中，就逐渐形成了以儿童的情感体验为核心的实践途径。第一，尊重学生情感体验的主体地位。承认学生的主体地位，但不是以绝对的主客二元对立的立场来凸显学生的主体能动性，不是将所要传授的道德知识当作主体所要认识、把握、克服的对象，而是强调学生的自主性、主动性与自觉性。在道德体验的过程中，学生与道德能够相互建构、逐渐合一，学生成为有道德的个体，而道德成为体现在个体身上的一种良好品质，并具有不断发展、进步的可能性。第二，注重以情设境，因境生情。教师要根据教学内容帮助儿童搭建起情感的阶梯，并一步步引导儿童进入到某一情境之中，让儿童在情感的氛围中有所触动，从而触发道德情感。值得注意的是，情感体验的形成是由师生在德育过程中共同完成的，它是主体情感的自然流露，具有很强的生成性与境遇性。此外，由于主体的成长环境、认知风格、性格特征存在差异，表达情感的方式也略有不同，因此，触发情感体验的时机需要教师来把握。第三，通过对话交流，升华彼此情感。道德体验不是一场孤独的、个体性的德育活动，道德情感也难以浸润在单子式的个体身上，唯有对话交流才能连接不同个体的心灵，传递彼此的诉求、情感与经验，让"我"与"你"、"我"与"他"得以慰藉。在德育的过程中，对话与交流不仅以言语为媒介，还可以借助其他形式达到更好的共情效果，如肢体的表达、行动的诠释等。第四，展开生活实践，获得道德发展。体验既可以发生在师生创设的课堂情境之中，也可以发生在真实的生活之中，让儿童亲身参与到某一活动之中，从而获取相应的、直接的道德经验。道德无法在虚拟中获得生长，它必定是在人真实的生活中产生，并进一步指引着个体的生活。因此，德育是一种在生活中

---

① 刘惊铎．道德体验论［D］．南京：南京师范大学，2002：27.

进行的实践活动，是一种对生活的道德体验。这要求教师带领学生走出课堂，在形式各样的体验性活动中获得完整道德人格的发展。

情感德育理论还推动了儿童道德“和谐”发展的实践探索。这种实践探索关注儿童道德人格的整全发展。它要求德育不能“重理而轻情”或“重知而轻行”，而是要同时兼顾儿童道德认知、道德情感、道德意志、道德行为等方面的发展，让儿童在认知、动情与行动中获得对善的完整体悟。例如，在处理师生关系上，采取相互尊重的做法，保障教师和学生能在融洽和谐的德育氛围中获得共同成长。同时，尊重学生道德发展的规律，做到“不陵节而施”；德育也要把握自身的节律，让德与教和谐统一于德育自身的运行规律之中。这种对规律的遵循既讲究天时、地利，同时也要做到人和。江苏省无锡市的五爱小学是和谐的情感德育的践行者。该校从1988年起就对和谐教育模式进行了深入的研究与实践，全校师生将学校教育关系的和谐视为儿童生命和谐发展的重要前提，将造就学生和谐的个性作为学校教育的最终目标①。他们注重学校内部环境与社会外部环境对于儿童身心发展的影响，既保障儿童能够在温馨、安全的环境中成长，又不至于使儿童成为“温室里的花朵”。在众多学校的支持下，强调人格和谐的情感德育实践在广大的中小学校兴盛起来，使儿童在和谐的环境中学习、生活，并由此获得对真、善、美的整全理解，使道德人格的和谐发展具有了坚实基础。

展望未来，情感德育历经了三十多年的理论积淀与实践检验，从理论萌芽、初步科学实验的探索到基本理论的建构完成，再到理论主题深化、研究方法走向多样性，这一发展历程之中饱含着研究者们的智慧以及对德育的热忱。尽管目前情感德育已取得了较大的成就，但未来情感德育的发展之路仍旧任重而道远，还需不断地克服困难、解决问题，更深入、更有

---

① 朱小蔓．情感德育论［M］．北京：人民教育出版社，2005: 114－117.

针对性地进行情感德育理论的建构。第一，情感德育理论基础需要得到进一步的夯实。情感、道德情感的基本内涵以及情感与道德、情感与德育之间的关系需要被澄清。“如何看待负面情绪之于儿童道德发展以及德育实践的影响”，“如何证明情感要素与儿童价值观建构之间的必然联系”，“如何在以情感为主要线索的同时又不忽视理性的影响”……这些问题能否被妥善解决直接影响着情感德育理论的正当性与合理性。此外，情感德育是情感教育研究向德育领域延伸的结果，如何确立情感德育相对独立的地位，建构起情感德育的完整研究系统是其未来发展的重要方向。第二，使用多学科视角、多样化研究方法来进一步地展开情感德育的研究。在既有的研究中，情感发展心理学、道德哲学、关怀伦理学、情感社会学等传统学科为情感德育理论的基本建构提供了重要的研究视角与论据支撑。情感德育理论要想获得进一步的发展还需与时俱进，关注包括脑神经科学、机器伦理学在内的新型学科，同时还可从宗教、艺术这些看似远离德育研究视域的学科中汲取养分，拓展自身的理论视域。在研究方法上，目前研究者主要通过思辨与简单的质性、量化的方法展开情感德育的相关研究，但由于研究方法自身的局限性，使研究者会错失一些更加丰富的材料。因此，情感德育理论的研究还需充分结合其他的方法，来寻求理论瓶颈的突破，如使用现象学的方法，更全面、细致地把握研究对象，在叙事研究、反思写作中获取更深入、详实的资料。第三，探索更多的研究领域，丰富情感德育的研究内容。一方面，不同年龄阶段的儿童拥有不同的情感特征与情感需求，以儿童的发展阶段为依据，更细致地探讨不同时期情感德育的内容与模式显得尤为重要；另一方面，学校不是德育的唯一场域，如何在社会、家庭中以情育德，是情感德育需要探究的重要问题，尤其家庭是儿童最重要的情感归属之所，拥有丰富的情感德育资源与契机，如若情感德育研究忽视家庭的德育功能，其完整性、系统性便会遭到破坏。此外，情感德育研究还需关注包括留守儿童、残疾儿童、离异家庭子女等在内的特殊群体，这些群体相对而言更少获得他人的情感关怀，容易出现情感素养的缺失，甚至情感冷漠的情况，因此把握他们内在的情感发展逻辑，为特殊群体的道德发展探索新的道路，不仅具有理论层面的开拓性意义，更为现实德育所迫切需求。最后，更加注重理论与实践之间的联结。目前，情感德育理论转换为德育实践的程度还远远不足，一些有价值的理论内容还处于悬浮状态，未能与现实相接壤。研究者未能充分观照德育的现实境遇，而实践者也对一些情感德育的理念、观点难以理解，在未来，双方应当通过深入的对话交流，在相互理解的基础上，深化理论的建构与实践的展开。

# 第三章
# 活动德育的兴起与探索

活动德育在20世纪90年代中后期发展起来，它强调了活动以及活动中的道德体验对于道德教育的重要意义。活动、体验是个体道德形成、发展的根源与动力，是学生自我教育的真正基础，是实现道德之个体意义的根本途径[①]。活动德育强调要反思知性灌输的德育，主张尊重儿童的主体地位，提升德育的活动性、体验性，使德育在活动中、在体验中焕发出新的生机。活动德育的理念一经提出，就得到国内学者的关注和认同；伴随着基础教育课程改革的推进，它也被广大的一线教师所接受，在德育实践中产生了重要的影响。

## 第一节　活动德育研究的缘起

“活动式德育”是全国教育科学“八五”规划青年专项课题的研究成果之一，是中国德育研究领域一种新的研究尝试。活动式德育的较早提出者是戚万学教授、班华教授、朱小蔓教授等。1994年，戚万学教授的专著

① 戚万学．活动道德教育论［M］．天津：南开大学出版社，1994：116－125.

《活动道德教育论》出版，活动德育的理念开始逐渐被大家所熟知。活动德育理念的提出首先源于对传统的知性化德育的批判与反思。知性化德育在我国一直占据着主导地位，灌输是知性化德育的主要手段，它将培养“听话”“服从”的学生作为德育的目标，抹杀了学生的主体性。这种德育事实上是一种强制、封闭、僵化的德育，它忽视了道德行为的主体性，造成了“知行不一”的局面。但是，道德教育的目的归根结底是行为的改善而非推理的改善。因此，它需要将“活动”融入道德教育中，结合学生的道德需要和兴趣开展德育工作，让主体在活动中体验、参与和感受，从而对道德认知主义进行矫正，实现从认知到行为的转变。

对于活动德育的涵义，当时不少学者都提出了自己的观点。戚万学教授认为，道德教育中的活动课程不仅含有活动课程的特点，还有其自身特性，道德教育的活动课程是由学生主动参与的各种感性活动组成的，旨在增进学生道德理智和实践能力、改善学生道德生活的学校教育计划①。班华教授在《现代德育论》中阐述了活动性德育课程的根本性特征：实践性、活动性。班华教授运用皮亚杰的认识发展阶段论和儿童道德发展理论来诠释活动对于儿童道德发展的重要性，“儿童的活动，特别是合作的活动对于品德心理发展的重大作用，是心理发展不可少的条件”②。这种活动德育理念的精神实质就是让道德学习者通过实践活动来获得更深刻的道德体验和感受，并进而内化成个体的道德人格，从而实现德育的目标。朱小蔓教授也认为，活动性德育课程是指从学生的需要和兴趣出发，以学校或学生自我组织的有计划的实践活动为中心，旨在进一步提高学生的道德认识和思维能力，丰富道德体验，锻炼意志，践履道德，促进道德行为习惯养成而设计的课程③。她主张，道德教育要关注学生的生命活动，促进学生在各

---

① 戚万学．活动课程：道德教育的主导性课程［J］．课程·教材·教法，2003（8）：42－47.

② 班华．现代德育论［M］．安徽：安徽人民出版社，1996：145.

③ 朱小蔓．中小学德育专题［M］．南京：南京师范大学出版社，2002：108－109.

种类型的生命活动、情感活动中追求存在的意义和满足，增进学生的道德情感、认知、体验和领悟，这样才能使道德理念真正深入学生的内心，成为他们道德行为的内在准则。季爱民教授在《我国德育模式研究的现状与趋势》一文中指出，活动道德教育模式有其独特的理念，目标定位于实践道德生活，从根本上凸显活动道德教育与传统权威主义道德教育的本质区别，即主动与被动、发展与静止、开放与封闭的区别[①]。李晓峰教授在《活动德育论》一文中从价值观的角度阐述了活动德育的社会价值和个体价值：在社会价值方面，活动德育具有社会生活整合价值、社会文明价值；在个体价值方面，活动德育具有认知导向价值、陶冶调控价值、内省修身价值和评价价值。这些活动德育的理念探索和内涵解析，进一步促进了德育研究者对活动德育的关注，同时也促进了德育实践领域的变革和创新。鲁洁先生和王逢贤先生也谈到，一个完整的德育过程，应该是体验者认知活动、体验活动与践行活动的结合[②]。刘惊铎教授也主张，德育应关注道德学习者的活动和体验的过程，引导学生成为真正的道德实践主体和体验的主体。但是，近现代以来的科技理性及其在德育领域中的支配地位，导致活动、体验的德育价值被遮蔽了[③]。因此，我们应当改进和矫正以认知、理性为主导的德育方式，重视活动、体验在德育中的地位和作用。这就要求德育要不断提升情境性、生活性、生成性、主体性、建构性和创造性等特性，更好地回归于学生的活动及体验，从而提升德育的实效性。

总而言之，众多的德育学者都关注到了道德教育的活动性、体验性的问题，强调通过真实生活、真实情境中的德育活动来激发学生的道德认知、道德情感和道德选择等。这种活动德育可以更好地破解传统德育情境性、

---

① 季爱民．我国德育模式研究的现状与趋势［J］．武汉大学学报（人文科学版），2006(1)：119－123.

② 鲁洁，王逢贤．德育新论［M］．江苏：江苏教育出版社，2000：93－94.

③ 刘惊铎．道德体验论［M］．北京：人民教育出版社，2003：111.

生活性、生成性等匮乏的问题，在促进学生道德品格成长的过程中可以发挥出更加积极而显著的作用。

## 第二节　活动德育的核心理念

活动德育是针对传统的知性德育、道德灌输的弊端而提出的，它强调德育的过程应是学生基于自身需要和兴趣而展开自主活动的过程，并且在德育活动的过程中促进学生的品德发展。活动德育凸显出了德育的主体性与实践性的特殊属性，在本质、目标、课程和教师观等方面都强调了活动之于德育的重要价值。同时，活动德育也非常重视人在德育活动中的内化过程，强调德育应是一种实践活动中的道德体验过程，活动为人的情感、态度、价值观、意志等的形成提供了生动性、情境性的道德体验，从而使得人的生命成长具有了更加丰富的内涵与意义。

活动德育强调活动对于德育的重要意义。这些活动主要是具有道德教育意义或功能的个人活动，或影响人的道德意识和道德行为、调节人际关系的社会实践活动。活动德育认为，德育不仅仅是一种对世界的认知过程，更是一种生命存在的活动、体验的过程，是将人的情感、态度、价值观、意志等在活动中进行内化，并形成深刻的道德体验，从而使得人的道德生命获得更高层面的发展。活动、体验是德育的重要资源，具有重要的德育价值。德育应当以学生的兴趣和道德需要为基础，促进各种类型的、具有道德内涵的社会交往活动[①]，在活动中唤醒人的深刻的道德体验，并在活动、体验中不断追求更高层次的道德境界。

---

① 戚万学．活动道德教育模式的理论构想［J］．教育研究，1999 (6)：69 – 76.

### （一）活动德育倡导的是教育而非灌输

传统德育过程中，教师主要采用灌输的方式对学生进行道德教育。当教育者采用强迫的、非理性的甚或是反理性的方法进行教学而不许学生提问，也不考虑学生是否愿意和是否能够接受时，就是在进行道德灌输[①]。戚万学教授认为，要从教育的目的或意图维度去理解灌输，因为这背后蕴含着文化。灌输的本质在于借助外部力量强迫学生接受某种固定的、单一的价值观念从而达到“封闭思想”的目的。教育或道德教育在于培养具有独立思维、自主人格、批判性思维的人，应当以尊重儿童的基本理性为基本特征，而这恰恰与灌输相反。道德教育不是道德灌输，若道德教育等同于道德灌输，在理论、实践、方法等层面就容易将道德教育简单化、机械化，无法摆脱知性德育造成的困境。活动德育反对灌输，它强调的是在活动中引导学生的成长，主张只有坚守教育的本真才能培养学生良好的道德品质。

因此，活动德育强调教师引导下的学生自主活动。活动德育主张活动必须是学生自主或自由自觉的活动，强调学生通过活动过程中的自由选择确立自己的价值观[②]。它强调教师在道德教育活动中尊重学生的自由，这里的自由是建立在一定规则基础之上的自由。在活动中通过教师有计划的指导和帮助，使学生能主动地支配和调节自己的活动，并充分发挥自己的学习潜能发展和完善自身[③]。换言之，尊重学生的自由并不意味着教师放任不管，而是强调教师扮演组织者、参与者和引导者的角色。事实上，活动德育要求教师承担更多的责任，要求教师能够认识到什么样的活动、环境更适合儿童的道德发展，从而通过引导和建构有意义、有价值的道德教育活

① 戚万学．活动道德教育论［M］．天津：南开大学出版社，1994：132.

② 同①171.

③ 陈恒平．活动性德育课程：涵义、特点及功能［J］．扬州大学学报（高教研究版），2004（1）：67－69.

动，更好地促进学生的道德人格及道德心理的全面发展。

## （二）活动德育主张活动课程的建构

课程是道德教育的主要实践方式。活动德育倡导以活动、实践类课程作为德育的核心课程体系。活动课程与认知课程相对，它是强调以经验、生活、劳动等内容来实现德育目标的课程类型[①]。活动的德育意义主要有两点：一是通过活动加深了对道德规则的理解，二是在实践交往中可以发展、培养真正的责任意识和责任感[②]。陈恒平认为，活动性德育课程是以学生的兴趣、需要和能力为基础的课程，它可以利用校内外的教育资源，通过校内外的德育活动促进学生的品德发展[③]。活动德育课程认为德育课程内容是一个开放的而非封闭的价值系统，课程要与儿童的生活经验有关，让儿童有切实的体验。活动德育课程具有实践性、系统性和主体性的特点，在教学方法上倡导采用角色扮演、讨论等方式使儿童参与到活动之中，并非纯粹地由教师讲授；通过活动沟通校内、校外的生活，让学生在现实活动中体验社会道德，承担社会道德责任[④]。

活动德育认为，学生的活动、体验具有重要的道德教育价值。德育课程不同于其他智育课程，它不主要诉诸知识的传递，而是引导价值上的认同、内在情感态度的培养和实际行动的改变[⑤]。事实上，道德本身就是在人的活动、体验中形成和发展起来的。活动、体验的过程就是人的道德学习

---

① 陈恒平．活动性德育课程：涵义、特点及功能［J］．扬州大学学报（高教研究版），2004 (1)：67 － 69.

② 戚万学．活动课程：道德教育的主导性课程［J］．课程·教材·教法，2003 (8) :42 － 47.

③ 同①.

④ 但武刚．论德育活动课的类型［J］．教师教育论坛，2000 (2)：38 － 41.

⑤ 朱小蔓．关注心灵成长的教育：道德与情感教育的哲思［M］．北京：北京师范大学出版社，2012：46.

的过程[①]。因此，德育应充分重视活动课程的建设，使活动、体验式的教与学成为德育的基本实施途径。活动课程给予了学生在活动中的深刻体验；只有在体验与感受中，才能增强学生对道德内容的理解与认同，学生的道德情感才能被激发，从而培育学生的道德品质。

### （三）德育应当通过活动来激发学生的道德体验

体验是道德教育的本体，没有体验，道德教育存在的有效性、合理性和合法性就会遭到怀疑[②]。一方面，道德源于生活、源于实践、源于人们的亲身体验，对道德的评判与取舍以及道德的获取与创新都依赖于人们的亲身感受，只有主体自身参与其中，亲自感受和体验后，这一过程才是完整的。另一方面，没有体验参与的道德活动是缺乏实效性的，是不能激发学生的学习兴趣的。这样的道德活动是虚假的、不真实的。只有引起学生的关注，唤醒学生的道德体验，才能促使学生的道德人格走向整全发展。

活动德育认为，我们应该加强学生的深刻的道德体验的形成，乃至于通过各种类型的活动形式为学生构建道德体验的情境或场域。道德体验的发生需要“道德体验场”，道德体验场是道德体验所由发生的功能性关系情境和氛围，它是由受教育者周围在场和不在场的、被认识到的和尚未被认识到的一系列内生变量和外生变量有机联系而形成的一种整体道德关系情境和氛围。道德体验场的诱发与唤醒受多重关系和环境的综合影响，包括生活阅历，所处的生存环境、文化环境和社会环境，等等。每个人的生活阅历不同，所处的家庭、学校和社会的环境不同，性格与气质等多方面也都存在着差异，这决定着道德体验场被诱发和唤醒的场域、影响因素和方式各异。活动德育认为，我们应该在活动中为学生搭建起道德发展的良好的道德体验场，促进学生生成道德意识、道德智慧和道德能力。活动德

---

① 张彩霞．体验教学的德育价值意蕴［J］．思想政治课教学，2017 (3)：7 − 10.

② 刘惊铎．道德体验论［M］．北京：人民教育出版社，2003：111.

育强调，德育应当回归于学生的生活世界，注重学生在生活实践中的成长体验，将道德教育与学生的现实生活、实践活动相联系，从而促进学生在道德活动、体验中认知与情感的融合、发展[①]。

## 第三节　活动德育的实践探索

近些年来，活动德育在实践中已有不少探索，在全国多个地区的学校都有相关实践活动的开展。由于实践活动的类型多种多样，这里不再一一归类，主要就一些学校具体的、典型的案例进行简要介绍。比如，黑龙江省饶河县第一中学从三个方面进行活动德育探索。一是主题教育活动的系列化，如根据年级特点设定了不同的活动内容：七年级德育主题为“遵校纪，学守则，做合格一中人”；八年级德育主题为“养习惯，学礼仪，做文明一中人”；九年级德育主题为“知法纪，懂责任，做优秀一中人”。通过这种不同主题活动的建构和开展，推动学生在活动中去学习如何成为一个有道德的人。二是社会实践活动的全面化。比如，引导学生去敬老院照顾孤寡老人；带领学生去法院参观考察；关爱留守儿童、为家庭贫困的留守儿童捐书捐物；参观博物馆，深入了解中华优秀传统文化及其遗产，等等。三是艺术活动的常态化。比如，组织艺术节、读书节以及各类艺术表演和比赛活动，通过这些艺术活动，不仅让学生体会到艺术的美感，增强学生的审美意识、审美能力，同时，以艺术活动来促进学生道德品格的发展，实现以美育德、以美促德[②]。

另外，有些学校还探索了活动德育的不同渠道和方式，来推进活动德育的开展。一是依托地域社会资源，围绕当地的人文历史、风俗习惯等开

① 石晓芸.基于生态体验观的德育课程一体化[J].思想政治课教学，2019(11)：30－34.

② 徐原珍.活动式德育的初步探索[J].课程教育研究，2019(9)：72.

展地域性的德育活动，使学生对当地的文化、风俗、习惯以及价值观等形成深刻的理解；二是发掘利用潜在资源，比如校内外的文化积淀、环境状况、生活风貌等，开展校园文化活动、生态环境保护活动等各种活动形式，促进活动中的育德；三是开展互动交流的学习活动，比如找资料、做调查、编题目、做阅读等，通过引导学生积极参与各类活动，使学生形成良好的人文道德素养和学习能力①。有些学校还探索出了富有学校特色的活动式德育实践模式，德育实践的途径有：一是典籍阅读，通过阅读优秀的中华典籍，从中获取心灵启迪、情感熏陶；二是广播征集，每周四为“道德宣传日”，学习道德榜样，歌颂道德风范；三是农耕实践，将德育与劳动教育相结合；四是主题班会，每周一有固定的班会课，由学生自主选择主题；五是社会互助，组织学生参与乡村建设理念的宣传；六是艺术展演，通过民间艺术舞蹈、喜剧的表演，让学生感受家乡文化的魅力；七是演讲比赛，主要围绕歌颂伟大祖国、民族团结统一展开②。

江苏省的一些小学开展了公益活动、“当家活动”等活动形式。其中，“当家活动”的目的在于使学生在亲身体验中成长，比如“值日班长”“家长身份一日互换”等活动③。通过这些活动，不仅可以让学生体验父母、体验教师以及体验不同角色身份的辛苦，同时也可以在这些活动中激发他们的道德责任意识，使他们成为更有担当的人。山东的一些学校从课程一体化视角构建了“3310”活动德育课程体系。“3310”中的第一个“3”是指实施德育的主体有 3 个，即学校、家庭和社会。第二个“3”是指学生年龄阶段，即小学低龄阶段、小学中高年龄阶段、初中阶段。“10”是指德育内容有十个板块：行为习惯、健康安全、理想信念、敬业奉献、公民道德、生态

① 何远清．活动德育：提高德育实效的有效途径［J］．教育导刊，2009 (9)：38 － 40.

② 张凯．农村学校活动德育模式探索［J］．新课程，2021 (37)：12.

③ 陆继淑．基于儿童立场下的立德树人教育教学实践研究［J］．当代家庭教育，2021 (29)：53 － 54.

教育、法治教育、民主教育、爱国教育、国际教育。“3310”活动主要依托社会实践课程、德育主题课程、学科融合课程、道德与法治课程、家庭实践课程和传统文化课程等来展开具体实施，并通过这些活动以及课程的实施来促进学生的品德发展。

有的学校把德育活动细化为一系列的主题活动，包括励志教育月、学雷锋活动月、爱国主义教育月、心理健康月、法治教育月、感恩教育月、劳动教育月、诚信教育月等。有的学校还开展了“校园春耕”体验式德育主题活动，旨在让学生了解和传承农耕文化、亲近自然、了解农作物的生长过程，在实践活动和体验中感受劳动的艰辛和乐趣，懂得珍惜劳动成果，培养劳动意识，提升劳动能力。通过这些德育活动的开展，把道德教育与学生的认知、情感、意志、行为等体验有机地结合在一起，在提升德育实效性方面发挥出了重要作用。有的学校还利用“互联网 +”技术，搭建了道德与法治教学网上平台、活动性德育情感体验平台、道德实践新舞台、在线德育班会、线上德育社团、线上心理咨询等线上平台，全面培育学生的道德品质。

总之，这些实践探索有助于我们深化对活动德育的认识，同时引导一线学校和教师更好地组织多种多样的道德教育活动，使学生在活动中获得直接的道德感受，从而将道德规范内化于心、外化于行，更好地促进学生的道德成长。

# 第四章
# 欣赏型德育的探索与创新

欣赏型德育是在集中反思中国德育的“功利主义症候群”的基础上提出来的。欣赏型德育认为，中国德育陷入了功利主义的怪圈，这导致了德育信度和效度的缺损，造成了德育危机的出现。学校德育的功利主义色彩忽视了德育的独立性与可接受性，以灌输为主的德育教学导致教师的价值引导与学生的自主建构相悖，最终造成了国家、社会越加强德育，德育的实效性越低的两难困境。而在西方国家，由于其德育的过程主义取向和相对主义特征，侧重于学生道德认知和道德判断能力的发展，忽视了价值内容的引导，也导致德育实效的低下。可见，这一世界难题实际上是由教师的价值引导与学生的自主建构之间的矛盾所导致的。在解决这一实际德育问题的现实要求下，以檀传宝教授为代表的一批学者提出了欣赏型德育的主张，开始探索德育的审美化改造，全面促进学生的道德品格发展。对于德育危机的超越，需要我们摆脱功利主义德育的影响，重建非功利的审美意趣与德育的本真联系，使德育从美学那里获得滋养，增强德育的超功利的审美内涵。欣赏型德育强调，德育不能没有精神追求，德育不能失去审美意趣，美学能给予德育的最根本的东西便是审美的精神内涵，并且通过美来达到育德的目标和效果。建基于审美意趣与德育的有机联系，德育可以成为“一幅美丽的画”“一曲动听的歌”，使受教育者在审美意趣中自然而然地接受道德教育，达到“美善相谐”的道德境界，实现以美育德的教育效果。欣赏型德育一经提出就对一线学校德育工作产生了积极的推动作用，众多一线学校和教师纷纷以欣赏型德育为指导理念，开展了广泛的欣赏型德育实践活动，促进了学校德育工作实效性的提升。檀传宝教授还基于欣赏型德育的理念编写了大型德育画本《我的家在中国》，在德育实践领域产生了热烈的反响。

## 第一节 欣赏型德育研究的缘起

建构欣赏型德育模式是社会与教育发展的实际需要，也是德育研究理论和实践的需求。20 世纪 90 年代以来，教育环境中的功利化氛围愈来愈严重，许多学校的德育也深陷以功利主义、相对主义、外在灌输为特征的症候群泥潭难以自拔。传统德育以灌输为主，忽视了学生自主建构道德的主体意识，其德育的内容远离实际生活、形式单一化、方法呆板，导致了国家社会越加强德育，学校德育的实效性反而越低的恶性循环局面。摆脱这一德育困境亟须寻找新的出路。作为一种超越功利主义德育观、追求自由道德与审美德育境界的理论，欣赏型德育模式应时而生。欣赏型德育以美为体亦为用的特点，为摆脱当今的德育困境提供了新的思路和方法，也为德育理论研究和实践注入了新的生机与活力。

### 一、对功利主义德育观的超越

“对德育功利主义倾向的抵制已成为改革开放以来德育基本理论研究的主旋律。”① 德育美学观便是对功利主义德育“症候群”的超越。“症候群”

① 檀传宝．德育美学观［M］．太原：山西教育出版社，1996：13.

这一概念意味着德育理论和实践存在一系列问题，这些问题体现在德育研究和实践的各环节之中。首先，在理论研究中呈现出“方法中心”、唯科学化、急功近利的研究态势。比如在发挥德育的功能方面，将社会发展出现的经济、文化、生态等问题都交给德育解决，将德育视为缓解问题的全能型工具，抹杀了德育的本真与独特性。“把德育视为万能的救世工具似乎提高了德育的地位，但这种外在万能因而虚妄的功能观必然导致人们对德育的过高期望及随之而来的对德育现实功效过低的疑虑和对德育功能的消极评价。”[①] 其次，在实践过程中，德育体系难以应对社会发展带来的困境，重外铄、重说教的形式主义正逐渐成为德育实践的明显特质。

功利主义德育观充斥于德育理论与实践中，导致德育危机重重。具体来说，功利主义德育观造成了德育威信和可依赖性的丧失、德育实效的缺损以及德育地位的下降，这些道德危机的出现无不在诠释着亟须对功利主义德育观进行实质上的变革。面对功利主义德育观暴露出的精神缺损与可能导致的自私和伪善的结果，美学步入了德育研究者的视线。“美育给予德育的最根本的东西是精神内涵”[②]，“美学能够给教育带来的最重要的灵魂性启示不仅仅是某些审美技巧的应用，而是教育活动应有的主体自由精神的修复”[③]。美学超越功利主义德育观的根本方向是建立一种新的德育观——德育美学观。教育尤其是德育不能没有精神追求和意趣，需要自觉建立审美标准，尝试走出应试教育等现代教育异化困境。“美学是未来的教育学，也应当是当下的教育学。”[④] 通过美学可缓解当代的“精神饥渴”，促进人的全面发展，也给德育的精神变革提供了一个新的思考方向和新

---

① 檀传宝. 德育美学观［M］. 太原：山西教育出版社，1996：13.

② 麻艳丽. 论德育与美育的同构［J］. 中共山西省委党校学报，2009，32（6）：105－107.

③ 檀传宝. 美学是未来的教育学：兼论现代教育的审美救赎［J］. 中国教育科学，2015（1）：49－69.

④ 同③.

的视角。

## 二、欣赏型德育的理论依据

教育，尤其是德育之所以需要从美学那里实现“精神吸氧”，原因主要有以下几个方面：首先，“从教育体系的外部实施对于德育美学观的文化哲学观照，不难看出以美为体为用、真善美融通的文化趋势是德育美学观得以建立的必然前提”[①]。真和善（或“至真”“至善”）总是有着美的天然渗透，美与真、善具有相通性和互补性，真与善都能通过美来实现和表达自身，并且以美为最高追求境界。其次，理想道德教育的实现要求德育从美学的精神中吸氧。理想道德教育需要充分发挥学习主体的能动性，在情感、意志、信念等领域实现突破，解决道德领域内人的终极关怀问题。而理想道德教育的实现要求德育要从美学中汲取养分，去找回道德主体的自由及精神力量，通过德育观、美育观的改革，展望人格化、情感化和境界化的道德教育。最后，“欣赏”即审美，由于审美活动具有储善性，故而欣赏型德育模式能够尝试将内因与外因、道德情感与道德审美有效联系起来[②]。德育所借鉴的美的精神是对功利主义的救赎、对自由与超越境界的追求，也是非功利性的、自由的处事心态，让教育对象充分欣赏到道德人格之美、道德智慧之美、道德生活之美，对道德生活的高贵与自由心向往之。

心理学的发展为德育美学观的建立也提供了理论支撑。在心理学方面，“需要、情感、直觉这三个方面既是道德教育的核心地带，又是美学观所

---

① 檀传宝．德育美学观［M］．太原：山西教育出版社，1996：37.

② 梁允胜．美丽的德育在课堂：中学阶段欣赏型德育教学模式研究［M］．合肥：安徽教育出版社，2006：23.

能提供改善的最明显的方面”①。现代心理学的发展已经揭示了审美需求的不可或缺性和人的真正类本质特征，对美的欣赏是人的普遍心理。审美需要与道德需要相互渗透、相互促进；审美情感与道德感相统一，并对道德感起到重叠、促进和催化作用；同时审美心理和活动的整体性特征，也使道德教育的审美性为培育道德直觉能力提供了可能。值得一提的是，在德育中，道德情感的培育至关重要。“感人心者，莫先乎情”，道德教育可以通过审美意向进入其他角色，实现“己所不欲，勿施于人”等道德情感的多重角色体验，而“无论静观还是介入的审美自由均可在道德教育中对学习主体的道德体悟、判断、决策的自主、自由起推动作用”②。在德育实践中，欣赏型德育模式可以通过充分利用艺术作品、文学作品等途径增强学生的道德观念，提升学生的道德认知，以此培养学生的道德情感。

## 第二节　欣赏型德育的基本理念

作为德育理论的又一创新，欣赏型德育模式通过“立美”改造，将审美观与道德价值观相融合，使道德教育的价值引导与道德主体的自主建构这两个往往相互对立的方面在自由欣赏过程中得以统一和完成，并克服德育过程中出现的诸多异化现象，为个体道德自主建构提供有效帮助。这一德育模式还以反对灌输、反对放任和“中庸”的教育路线为核心理念，力图构建一种“伙伴式”的审美化的师生关系，并强调运用艺术手段对德育的内容与过程进行审美化改造，以达到立美与审美的统一，使学生在欣赏中培养自己的价值选择能力和创造力。在实践中，欣赏型德育以自觉性、开放性和自由性为原则，使德育在真正意义上成为“一幅美丽的画”“一

---

① 檀传宝. 德育美学观［M］. 太原：山西教育出版社，1996：71.

② 同①109.

曲动听的歌”。

## 一、欣赏型德育的理论假设

在德育美学观的指导下，欣赏型德育模式的基本理论假设是：道德教育的内容与形式如果可以经过审美化改造，成为“一幅美丽的画”“一曲动听的歌”，那么与这幅画、这曲歌相遇的人就会在“欣赏”中自由地接纳这幅画、这曲歌所表达的价值内涵。如果德育能够变成一个具有审美情趣的东西，在日常生活中能够实现审美化，那么德育的效果自然就会发挥出来[①]。道德教育的“价值引导”与道德主体的“自主建构”两个方面也就可以在“欣赏”过程中得以统一和完成。因此，欣赏型德育形成了以下几个方面的基本理论假设：

第一，欣赏型德育模式认为德育过程是学习者自主建构其道德的过程。这体现了对德育对象主体性的重视，并超越了强调“灌输”的转化理论。实质上，德育过程是由内而外被掌握或生成的过程。“德育应该是环境与生长的统一,价值引导与个体价值建构的统一”[②],德育所能做的是“提供一种有利于道德生长的价值引导环境而已”[③]。这种观点强调学生主体作用的发挥，将学生作为道德生活和道德教育的主体，并且注重在德育实践的各环节突出学生的主体地位。欣赏型德育呼唤平等、自由、真实交往的师生关系，在这一关系中，教师的智慧表现在设置情景，并退居幕后，使学生成为价值判断和建构的主体。在这一“伙伴式”关系中，师生关系具

① 檀传宝.提升生命质量的一项探索:“欣赏型德育模式”的理论与实践[J].中国德育,2008(6):10－14.

② 檀传宝.德育原理[M].北京:北京师范大学出版社,2007:6.

③ 檀传宝.让德育成为美丽的风景:欣赏型德育模式的理念与操作[M].合肥:安徽教育出版社,2006:125.

有双向或多向、平等的特质。教师的作用主要是以自己对道德智慧的欣赏来刺激、启发和带动学生的德育欣赏活动。其次，“教育内容=价值情境”，也即绝对真理与相对真理的统一。道德教育的内容必须以一种价值参考资料的方式呈现出来，要强调价值的开放，体现绝对真理与相对真理相统一的原则，使个体可以在一种自由的比较和选择中获得相对正确的价值观念。情境设计的质量直接关系到德育的实际效果，因而教师要提升自己设计情境的能力。需要说明的是，提倡“开放的价值空间”并非意味着倡导价值相对主义，教育者也必须负责地向教育对象提供必要的价值选择建议。最后，教育方法要遵循尊重与要求的统一原则。尊重是指教师对于学生人格上的尊重，要摒弃强迫和反理性的教育方式，使学生能够依据自己的理性自主、自由地做判断，但这并不意味着可以放弃对德育对象的要求。“没有合适的要求，就没有真正意义上的德育。”①

第二，欣赏型德育模式的特性可以克服德育过程中出现的诸多异化现象，对个体道德的自主建构提供有效帮助。在个体道德依从价值引导的过程中，以“欣赏”这一概念为核心范畴建构的欣赏型德育模式可以最大限度地帮助学生自主建构其道德。欣赏型德育模式的特性具体体现在以下几方面：①生动性。“生动性”指“对象”的生动。“生动性”意味着对象本身自动地吸引教育对象，发挥教育影响，也意味着被吸引而进入“欣赏”状态的主体的自主与自由。生动性特征对于化解自主建构和价值引导之间的矛盾十分重要。②非强制性。欣赏导致自由，同时以自由为前提。合乎特性的欣赏活动实际上就是一种非强制性的自主和自由的活动，欣赏性的活动最利于主体自由的实现。③交流性。人在进行审美活动时，即便是独处，实际上也远非一人。审美活动的精神实际上是人类社会群性的内在表现，道德教育要求实现的人际关系的谐和在审美活动的瞬间乃是内在地实践了

① 檀传宝．让德育成为美丽的风景：欣赏型德育模式的理念与操作［M］．合肥：安徽教育出版社，2006：128.

的。交流性可以使道德教育中自主建构和价值引导的统一以及对学生的尊重与要求的有效统一成为可能。④包容性。“欣赏”首先“包容”了主体的兴趣、意向和自主建构以及实践的可能性，欣赏的包容性还指人际关系的平等与和谐。换言之，在欣赏中易于建立“真实的交往关系”，实现“交互主体性”[①]。

## 二、欣赏型德育的核心理念

### （一）反对灌输

灌输是指提供单一的、封闭的和经不起（也不允许）批判和检验的教条，采取一切强制和非理性的、完全无视教育对象存在的方式，试图封闭或禁锢学习者思想的教育。德育上“灌输”最为突出的特征应当是它在方法上的强制或专制。在教育思想史上，灌输的主张比比皆是，如“白板说”“蜡块说”。捷克教育家夸美纽斯( Jan Amos Komensky )还曾以“印刷术”类比“教学术”，认为教师只需要准备好工具和教授的材料就可以把知识“印”在学生心灵上。灌输虽然体现了“人对人的影响”，但忽略了教育主体自主建构的过程[②]，是一种不人道、不科学的教育，因而要反对德育上的灌输。“不人道的教育”是指道德和思想的灌输忽视了受教育者本身。灌输意味着教育对象是一张千篇一律、没有个性，没有自己的经验、情感和思想的白纸，可以由教育机器任意印刷[③]，这一“印刷”过程并不考虑学生的心理、情感状态及学习与生活状况。“不科学的教育”是指灌输违背了

---

① 檀传宝．让德育成为美丽的风景：欣赏型德育模式的理念与操作［M］．合肥：安徽教育出版社，2006：128－130.

② 同①3.

③ 同①3.

教育的本质和规律，与道德发展的规律背道而驰。强制的教学方法无法改变学生的内心价值，无视学生的个体差异和实际情况的做法不仅是对学生人格的不尊重，也是对道德发展和教育规律的蔑视，其实效低下也是必然的结果，甚至会导致学生阳奉阴违和出现逆反心理。在价值多元的互联网时代，强制灌输的德育是行不通的。在信息海洋中试图强制个体全盘接受一种也许本来就不怎么样、让人情绪上反感的价值观显然是不现实、不道德的。有效地反对灌输需要给予学生“自由”的德育，这一任务只有通过真正解放教育对象的方式才能够实现。这种解放一是表现为教育方式上的解放，即彻底地告别强制灌输，让学生从异化的教育形式中解放出来，自由、愉快地习得道德价值与规范，能够“没有任何牵强、非常乐意去接受社会规范对他的约束（或指导、帮助），非常高兴、自豪、精神上非常愉悦地接受道德教育内容”①；二是从价值观上获得解放，即在教育过程中能够对人生的真谛有所领悟，让学生从纯粹的动物性和自身的价值混乱中解放出来，通过自由的学习获得真正的道德智慧，从而收获社会生活中更大的自由、人生发展上更大的成就②。欣赏型德育的关键就在于“展现道德文化的智慧、道德人格的光辉、道德人生的美好”③。唯有如此，才能让教育对象在对这些美好和光辉的欣赏中自由和愉快地接受价值与规范的教育。

### （二）反对放任

给予学生自由的德育，要避免矫枉过正走向放任。从德育的角度看，“放

① 檀传宝．美学是未来的教育学：兼论现代教育的审美救赎［J］．中国教育科学，2015 (1)：49－69.

② 檀传宝．让德育成为美丽的风景：欣赏型德育模式的理念与操作［M］．合肥：安徽教育出版社，2006：6.

③ 同②.

任”是指对德育对象不加约束或干涉、任其为所欲为的状态。德育上的放任更普遍地体现在隐性上的放任，即似乎什么都做了，但是其实什么都没有做，什么要求都没有的虚假德育形式[①]。德育上的放任既可能是价值选择上的“价值相对主义”，也可以是教育方法上的“儿童中心主义”，或者两者兼而有之。价值澄清理论是放任的德育的典型体现，该理论将重点放在帮助儿童澄清原有的价值观，对儿童进行道德思维上的训练，但忽略了价值教育的内容层面和价值标准的存在，导致了道德相对主义，对于个体道德发展并没有任何裨益。

德育最重要的使命是要在道德发展上“提升教育对象”，价值多元并不等于没有对错，价值一方面具有相对性，另一方面也具有普遍性、基础性[②]。普遍价值、底线伦理的存在是我们进行最基础的对话、达成共识的前提。只有掌握了已有的价值文明和道德智慧，我们才可能实现真正意义上的道德成长与品德建构。欣赏型德育模式不仅追求学生对于人生智慧的真正领悟、人生境界的实质提升，而且追求实现目标过程的人性化[③]，这一过程从内容到形式都应当是美丽的。

### （三）以美育德

欣赏型德育的第三个核心理念是让德育成为一种“乐教”和“诗教”的事业，让德育成为“一幅美丽的画”“一曲动听的歌”，让德育过程的参与者（无论教师还是学生）“诗意地安居”[④]。这一理念表明，德育过程中可以有诗歌、绘画、音乐、多媒体等一切合适的艺术形式的有机参与。古代

---

① 檀传宝．让德育成为美丽的风景：欣赏型德育模式的理念与操作［M］．合肥：安徽教育出版社，2006：8.

② 同①1.

③ 同①12.

④ 同①13.

学者早就阐述过此观点，我国古代的“诗教”和“乐教”认为，诗歌、音乐可以达到教化民众和学生的作用。孔子提出“兴于诗，立于礼，成于乐”的观点，以达到道德上的“中和”之美。古希腊学者柏拉图在《理想国》中同样提到使用音乐教育来构建和谐的城邦。这种参与不仅体现在艺术和美的技术意义上,也体现了艺术和美的价值功能。艺术和美的技术意义在于作为“添加剂”的艺术和美能使道德学习和教学形式变得生动活泼、令人愉悦。适当的形式与合适的安排对改造过于理性和枯燥的道德教育十分重要，通过审美原则的运用能带来教育的趣味，能够使学习变成一种高尚的游戏。美的存在使个体更容易体会和向往更美好的道德境界。而艺术和美的价值功能主要表现在对善的正面褒扬和对恶的批判。同时，德育过程作为“一幅美丽的画”“一曲动听的歌”的实质在于“内在地借鉴审美精神”来改造德育过程本身，即道德教育必须从内容和过程上展现道德“自由”的境界、教育“自由”的气质，彰显教育的结果、教育的境界是美好的、美丽的、具有“可欣赏性”的，这不仅包含着人生的智慧，也包含着人性的自由。

### （四）追求真善美的道德自由境界

德育美学观追求的境界至少包括以下两个基本方面：第一，从人类文明与教育整体发展的角度来看，这是一种“美真善”的文化境界。欣赏型德育所追求的德育是一种真实、丰富、生动的人性、人格的生成，一种自由、高尚但真实的生活和教育的能力，一种“美善相谐”的人生、教育与文化的境界,“美真善”的文化境界既表现为真、善、美的横向贯通，也表现为以美为体用的三者的统一。“以美为体用”并非只是简单地让“美”取代“真”的地位成为三者统一的最高统摄者，而是使美成为一种全面连接文化主客体的中介[①]。此时的教育也应当具有新的特色与超越，如教

① 檀传宝．德育美学观［M］．太原：山西教育出版社，1996：51.

育思想和方法上的变革，以全面发展的人格为教育的基本目标，将人生意义建立在美的境界上。第二，从道德的人生与道德教育形态的角度出发，这是一种自由道德境界与审美德育境界。自由道德境界是对功利道德和社会道德的超越，审美德育则是对感性教育和理性教育的超越和升华。“德育美的本质与人的本质不可分离，美是对主体自由的肯定”①。自由德育与审美德育用生活的创造性扬弃了人的生物性制约和社会理性对人的片面外塑，给人以人的本质，给人的生活以生活的价值，使人既保留了生命的鲜活，又追求了生命的意义。这种追求将是一种驾驭生活的自由形象的获得或创造过程——生活与人生之美的创造过程。通过立美、审美过程，人类对善与真的传递、接受、达成和创造都将是春风化雨、潜移默化式的，文化的主体性与对象的客观性，人的理性方面和非理性因素等皆可兼顾和统一。

美是对自由的肯定，美的精神即主体的自由精神。德育美学观要借鉴美学精神的核心，即对于主体道德、教育和审美自由的追求，在现实美与艺术美的统一中促成道德学习主体对道德人生的诗意追求，这也是教育、德育主体性弘扬的必由之路，教育和德育主体性发挥的极致状态在于审美化的教育活动的实现。正如檀传宝教授提出的“美学是未来的教育学”这一命题，教育学只有获得美学的灵性，才是真正、完整的教育学，才能具有真正提升教育的品格。审美模式之所以能够成为实现教育主体性现实形态的可能选择，是因为包含了理性和非理性成分的审美活动能够“最大限度地发挥人类的创造潜能，促进人格的健全发展，使求真和求善的实践与认识达到最高的境界从而克服主体—客体、理性—非理性之间的长期对峙”②。其所倡导借鉴的“美学精神”，首要的一点正是主体自由精神的追求。德育对每一个体来说，除具有道德完善的功能以外，还具有享用功能。“德

① 檀传宝．德育美学观［M］．太原：山西教育出版社，1996：111.

② 同①68－69.

育享用性的前提是德育要具美感，德育主体感觉其优美愉悦，德育才可亲可爱。德育美学增强德育可享用性，德育可享用增强德育的吸引力和效度。”[①] 也有学者指出，美学在研究对象上和德育学有共同点，因而德育学吸收美学研究的思想成果能够不断充实和丰富自身，最终对形成具有科学体系的学校德育学必将大有益处[②]。总之，“德育美学观既要揭示作为现实美的德育美，更要以这种德育美作为向导，引导道德教育走向教育艺术的自觉”[③]。

## 三、欣赏型德育的基本操作原理

欣赏型德育追求“自由道德与审美德育”的境界以及“美善相谐”的理想。它从以下两个方面的基本操作原理进行努力：通过德育内容与过程的审美化处理，达到立美与审美的统一；通过师生关系的审美化重建，达到“合规律和合目的性的统一”。

### （一）欣赏型德育的实践原则

依据欣赏型德育的基本理念和操作原理，结合德育研究和实践经验，欣赏型德育需要贯彻以下三个实践原则：第一，自觉性原则。欣赏型德育模式的基本理念可以完全自发地在实践中有效地运行。事实上，在欣赏型德育模式这一概念提出之前，在实践中也存在许多合乎这一概念的教育实践。自觉性原则要求在参与欣赏型德育的探索中，应当认真清理自己已有的成功的德育实践与智慧，思考如何将教育生活中蕴藏的自发的美丽变成

① 孔伟英. 德育美学：德育个体享用实证探究［J］. 江汉论坛, 2007 (1) : 42 − 44.

② 郭柏春, 尹玉英. 德育与审美：主客体关系及作用［J］. 教育评论, 1999 (2) : 33 − 34 + 44.

③ 檀传宝. 德育美学观［M］. 太原：山西教育出版社, 1996 : 139.

自觉的教育行为，让我们的德育更加美丽[①]。第二，开放性原则。古今中外的实践工作者有意、无意创造了欣赏型德育可以借鉴的实践经验，因而要充分挖掘古今中外的德育资源。通过对各种资源的了解和借鉴，以丰富和完善欣赏型德育模式的理念与操作，推动欣赏型德育向更高远的方向再出发。第三，自由性原则。自由性原则是在实践中必须考虑的更为根本性的实践原则，是指在学习和借鉴的基础上，依据实验理念进行全新的建设。在研究中可以坚持从“在已有经验基础上的改造”和“依据实验理念进行全新的建设”两方面进行创造，加强德育工作的针对性，强化欣赏型德育模式的独特性与自觉性。

### （二）德育内容与过程的审美化改造

立美德育是给主体以自由的德育实践模式，和上文提到的追求道德自由的境界是统一的；同时“立美德育”与“审美德育”是一体两面的关系，立美德育模式是创造人类活动真与善的统一，向实践主体“许诺自由”或“施展自由”的中介结构形式。这既是一种伟大的境界，也可以通过努力在德育实践中尝试实现。立美需要把握美的本质和规律。依据马克思关于美的论述，美的规律包含“任何物种的尺度”与“内在固有的尺度”，两者结合给予人类以创造主体的“自由”。因此，立美德育必须遵循美的规律去改造德育过程的中介结构形式，使之达到“任何物种的尺度”与“内在固有的尺度”的统一。德育过程中对课程内容的呈现与实施操作的教与学的活动形式是作为道德教育中介结构形式的能动方面，其呈现与实施，应当使德育主体活动达到合规律性与合目的性相统一的自由本质。德育内容需要“许诺自由”，即不一定是现实的自由，但若是按照这样的原则去办事，就会获得自由。“许诺自由”是德育内容里道德的智慧美，

---

① 檀传宝．让德育成为美丽的风景：欣赏型德育模式的理念与操作［M］．合肥：安徽教育出版社，2006：109.

也是伟大的伦理智慧。当德育工作中探索到一种角度可以使学生在规律性的规定中看到目的性等“许诺自由”的性质时，德育过程就会纯粹成为一种欣赏人类的道德自由与人生智慧的“享用性”的过程，一种解放、升华的过程，而不是一个“模塑”的、奴役的过程。成功的德育课程内容至少应该展示：道德文明的智慧美——德育者所做的内容程式，应当使学生能够通过学习充分观照到人作为道德主体的自由与优越：道德价值与规范其实是我们的文化智慧；道德人格的形式美——使道德价值与规范及其学习活动都成为其改造自身，建设美好人格形象、幸福和诗意人生的惬意工具。

德育活动形式的立美追求是“施展自由”。德育活动形式美的创造与欣赏对于德育异化的克服，实现真正意义上的“愉快教育”，对于教师德育风格的形成以及教育生活意义的确证都有十分重要的意义。教与学的过程需要充分展示学习主体的自由，德育过程的真正实现有赖于这一动态过程，教和学的形式需要追求具体的艺术技艺，可以尝试以情感为突破口，寻找一个欣赏的视角，然后通过情感的变化，引导道德主体的自主构建，最后提升道德主体的品德水平[①]，在教学上、在班主任工作中、在学生教育工作中，创造“施展自由”的美好。德育工作者必须成为表现教育艺术的艺术家。从教育模式、教育方法、教育手段的运用到课堂节奏的把握、声音的运用、艺术手段的添加等，都应当追求“庖丁解牛”式的优雅。德育活动形式美是日常德育活动在精神实质上审美化的结果。比艺术技艺更重要的是反映出教学双方在道德文化授受活动中运用教学规律的理性抉择和组合的主体自由，体现对道德规范顽强疏远性的主体征服[②]，借用艺术技艺等“借美”的方式是德育形式美的选择之一，但它并不是德育形式美的

---

① 檀传宝．让德育成为美丽的风景：欣赏型德育模式的理念与操作［M］．合肥：安徽教育出版社，2006：151.

② 同①58.

主要选择。当德育主体生硬借鉴艺术手段时,往往由于主体受制于手段（失去自由）而呈现出“东施效颦”的丑形态。

在“欣赏”中进行的德育活动,实现“道德学习在欣赏中完成”的目标,从时间的角度可以分解为几个具体步骤：(1）发现或建立欣赏的视角。道德规则可以以纯粹理性或命令的形式呈现给我们的学生，也可以选择一种特别的角度让学生认识到这些规则正是一种人类生活的智慧，所以“欣赏”的关键是教师必须与学生一起寻找或建立欣赏道德智慧风景的视角。在道德教育的准备阶段，教师的教育智慧主要体现在这一视角的寻找与建立上。(2）展现道德智慧与积极人生的美丽。一方面，在德育实施过程之中，教师需要发挥自身创造力，使道德教育内容的呈现形象、生动、审美化。德育工作者应当努力发掘教育内容上的审美因素，将人类道德文明的智慧之光（即道德智慧与人格美）充分展示出来,让学生在道德价值、道德规范的学习中看到人类自身的伟大与尊严。另一方面，应当探索多种形式，延续、强化和巩固审美体验，促使道德审美的结果影响品德结构，改进行为模式。因此如何创设“展现道德智慧与积极人生的美丽”的教育形式或可欣赏性道德情境是欣赏型德育实施的关键。(3）践行审美化的人生法则。审美的任务是“立美”，道德教育的最终目标只能是道德的行动。故而欣赏型德育模式所追求的最终目标是鼓励学生践行审美化的人生法则。在践行道德方面可以采取的方式主要有两种。一种是审美化的“角色扮演”，一种是审美化的真实的道德实践训练。“审美化”建立在两个基本条件基础之上：第一，要使学习主体在审美化的心境中扮演或实践。第二,要让学生在行动过程中不断增加对自身活动的反思与审美观照，使道德精神与人格之美的欣赏或“审美”成为道德“立美”的动力。德育的形式美是欣赏型德育的重要欣赏对象之一。在向道德教、学的主体“许诺自由”与“施展自由”的过程中，与此同时进行的活动之一应当有教学双方作为道德教授和学习主体对自身活动形式的欣赏。立美德育在形式美的建构方面的一条重要原则是立美与审美的统一。德育活动形式美的意义主要体现在三个方面：第一，形式美是愉快德育实现的本质。立美德育过程中德育工作者不仅要善于参与设计和创造德育活动的形式美，而且应实施能够凸显出德育活动的形式美，使德育对象在对自身活动形式的审美观照中感受轻松。第二，形式美是德育教学风格和学习风格的强化物，主体在立美过程中的形式与结果会促成教学双方对活动形式美的欣赏，而形式欣赏是对活动自由形式重复实现的即时强化。第三，形式美同样是克服德育异化的必由之路，对形式美的审美活动可以追求更高的境界，即可以使德育活动的主题从立美德育活动中超脱出来，以自己的活动作为对象物观照，从而促成进一步的、更加完美的立美德育活动的延续[①]，而欣赏型德育把学生懂得“自己欣赏自己”和“自己教育自己”作为追求的最高境界[②]。

欣赏型德育所希望建构的德育课程模式具有情境性与审美化的特点，改变道德教育内容处理的“理性”的模式，即改变教师居高临下的“教导”。情境性要求道德教育内容“生活化”，真正地激发学生进行自主、自由的道德判断和推理等，建立真正的道德理性。此时教师的智慧主要表现在设置情景，并将其隐蔽起来，学生则成为“欣赏”的主体——也即价值判断和自主建构的主体。情境性的课程也为道德教育的显性课程与隐性课程之间的沟通提供了可能，学生很容易将显性课程的学习推进到所有生活领域，这就在实际上为学生在更广大的时空中进行道德学习创造了有利条件。审美化的要求包括两点：第一，道德教育应当努力发掘教育内容中的审美因素，即应当精选道德智慧的成果，充分展示人类道德文明的智慧之光（即道德智慧与人格美）。第二，在道德教育内容的呈现形式上应当努力做到

① 檀传宝．让德育成为美丽的风景：欣赏型德育模式的理念与操作［M］．合肥：安徽教育出版社，2006：62.

② 梁允胜．美丽的德育在课堂：中学阶段欣赏型德育教学模式研究［M］．合肥：安徽教育出版社，2006：35.

形象、生动、审美化。比如，在教材形式上，可以尝试小学教材故事(寓言)化、中学教材杂志化的形式。又比如，可以适当引进艺术手段作为道德教育的活动形式等，推动“知识本位”转向“发展本位”。

在德育活动过程中，教师的工作首先是设置审美化的道德教育情境，鼓励和引导学生进行道德智慧的欣赏。其次是注重在德育过程中对情境设置、呈现节奏和呈现手段以及德育细节的审美化改造，最后是努力让学生形成自己对自己的欣赏——建构“欣赏性的评价体系”。由于德育活动往往是一门“教无定法”的艺术，审美活动也具有多样性的特征，教育和德育都不可能存在千篇一律、一成不变的模式化的东西。所谓模式只是基本的思路和框架，为教师进行“美”的创造提供思路和框架上的指导，教师在具体实践中可任意发挥，创造出多元化的审美活动。因此，“欣赏型德育模式”无工业化意义上的硬性标准或模式，而是提出了在教育实践中进行德育审美化改造的基本思路和开放性框架。

### (三)重建审美化师生关系

欣赏型德育模式所追求的“合规律和合目的性的统一”也应贯彻于师生的相互观照之中，希望建立一种“参谋或伙伴”的师生关系。在这一关系中，教师的智慧体现在情境的设置上，并将其隐蔽起来，使学生成为价值判断和建构的主体。“参谋或伙伴”的师生关系也表现出双向或多向、平等的特质，其中，教师的作用主要是以自己对道德智慧的欣赏来刺激、启发和带动学生的德育“欣赏”活动。在此基础上，可以强调师生之间“自然人”的关系，弱化师生角色，强化“你、我、他”这种自然人的关系，使教师可以以更加真实的形象出现在学生面前，彼此之间进行真切的交流。在这样的德育活动中，欣赏型德育将教师与学生的关系比作“道德风景的设计者和导游人”与普通“游客”的关系，在实践中如何给予“游客”更好的体验呢？解决之道就是当教师完成了风景的设计、导游的任务之后退居幕后，再出现时只能以一种道德人格的风景或普通的游客同伴的身份出现。教师的作用就主要是以自己对道德智慧的欣赏来刺激、启发和带动学生的德育“欣赏”活动。

按照欣赏型德育的理念，学校德育将呈现出美丽的图景：学校德育不再是生硬的强制性灌输，也不再是脱离学习个体生命体验的空洞说教，学生通过“欣赏”，在心灵深处形成道德情感的积淀，获得道德认同，增强道德意志。师生之间不再是居高临下的教与学的单向关系，而是民主平等的伙伴关系。

师生关系的审美化重建更具体地表述为对教师的“师表美”和学生道德发展的“作品美”的追求和二者间的相互欣赏，使德育活动在师生审美性交往中完成。

一方面，“师表美”是教育活动的重要中介，是教育工作者心灵美与外在美的统一，师生之间影响与被影响的关系需要通过教师的一言一行去实现。“师表美”包括“表美”“道美”和“风格美”三种形式。“表美”指教师的外在形象美，不仅包含作为特定社会角色的教师的讲台形象（狭义的表美），也指作为普通人的教师的言谈举止所表现出来的人格形象（广义的表美），后者对德育工作者而言更为重要，即“表美”不仅表现在教室里，而且要表现在日常生活中，教师首先应当努力成为一道随处可见的文化风景线。需要注意的是，追求“表美”需要考虑到情境性、创造性和个体差异性。人的外在形象需要内在精神的支撑，“表美”的本质是“道美”，也即德育主体的内在（道德）精神之美，其崇高和优美的人格具有积极的德育意义。在德育过程中，教师作为德育内容走向学生的中介，其精神与文化涵养实际上是影响德育质量的关键因素之一，教师应努力提升“道之所存”的“道美”。“表美”和“道美”具体统一的形式之美展现为教师的道德人格美与教育风格美，共同构成教师的师表美的完整和统一的形象特征[①]。当“表美”和“道美”在教师身上相对均衡时，教师本人所具备的精神与文化的内涵能够通过自己的外在形象充分地表达给教育对象，这便是教师“风格美”的体现。“立美育德”不仅是对学生的道德发展而言，对教师的教育人生同样大有裨益。具有审美性质的教育活动能够使教师“从日常的、琐碎的、庸俗不堪、为生计所迫的奴役性劳动状态上升到一个为自己的事业、为自己生命意义的提升去拼搏的生活样态”[②]。师表美具有重要的德育意义，它不仅能够充分发挥主体的德育潜能，凸显德育的辐射力，还能够促成学生的榜样学习，达到“其身正，不令而行”的效果，进而提升道德教育的效能，实现师生关系的审美化改造。

另一方面，“作品美”是指德育对象道德品质及其成长态势之美[③]。作品美既是教师立美创造和审美欣赏的对象美，也是德育对象不断对自身进行道德完善的结果。作品美既反映了教师的本质力量，更反映了作为学习和成长主体的德育对象的本质力量[④]。德育对象的品德之美形成的过程是教与学过程的体现，故而作品美既是教师立美创造和审美欣赏的对象，也是德育对象不断对自身进行道德完善的结果，可以说是师生共同创造的结果。作品美呈现出较为复杂的形式，如个体与集体、成品与情态的交叉统一，这些形式都是德育作品美创造与欣赏的目标。例如“个体美”和“集体美”的创造需要教育工作者真诚欣赏并且充分尊重学生的个性，支持、指导和帮助学生集体的发展，在德育活动中注意发动师生双方尤其是学生自己对于“个体美”和“集体美”的欣赏。德育作品的“成品美”与“情态美”分别指称德育对象已经获得的品德成长和他们积极向上的进取态势所表现

① 檀传宝．德育美学观［M］．太原：山西教育出版社，1996：218.

② 檀传宝．美学是未来的教育学：兼论现代教育的审美救赎［J］．中国教育科学，2015(1)：49－69.

③ 檀传宝．让德育成为美丽的风景：欣赏型德育模式的理念与操作［M］．合肥：安徽教育出版社，2006：68.

④ 同③68－69.

出来的美感。作为教师，不仅应当为自己学生已有的品德进步而自豪，而且应当认识到教育对象在成长中所蕴含的无限可能与开放性。对于德育工作者而言，需要结合德育对象的实际情况进行观照和创作。德育作品美的创造与欣赏是统一的，创造美是欣赏美的前提，而对德育作品美的欣赏又强化了创造美。事实上，德育作品美不仅是教师的美，更是学生自己的美，强化德育作品美的欣赏，不仅会强化教师创造美，而且更会强化学生自身的立美创造冲动。檀传宝教授以小学校园中的具体实践为例:将校园中“不要践踏草坪”之类的警告标语替换为“小草在睡觉，不要打搅它”等合乎德育美理念的小牌。这一行为既有对于道德规范合规律性与合目的性统一关系的展现，也有教育艺术即德育活动形式美的展示，同时还鼓励学生对于道德成长进行自我观照与欣赏，道德教育通过审美关系的建立而得以顺利完成，是德育形式美、作品美的创造在实践中的生动体现。

总之,欣赏型德育倡导,“不仅教师,而且学生,不仅参与立美德育活动,而且善于进行对共同作品的审美观照。立美与审美的统一是使在美学精神指引下的德育活动具有解放师生双方特质的根本原因和途径”①。欣赏型德育的师生状态表现为学生的感觉是美好的，教育内容和过程能够触动学生情感、震撼学生心灵；教师是充满热情和爱心的；师生之间的关系是融洽和谐的。

## 第三节　欣赏型德育的实践探索

欣赏型德育不仅在理论上追求道德教育的更高境界，而且尝试在实践中扎根，内含着实践关怀的理想。建构欣赏型德育模式的关键在于“促

① 檀传宝．让德育成为美丽的风景：欣赏型德育模式的理念与操作［M］．合肥：安徽教育出版社，2006：75.

进现实教育实践中已经存在的欣赏型德育模式的理念从自发走向自觉，并进而提高这一自觉实践的比例”[①]。在檀传宝教授主持的“欣赏型德育模式建构研究”课题中，该模式以小规模实验的方式在五所实验学校进行了实验探索，这五所学校分别为天津师范大学第二附属小学、杭州市大关小学、深圳市龙岗区实验学校、珠海市湾仔中学、珠海市前山中学。实验将欣赏型德育模式分为四个子模式：师生关系模式、教学模式、活动模式、艺术手段在欣赏型德育中的应用模式。在这次实验中，课题组取得了诸多成果，负责各子课题的实验学校在实际教育中也获得宝贵经验，使理论更具可操作性和说服力，从而能更有效地转变和更新教师的教育观念，为欣赏型德育模式在学校生活中的实施提供了扎实、有生命力的参考和借鉴。

在小学教学模式的实验中，天津师范大学第二附属小学通过理论研究并结合现实状况厘清了欣赏型教学模式需要解决的问题，也即在德育美学观的指导下，如何于实际德育课堂教学中立德育之美，形成一套具有实际操作性的德育方法论[②]。在实践中，该校积累了许多可操作性强的经验和原则，如坚持主体性原则和欣赏性原则。其中，主体性原则要求承认学生在德育过程中的主体地位，同时承认教师进行价值引导的必要性，在具体的操作过程中，也需要在尊重学生个体差异的基础上分层引导，也即“因材施教”，从而最大限度地引导学生的道德发展；欣赏性原则包含可欣赏和会欣赏两个要点。在具体的教学策略的认知和探索中，该校提出联系生活实践、应用艺术手段、开展自主研究、给予评价激励等措施。这些策略是在大量的实践中产生的，与学生的学习、生活紧密联系，无论是“以情动人”

---

① 檀传宝．让道德学习在欣赏中完成：试论欣赏型德育模式的具体建构［J］．北京师范大学学报（人文社会科学版），2002 (2)：107 － 112.

② 丁安廉，杨茹．美丽的德育在课堂：小学阶段欣赏型德育教学模式研究［M］．合肥：安徽教育出版社，2006：3.

还是“活动感悟”的教学模式，都具有较强的实践借鉴意义。欣赏型德育在小学教育阶段的实践探索不断细化，通过深入探索小学主题班会内容脱离生活现实、形式单一、过程生硬等现状，探索德育美学观观照之下的“欣赏型”主题班会的设计、组织和实施模式，倡导生活化、情感性、民主化和主体性原则，促进师生之间双向有效沟通，营造良好、和谐、民主的班会氛围，从而使“欣赏型”主题班会真正成为德育的有效途径。

作为从童年向青年过渡的中学阶段，学生的生理和心理变化使欣赏型德育模式在实施中具有其特殊性。珠海市前山中学通过大量实验，就不同学科的教学、课程实施、实践策略等方面进行了较为系统的探索。在实践中，学校提出中学阶段的教学模式应注重以下原则：第一，审美化原则，即注重德育过程诸要素的审美化；第二，和谐性原则，德育与知识学习在课堂中要保持和谐，以实现课堂效果的唯美和谐；第三，生本化原则，欣赏型德育不仅要引领学生去“欣赏”美丽的道德风景，而且还要促使他们成为美丽的道德风景的创造者；第四，情感性原则，在日常学校生活中需要注重道德情感的培养，充分发挥情绪的感染性功能、情感的弥散性功能、情趣的激励性功能和情操的动力性功能，唤醒学生的爱心、良心、责任感等正向情感。在实践中，一些学校还提出了“审美尝试”的方法①。“审美尝试”是指学生在教师指导下进行的一种审美实践活动。审美尝试大致分为三个步骤：第一步是让学生整体感知审美对象；第二步是教师在评价学生的审美结论时，不用统一的答案去肯定或否定；第三步则是用审美再现来展示学生的才华，培养学生的整体能力。通过欣赏型德育的运用，前山中学优化了自身的管理理念、教学观念、教学目标、教学内容、教学方法等，改善了德育课堂的面貌，提升了学生的整体道德发展水平。在欣赏型德育活动模式的实践中，珠海市湾仔中学也进行了深入探索。该校的欣赏型德育

---

① 梁允胜．美丽的德育在课堂：中学阶段欣赏型德育教学模式研究［M］．合肥：安徽教育出版社，2006：206.

活动主要包含德育情境美的创设、德育内容美的呈现以及德育形式美的创设三部分。欣赏型德育活动实施的原则包含审美化原则、针对性原则、以人为本原则以及可操作性原则。该校主张在实践活动中用发现美的眼睛发现问题、变显性德育为隐性德育，从而发现美，传递美，共生美；引入技术手段，强化情感共鸣；学校、家庭、社会形成合力，共同塑造美好育人环境。在该校的不懈努力下，学生的道德素质全面提高，学校的整体精神面貌大为改观。

关于构建欣赏型德育中的审美化的师生关系，深圳市龙岗区实验学校依据欣赏型德育模式的核心理念，聚焦现实教育中师生关系所遭遇的危机，经过调查和反思后，指出教师的教育观念滞后制约着师生关系的发展和完善，教师自身的素质对师生关系有决定性的影响。对此，该校提出欣赏型德育模式下的师生关系需要对功利主义和工具主义的教育观念进行超越，在师生之间的日常交往和课堂交往中有意识地渗透审美的因素，形成师生之间的“交往美”，建立欣赏的最佳视角，从而构建理想的师生关系。在师生关系的构建中，应遵循平等自由、以情促教、因材施教、为人师表的原则，通过丰富的实践实现师生的相互感化与改造。

杭州市大关小学对欣赏型德育模式的艺术手段进行了探索和实践。该校充分发挥自身艺术特色优势，使艺术活动全员参与、自发组织、深入课堂，通过德育内容的审美化改造、建立欣赏视角、运用艺术手段、延长主体审美感受等策略提升个体的道德发展水平，同时以上措施在转变教师观念，提升德育工作者综合素养等方面具有积极意义。

在丰富的教学实践中，一线教师从不同角度设想了欣赏型德育实现的可能路径，对欣赏型德育模式的实践经验进行了探索和思考。在具体的实践中，中华女子学院在2007年推出了欣赏型德育活动：寻找身边的榜样——校园之星评选活动。此活动在全校范围内发动，在人人参与中寻找榜样、发现榜样、欣赏榜样、学习榜样，使学生在欣赏中完成道德学习，在欣赏中完成道德选择，在欣赏中内化道德力量，提升自己的道德建设能力。该校认为“欣赏型德育模式”应坚持主导性与主体性相结合、显性教育与隐性教育相结合、教育引导与自主建构相结合、典型奖励与全面引领相结合的原则，使道德教育在舒缓而优雅的氛围中，随风入夜，润物无声。有的学校和教师探索在实践中对德育内容进行审美化改造，坚持审美情感与道德情感相融合、审美价值与道德价值相统一、道德实践与审美实践相同步的原则。有的教师对当前中学德育课堂现状进行了实地考察，指出面对德育课堂出现的德育内容远离实际生活，德育形式单一化、方法呆板，忽视育人价值等诸多问题，并从德育课堂目标、德育课堂教学内容、德育课堂教学方法、师生关系、课堂环境等方面对当前中学德育课堂的现状以及存在的主要问题进行了分析；提到可以通过把握德育素材、改造德育内容和形式的呈现方式、创建德育情境、美化德育细节、师生关系等方面来打造中学欣赏型德育课堂，以提高中学德育课堂教学的实效性，更好地发挥德育课堂在中学应有的育人作用。

总之，欣赏型德育希望通过寻找一条“中间路线”，既强调基本的价值引导，又不妨害道德学习“主体性”的充分发挥，使道德学习在欣赏中完成、在审美中升华。诚如檀传宝教授所言，道德教育的崇高使命就是提升人的生命质量，欣赏型德育模式就是完成这一崇高使命的最佳形式之一。尽管帷幕刚刚开启，但是我们坚信，只要有更多的人加入耕耘的行列，那“一道美丽的风景”就一定会展现在每一个道德学习者的面前。

# 第五章
# 生活德育的兴起与发展

生活德育是改革开放以来我国德育理论研究领域的重大理论创新，同时生活德育模式也对当前中国学校德育实践产生了重要的影响。长期以来，受实证科学主义知识观的影响，学校德育逐渐脱离现实生活，往理性化、抽象化的方向发展，致使德育实效难以保证，儿童的道德成长受到阻碍。对此，一批有思想、有创见的德育学人希望改变此种现状，试图解决德育存在的问题并积极探寻德育的新出路，生活德育理论在这样的背景下萌芽而生。生活德育倡导学校道德教育要回归于儿童的生活世界，从而重新建构起道德与生活的内在联系，实现对知性灌输的传统德育模式的全面反思与超越。国内较早提出生活德育思想的学者是鲁洁教授。鲁洁教授认为，生活世界是道德教育的根基，回归生活是德育改革的基本方向，从而形成了生活德育的基本理论观点。生活德育主张，学校德育与学生的生活世界具有本真的、内在的联系，德育工作以及德育课程教学必须从儿童的生活出发、从儿童的思维立场出发，与儿童的心灵世界息息相通[1]。回归于生活世界的道德教育，不是为了培养人的道德知性，而是为了培养人在生活中

① 高德胜.生活德育论[M].北京:人民出版社,2005:40－41.

的德性，使人真正去过一种美善的德性生活。因而，生活德育强调，德育必须以生活为本、是为了生活、是通过生活而进行的[①]。德育不能脱离于学生的生活实际，有效的道德教育必须要尊重学生的身心发展规律，道德教育的内容应当是儿童可以接受和理解的，不能与儿童的生活形成分裂。生活德育推进了基础教育课程改革中德育课程体系的改革与创新，在学校德育实践中发挥出了重要的引领作用。

生活德育理念的提出，是对于知性德育的诸多误区的批判和反思。知性德育认为道德教育就是道德知识的教育、道德理性的教育，这就割裂了人的知情行的有机融合，导致了道德认知与道德行动、道德理性与道德生活的全面割裂[②]。这种知性德育模式显然是低效甚至无效的。而生活德育理念的提出，正是针对知性德育这一系列弊端，试图在超越知性德育的基础上为当代中国德育问题的解决提供新的、有效的路径。最近二十年来，生活德育的相关研究在我国学校德育领域中全面展开，研究论文及著作逐年增加，产生了一系列的学术成果，比如，高德胜教授的《生活德育论》、汪凤炎教授等的《德化的生活——生活德育模式的理论探索与应用研究》、唐汉卫教授的《生活道德教育论》等，在全国掀起了一个以“生活德育”为主题的研究热潮，生活德育模式成为理论者与实践者关注的焦点和热点。学者们普遍认为，20 世纪的中国德育偏重于知性德育，它虽然顺应了工业社会发展的要求，对经济社会发展起到了一定的促进作用，但是知性德育只注重道德知识学习而脱离生活实际，造成德育只能培养有道德之知之人，却不能保证培育有良好德性之人。因为，人的德性只能在生活中培育，脱离了生活，人的德性也就成为了无源之水、无本之木。为此，生活德育理

---

① 鲁洁．回归生活：“品德与生活”“品德与社会”课程与教材探寻［J］．课程·教材·教法，2003 (9)：2 － 9.

② 高德胜．知性德育及其超越：现代德育困境研究［M］．北京：教育科学出版社，2003：22 － 27.

论一经提出，即引起了广大学者和公众的共鸣，并迅速成为了中国德育理论体系的重要组成部分。生活德育论的意义不仅于此，它在实践上同样发挥着重要作用，为国家课程改革、学校德育教学提供了指导，使德育在回归生活中重新获得育德的力量。

## 第一节　生活德育研究的缘起

“生活”最先是从胡塞尔“生活世界”的哲学研究当中分立出来的概念。在胡塞尔的研究中所反映出的科学使人类生活丧失意义的问题，同样也在关于“人”的教育领域出现。此后许多教育家都提出了自身有关于“生活”的教育论断，比如杜威“教育即生活”的思想、陶行知“生活即教育”的思想、陈鹤琴“活教育”的思想。这些思想皆为生活德育的理论渊源。此外，在实证科学主义知识观的导向下，我国知性德育模式逐渐脱离学生的生活世界，异化为科学的、专业化、可量化的德育，其真正的内涵和价值被误会和消解，成为阻碍我国德育理论和实践发展的难题。德育亟须回归“生活”、联结“生活”、建构“生活”，由此，生活德育应运而生。

### 一、生活德育：对知性德育的反思与批判

“知识”“理性”“思维”是知性德育的三大基点。从价值中立的角度来看，知性德育旨在提高学生的道德认识，促进学生掌握道德真理，发展学生的道德理性能力，培养学生的道德智慧[①]，是一种促使学生成为理性的道德行动者的德育范式。然而，知性德育在实际展开的过程中却暴露了它的局限

① 张正江，陈菊恋．道德教育应重视培养“懂道德的人”：生活德育背景下知性德育的出路［J］．教育理论与实践，2013，33 (25)：45 － 50.

性。尤其在实证科学主义知识观的导向下，道德知识出现异化，道德理性成为一种科学认知的理性，道德思维也随之变成抽象逻辑思维。于是，知性德育逐渐脱离学生的生活世界。

具体来看，知性德育在实践中主要存在以下三方面的问题：第一，认为儿童与道德知识是主客二分的关系，即对于儿童来说，道德与科学知识一样是一种外在于人、外在于生活的存在物，是可以研究和学习的外在的、客观的、对象化的自然知识①，而非构成儿童生命意义、显现其存在的一种力量；换言之，道德知识是绝对的、客观的、对象化的存在，儿童对于道德知识的认识与掌握就在于"复刻"它、记忆它，而不是在生活世界中对其加以领会，使之成为能与自身产生共鸣的具有活力的主体知识体系。由此，德育的目标异化为"知识人"的培养，其主要方法在于"灌输"，评价方式在于考试和测验。第二，道德知识与道德行动脱节，即来源于实践的德育理论被按照科学知识的逻辑进行规划，发生了德育知识对德育情感、意志、行为的僭越②。德育教学停留在"颈部以上"，忽视了人的完整性以及道德本身的综合性。实际上在哲学与伦理学的领域中，知与行是一对相互联系、互相通达的范畴，行是知之始，行也是知之目的，在中国古代文化中，"做人""求善"是谓"行"。因此，知与行的分离，不仅难以成就学生的完整道德人格，还会使道德知识因脱离个体的直接经验，而异化出符号性的特征。第三，情感与理性分离，道德认识的过程即是理性进行推理判断的过程，而情感则成为认识活动中主体需要克服的干扰因素。这一做法忽视了道德的存在之基。儒家学派的代表人物孟子主张，恻隐之心正是仁之端也，而道德的发展正是对善端进行存养扩充的过程。在生物学家

---

① 高德胜. 知性德育及其超越：现代德育困境研究［M］. 北京：教育科学出版社，2003：36－37.

② 王晓丽. 生活德育的兴起、局限和超越［J］. 教育研究与实验，2012(2)：17－21.

德瓦尔（Frans de Waal）看来，情感回应是人类道德的“基石”[①]。因此，重道德理性而忽视情感培养的德育，传递给学生的只是抽象形式，是缺少实质内容的空洞道德，塑造的学生也是一种“空心的道德人”。

“知性德育”真正的内涵与意义被消解与遗忘，以至于有学者认为知性德育是一种对象化、割裂的德育，其所遵循的逻辑是知识和认知的逻辑，建立在对德性错误的认识之上，是对真正意义上的道德教育的异化[②]。面对实然状态下知性德育所导致的种种问题，生活德育的理念由此被提出，试图将德育从科学主义的世界中解放出来，使其回归生活世界；用生活连接儿童与德育知识，消除两者二元对立的局面；鼓励儿童从书本、课堂中走出来，到鲜活而生动的生活世界中求知、践行道德，使他们直接的道德经验与书本的道德知识之间形成一种互镜互释的关系；关怀儿童完整的道德人格和生命结构，关注其情感与理性发展，使道德成长丰富而充盈。

## 二、生活德育的理论渊源

### （一）胡塞尔的“生活世界”理论

“生活世界”是胡塞尔在《欧洲科学的危机与超越论的现象学》中创造的一个哲学概念。这一概念的形成主要源于胡塞尔对于科学危机的反思。科学危机是指科学在不断获得成功的同时，实证主义也将科学的理念还原

① 弗朗斯·德瓦尔，等. 灵长目与哲学家：道德是怎样演化出来的［M］. 赵芊里，译. 上海：上海科技教育出版社，2013：导论 5.

② 高德胜. 知性德育及其超越：现代德育困境研究［M］. 北京：教育科学出版社，2003：36－37.

为纯粹事实的科学，从而丧失了对生活的意义[①]，可以说，这种科学危机是一种文化的危机，也是人性的危机。哲学的使命在于“认识你自己”，而作为哲学分支的自然科学在起初亦是为了这一使命而去探索宇宙，确证人在世界中的地位。然而，自伽利略以来，自然科学被数学化、技术化的同时，也逐渐被抽空了意义，遗忘了它原本的哲学使命。到了现当代，自然科学“演化”成了实证科学。在实证主义科学观看来，一切事物皆可抽象化、形式化，客观知识的确证成为科学所追求的唯一目标，人们也更加关心科学推理结果的正确与否。但同时人的主观经验却被抛离在实证的过程之外，成为不可理解之物。对此，胡塞尔忧叹道：“现代人的整个世界观唯一受实证科学的支配，并且唯一被科学所造成的‘繁荣’所迷惑，这种唯一性意味着人们以冷漠的态度避开了对真正的人性具有决定意义的问题。单纯注重事实的科学，造就单纯注重事实的人。”[②]胡塞尔对于科学危机所提出的解决方案是重新回归“生活世界”。

胡塞尔的生活世界是具有鲜明主体性特征和个性化特色的主观世界，并且它是始终存在着的[③]，因此，“科学构造出的一切理论最终都要回到经验的‘生活世界’中接受检验和证实，科学的意义是由‘生活世界’中的主体实践赋予的”[④]。换言之，科学的根基在于生活世界，也正是具有原初丰富性和主观性的生活世界使科学得以不断发展，并成为被普遍接受的知识体系。具体来说，生活世界主要有三个特征：第一，直观性。生活世界是个体能够直接进行直观的世界。这里的直观分为三个层次，即感性直观、概念直观与本质直观。胡塞尔的现象学悬搁了物自体，他提出事物的本质

① 胡塞尔．欧洲科学的危机与超越论的现象学［M］．王炳文，译．北京：商务印书馆，2001：15.

② 同①16.

③ 同①158.

④ 张刚要，李艺．教育回归生活世界：技术具身性的启示［J］．当代教育科学，2017（1）：7－11.

寓于现象之中，人们通过直观的方式便可认识真理。这就打破了自柏拉图以来理念世界与现实世界的对立观，用人的主体性保证了认识的逻辑可能性，也使“客观”从绝对、唯一走向多样。生活世界由此成为人之存在的居所。第二，主观经验性。生活世界是人主观建构的世界，并且人在其中是以先验条件构造观念性的客观，即人在认识活动中是以主观条件对客观材料进行加工。这表示，当科学试图实现一个与主观的第一人称视角脱离一切关系的、严格和客观的知识理念时，生活世界里的对象是以其相对的、近似的和角度性的给予性为特征。例如，当我经验到水是冷的，我的朋友可能经验到水是热的[①]。这种对于同一意向对象的不同感觉经验，无法用正确或谬误来进行评价。第三，流动性。这是指生活世界是基于过去生活、经验构造出的世界。它是个体当下活动的先在条件，并且其本身会随着当下实践活动而发生变化。在胡塞尔的认识论中，认识主体即先验主体，过去发生的认识会驻留在头脑之中。这使得主体在进行当下的认识活动时，会自然而然地受到过去经验结构的影响，每个人的生活世界因此呈现丰富性、多样性的特征。

尽管，胡塞尔的生活世界理论基于主观唯心主义的立场，他的生活世界并不是“我”和“你”得以真正相遇的现实的世界、行动的世界，但是该理论依旧为生活德育提供了指导，即德育不能将道德作为一种客观知识进行教授，否则只会使道德丧失人文精神，沦为一串无意义的符号，也使儿童对于道德有认知而缺少个人在生活中的领悟。实际上，每一个儿童都有其自我的独一无二的道德空间，其生命每一次的道德律动都会影响道德空间的建构与发展。从某种程度上看，道德空间符合胡塞尔所说的“生活世界”，因此，尊重儿童，守护其个性化的道德空间是德育不可推卸的责任之一。

---

① 扎哈维．胡塞尔现象学［M］．李忠伟，译．上海：上海译文出版社，2007：137.

### （二）杜威的“教育即生活”

“教育即生活”是杜威的重要教育观点之一，这一观点的提出主要基于杜威对于斯宾塞“教育准备生活说”的批判以及对20世纪美国的教育实践问题的反思。斯宾塞的“教育准备生活说”的主要观点在于，教育的目的是为儿童未来的完满生活做准备。换言之，当下正在进行的教育是一种人们为了获取知识与能力的手段。杜威认为“把教育看作为将来作预备，错误不在强调为未来的需要作预备，而在把预备将来作为现在努力的主要动力。为不断发展的生活作预备的需要是巨大的，因此，应该把全副精力一心用于使现在的经验尽量丰富，尽量有意义，这是绝对重要的。于是，随着现在于不知不觉中进入未来，未来也就被照顾到了”[①]。另外，20世纪初的美国教育脱离社会生活，成为一座“孤岛”，并且教育模式以教师、教材以及课堂为中心，未能观照儿童的经验发展特征以及他们的现实生活。基于此，杜威创造性地提出“教育即生活”的教育理念，试图引导学校教育与儿童生活相融合，使教育本身成为一种社会生活，进而促进儿童在生活的土壤中更好地生长。

“教育即生活”的涵义在于教育不是未来完满生活的预备，而是儿童当下正经历着的生活；学校教育不是封闭在课堂中的灌输，而是着眼于儿童已有的生活经验，并对此进行改造，使其获得适应社会环境的能力。值得注意的是“教育即生活”这一命题不是孤立存在的，它与杜威“教育即生长”“教育即经验的不断改造”这两大命题形成了互镜互释的关系。首先，教育发挥出生长价值的前提在于尊重儿童当下的生活，并对儿童与成人的生活进行区分，使儿童具有自我的生长空间。其次，在杜威的视域中，生活与经验实为一体两面，正如其所言：“我们首先要注意‘经

① 杜威．民主主义与教育［M］．王承绪，译．北京：人民教育出版社，1990：60.

验’属于詹姆士所谓的‘双义语’。它和与它类似的‘生活’和‘历史’一样……它之所以是‘双义的’,就在于它是一个原始的整体。”[①]“教育为实现其目的,必须从经验即始终是个人实际的生活经验出发。”[②]最后,杜威的教育思想与他的民主主义理想相关联,教育的生活意涵、生长意蕴以及经验的改造之义,皆以民主主义的社会理想为导向。这表示,在理解“教育即生活”时,不能孤立、静止地看待这一命题,而是要将其放置在杜威完整的教育理论视域之下。因此,“教育即生活”更深层的意义在于教育对于“生活世界”的回归。胡塞尔的生活世界是主观构造的世界、抽象的意识世界,而杜威的生活世界则是真切的、为人经验着的现实世界,它包括“人们所做的、所遭遇的事情,人们所追求的、所爱的、所相信的、所忍受的事情,也包括人们怎样活动和接受活动,人们行动和遭受、意欲和享受、观察、信仰、想象的方式”[③]。在杜威看来,教育回归生活世界意味着打破课堂中心、教材中心与教师中心,反对直接将抽象的、系统化的知识呈现在儿童面前,而是将儿童的社会生活作为学校课程相互联系的中心,使儿童的整个身体成为知识的源泉,使儿童在做中学,在实践中获得经验的生长。

杜威在教育界的影响是毋庸置疑的,他对于教育与生活的理解直接影响了中国的教育家陶行知与陈鹤琴,甚至当代中国“生活德育论”的一些主要观点的提出也得益于杜威的理论见解。他提出的“教育即生活”“教育即生长”“教育即经验的不断改造”三大命题,启示着脱离生活世界的德育是一种空心的德育,有形式而无实质性的内容。唯有关注生活与道德经验的一体两面性,把握两者之间的密切联系,方能使道德生长于儿童的

---

① 杜威.杜威教育论著选[M].赵祥麟,王承绪,编译.上海:华东师范大学出版社,1981:272.

② 同①374－375.

③ 同①.

生活世界，使德育因生活而富足。

### （三）陶行知的“生活即教育”

杜威提出的著名的“教育即生活”命题，打破了教育与社会生活的边界，使教育回归生活世界，具有划时代的意义。陶行知在赴美留学期间深受杜威的影响，他立足于20世纪中国的教育与社会现状，创造性地提出了“生活即教育”的命题。“教育”与“生活”进行对调之后，整个命题的意义发生了较大的变化。具体来看，“生活即教育”主要有三个层次的内涵。第一，生活即是教育。这表示，生活与教育具有一致性。尽管杜威的“教育即生活”也表达了这一思想，但是杜威在一定程度上缩小了教育的内涵，未能看到生活中有教育，教育中也有生活。陶行知则认为“是生活就是教育，不是生活的就不是教育；是好生活就是好教育，是坏生活就是坏教育……不是生活，就不是教育”[①]。换言之，生活与教育是一个有机整体。一方面，从空间的角度来看，教育并不意味着仅仅发生在学校的围墙之内。陶行知提出的又一命题“社会即学校”，不仅将社会内涵由人类生活场所提升至人类受教育场所，又将教育场所由固定、有限的学校扩大到广阔的、外延丰富的社会生活中[②]。儿童在社会生活中往往能够接触到更多隐性的、间接的教育资源，也能在实践中获得经验的成长。另一方面，从时间的角度来看，生活是人之生命的外化形式，生活也伴随着人的一生，由此，教育绝不是人生某一阶段的特殊经历，而是具有终身的意蕴，正所谓“活到老、学到老”，生命不灭，则生活不息，生活不息，则教育不止。第二，用生活来教育。脱离了生活的教育如同无本之木、无源之水。教育需要生活，并且教育要在生活中进行。陶行

---

① 董宝良．陶行知教育论著选［M］．北京：人民教育出版社，2015：282.

② 李小丽．陶行知和杜威教育思想比较及其启示［J］．河南师范大学学报（哲学社会科学版），2012（3）：250－253.

知提出的“教学做合一”的场域便是生活，即在生活中教，在生活中学，在生活中获得教与学的共同发展。这是因为，“‘行是知之始’，‘即行即知’，书和书中的知识都是著书人从行动中得来的”[①]。行动是学习知识的开始，同时行动也是生活中的行动。甚至任何教育理念自身想要获得发展，也离不开“生活”与“生活”的摩擦。在陶行知看来，“教育只是生活反映出来的影子，不能有磨擦的作用……受过某种教育的生活与没有受过某种教育的生活，磨擦起来，便发出生活的火花，即教育的火花，发出生活的变化，即教育的变化”[②]。第三，为生活而教育。在陶行知看来“生活教育是给生活以教育……为生活向前向上的需要而教育”[③]。在当时的社会背景下，人民生活所追求的是自由与平等，教育的目的也应该在于此。可以说，教育的中心在于生活，人民对于生活的期待则为教育实践提供了前进的方向。

总之，陶行知提出的“生活即教育”“社会即学校”“教学做合一”等观点形成的生活教育论，创造性地诠释了生活与教育之间的关系，也为中国的教育实践提供了丰厚的理论基础。他的思想也深刻影响着德育的发展，德育作为教育的重要组成部分，“生活即德育”也是“生活即教育”的题中之义。“道德是生命的内在高度，是生命自身的顶峰。”[④]过一种有道德的生活应成为每一个人的生命追求，在此基础上，“生活即德育”可以更具体地表达为“道德的生活即德育”。另外，陶行知先生关于“行与知”的理解，启发着作为“成人之道”的道德教育需要关注“做”的意义，使“道德从远离人的存在和生活世界的抽象理性的规范体系重新回归为人类生存

---

① 董宝良．陶行知教育论著选［M］．北京：人民教育出版社，2015：445.

② 同①444.

③ 同①527.

④ 高德胜．道德教育的时代遭遇［M］．北京：教育科学出版社，2008：137.

的自觉意识”[1]，使道德在行动中生长，也使生活在行动中道德。

### （四）陈鹤琴的“活教育”

曾有过留美经历的陈鹤琴也深受杜威实用主义教育哲学的影响，他的“活教育”理论便是“教育即生活”创造性转化的结果。在当时的中国，幼儿教育无疑是一种“死教育”：一方面笼罩在传统专制教育的阴霾之下，教育管理以及教育方法都较为死板；另一方面又存在热衷洋化的弊端，脱离中国的实际情况而盲目地模仿日本和欧美的幼教模式。对此，陈鹤琴深感应当将这种死的教育变成“前进的、自动的、活泼的、有生气的教育”[2]。

经过长期的研究与实践，陈鹤琴提出了一套完整的“活教育”理论。首先，“活教育”的目的论在于“做人、做中国人、做现代中国人”。陈鹤琴感慨道：“我们虽生而为人，生而在中国，生而在现代的中国，可是有哪几个真正知道做‘人’呢？有哪几个真正知道做‘中国人’呢？更有哪几个真正知道做一个‘现代的中国人’呢？做‘人’不易做，做‘中国人’更不易做。”[3]实际上，从“做人”到“做中国人”再到“做现代中国人”是一个从抽象逐渐走向具体的目标体系，也是民族性、时代性与世界性有机结合的一种思想理念[4]。而当时的中国教育体制并不能教会儿童何以为人。在陈鹤琴看来，“人”即“社会人”，正是社会属性将人与动物相区分，因此，人的发展与社会的发展息息相关。但“社会人”不是一个具体的抽象物，他必然生活于具体的社会情境之中，而“中国人”的教育目的则指明了人的具体发展方向，即中国人需要具有中华民族的精神气质。这也是

---

① 鲁洁．做成一个人：道德教育的根本指向［J］．教育研究，2007（11）：11－15.

② 陈鹤琴．陈鹤琴教育文集：下卷［M］．北京：北京出版社，1985：305.

③ 陈鹤琴．陈鹤琴全集：第4卷［M］．南京：江苏教育出版社，1989：356－357.

④ 张翠芹．陈鹤琴的“活教育”思想及其对当今幼儿教育的启示［D］．南京：南京师范大学，2007：15.

中国人与外国人相区分的重要标志。然而，教育是一项具有时代精神的事业，“做中国人”的目的虽然体现出了一种空间境遇特征，却缺少时间维度的支持。“现代中国人”的提出则使“活教育”的目的论得以最终完善，它指出教育要与时俱进，人的发展也要与时代的要求相呼应。

其次，“活教育”的课程论主张自然与社会都是“活教材”。这一观点是陈鹤琴针对以书本为中心的教学模式的弊端而提出的。书本所呈现的知识对于儿童来说是间接的、脱离生活的客观经验，而大自然与社会则是儿童获取经验成长的直观素材。从某种程度上说，自然、社会因其动态、鲜活的特征，更适合作为儿童的“教材”。但同时，陈鹤琴并不反对以书本为教材，而是反对将书本视为唯一的教学材料。书本的主要价值在于为儿童在自然与社会中的实践提供指导，其重要意义不可否认，但是书本中的知识是否全部可靠，还有待在实践中进行验证。最后，“活教育”的方法论在于“做中学、做中教、做中求进步”。这一观点主要是受杜威“在做中学”的启迪，但陈鹤琴并没有止步于杜威的思想，而是进一步提出自我见解。他不仅将“做”视为贯穿整个教学过程的方法，更是让“做”成为了一种实践的精神。“做”既是要求儿童能以生命主体的身份发挥身体感官的作用去认识世界、发现问题，并最终形成自我独特的思想；“做”也要求教师以启发、暗示、鼓励的方式去教儿童，保证儿童的主体性在学习的过程中得以彰显，而非用灌输、消极制裁的手段对儿童做出种种限制；“做”还要求凭借集体的力量来帮助个体的儿童获得成长，最终使每一个人在实践中都能取得进步。

总的来说，陈鹤琴的“活教育”思想蕴含先进的育人理念，他以儿童的心理发展特点为教育依据，鼓励儿童在“做”中获得直接经验，并强调教师应当热爱、尊重儿童。这些思想为生活德育论的提出以及理论的建构提供了坚实的基础，它启示着一种“活的德育”：德育要去关心儿童，研究儿童的道德发展规律，并以此作为其指导依据；尊重儿童的道德经验，鼓励儿童在做中领悟道德，获得道德人格的发展；在课堂之外寻求德育的契机，使生活成为儿童最好的德育课本。

## 第二节　生活德育理论的主体架构

在生活德育理论看来，不存在无道德的生活，也没有无生活的道德。道德教育是生命的一种存在样式，生命的开端便是德育的开端，两者互为目的和手段，但又有一定的相对独立性。在一定条件下，德育可以使人超越自身生活。“生活”在生活德育理论中具有极为重要的地位。生活德育理论主张道德教育应“回归生活世界”，即基于生活、通过生活、为了生活，引导儿童建构自身的意义世界，培育儿童完整的道德人格和生命样态。

### 一、生活德育的基本范畴

#### （一）道德与生活

关于道德与生活关系的探究，既是生活德育理论得以成立的重要前提，也构成了生活德育理论的主要内容。在生活德育理论看来，道德离不开生活，生活也离不开道德，道德与生活两者交融于一体，一旦分离，就会造成双方的异化。因此，不论从历史、逻辑、现实抑或是教育价值的视角看待道德与生活的关系，都要避免以二元对立的立场形塑之，而是从“人性”以及人的发展意义来观照二者，形成一种整体性的道德生活观。

首先，道德的形成与发展源于生活。关于道德如何产生的问题，历史上有不同的解答，如神启论认为，道德法则来源于上帝，而人只有服从上帝的旨意才是有道德的；自然起源说认为，道德是从“自然法”中衍生而出的；良心说则认为，人天生具有良善的情感与本能，而这些则可为道德奠基。以上的论述从不同的角度对道德的起源予以了解释，但都窄化了道德本身的意义，也忽视了人之实践性存在的重要意涵。“人们在自己生活的社会生产中发生一定的、必然的、不以他们的意志为转移的关系，即同他们的物质生产力的一定发展阶段相适合的生产关系。这些生产关系的总和构成社会的经济结构，即有法律的和政治的上层建筑竖立其上并有一定的社会意识形式与之相适应的现实基础。”① 在马克思的论述中，道德作为一种意识形式会随现实生活的变化而变化，甚至其本身就是现实生活的产物。只要人有物质生产、社会交往的需要，道德就会随之而生，并发挥调节人与人关系的重要作用，使生活稳定而有序。另外，从个体心理发展的角度来看，个体道德素养的获得与发展亦是源于生活的滋养。在孔子的伦理观中,“仁”即爱人,单子式的个体往往处于真空的世界之中,无所谓善恶、道德，而唯有在与他人的交往、合作以及矛盾与冲突的调和之中，才会发现他人与自我休戚与共的伦理关系，才能进一步领悟到道德之于所有人的存在意义。因此，不论是社会道德还是个体道德皆从生活而来，并内在于生活之中。

其次，生活的维系与发展离不开道德。“道德虽不能说完全是生活的法则，却是生活的构成性要素，它就在生活之中。”② 尽管，离开生活就无所谓道德，但是离开道德，生活将会处于混沌、无序的状态，而人便会处于霍布斯笔下的“自然状态”，过着一种与同伴之间相互提防、惶惶不可终日的生活。故没有道德的生活是不值得过的，真善美的生活必然由道德来维系。就人的存在而言,“道德既是人存在的方式,同时也为这种存在（人自身的存在）提供了某种担保”③。在先秦时期，孔子就提出“鸟兽不可与同群，吾非斯人之徒与而谁与？”既生而为人，就必然处于与他人共在的生存境遇之中，伦理与道德正是对这种共在关系的确证与保障。人的这种

① 马克思恩格斯选集：第二卷［M］. 北京：人民出版社，2012：2.

② 高德胜. 生活德育论［M］. 北京：人民出版社，2005：46.

③ 杨国荣. 伦理与存在：道德哲学研究［M］. 上海：华东师范大学出版社，2009：25－26.

存在境遇就是生活。因此，道德在为人之存在提供担保的同时，也维护了生活的存在。道德的作用不止于此，除了通过规约的方式达到保障个体利益的目的，还引导着生活向善的方向发展，使得生活在道德的导向下具有前进的活力。可以说，道德的发展史亦是人类文明的进步史，人们对于落后生活习俗或规则的舍弃，正是出于一种道德性的反思以及对善的不断求索。

最后，个体的道德发展在生活中进行。生活是个体生命活动的全部体现，而道德生活是道德人的寓居之所。正因为道德生动又具体地与人发生着联系，而不是以抽象符号的形式现身，所以，人必定以生活为载体，并通过生活中各种形式的实践来获得道德人格的发展。这表明，过道德的生活，往往更可能帮助个体获得善的体验以及对道德的领悟。正如亚里士多德所言："首先，自然赋予我们接受德性的能力，而这种能力通过习惯而完善。其次，自然馈赠我们的所有能力都是先以潜能形式为我们所获得，然后才表现在我们的活动中……但是德性却不同：我们先运用它们而后才获得它们。"[①] 人有德之潜能，但并不是每个人都能成为有德性的人。换言之，个体的道德发展取决于他选择何种生活方式。

### （二）德育与生活

德育与生活的关系也是生活德育研究的基本问题。

在生活德育理论的视域中，生活就是道德教育的存在形式[②]。因为，"生活"指向的是"一个人在世上的一切活动"[③]，它必定具有多种类型与层次。德育是构成教育生活的一部分，教育又与政治、经济生活等构成了具有完整性的"生活"。毋宁说，德育本身就是一种生活，德育与生活是密切而

---

① 亚里士多德．尼各马可伦理学［M］．廖申白，译注．北京：商务印书馆，2003：36.

② 唐汉卫．道德教育的生活目的论［J］．思想·理论·教育，2005（19）：40－43.

③ 汪凤炎，等．德化的生活：生活德育模式的理论探索与应用研究［M］．北京：人民出版社，2005：39.

不可分的。因此，“德育”的原初涵义正是“生活德育”，而在当下着力强调“生活德育”是由于“德育”在实证主义科学的导向下，向知识化、理性化、测量化方向延伸，从而遗失了生活的意蕴。为了使德育重新回归生活世界，让生活为德育正名，就必定要厘清生活与德育之间的关系。一方面，当提出德育是一种生活时，就意味着德育与其他的社会生活存在着密切的联系，若德育保持封闭孤立的状态，就意味着其丧失了生活性；另一方面，德育具有其相对独立的一面，它不同于政治生活、经济生活、娱乐生活等，若将德育纳入其他的生活领域之中，反而消解了德育自身的意义，使得德育与生活的关系也不复存在。

在生活德育理论的视域中，生活与德育还存在互动的关系，即德育的生活化与生活的德育化。这种互动的关系很好地为以下两个问题提供了解答：第一，在德育与生活中，生活是否逻辑在先；第二，生活与德育是否表现为目的与手段的关系[①]。实际上，德育的生活化与生活的德育化，体现的是“生活即德育”的思想。这一理念主张生活是德育的真实、完整的载体，主张将育德过程生活化，并贯穿于个体生命的全部过程，其反对将德育局限于学校生活，尤其是局限于课堂生活，同时德育的内容也要生活化，要符合个体的实际需求，而不是“假、大、空”[②]。具体来说，德育生活化，强调道德教育要以生活为中心，积极开发生活资源，使儿童道德品质的形成回归生活，并使儿童通过自身的道德生活实践，探究生活的意义、思考人生价值，进而感悟生活、领悟道德，成为知情意行合一的道德主体。德育是具有提高儿童道德生活质量效能的一类特殊实践[③]。生活的德育化，则表现为德育在空间上不仅限于学校的围墙之内，社会、家庭等生活空间都

---

① 尚靖君．学校道德教育生活性研究［D］．长春：东北师范大学，2013：37－38.

② 汪凤炎，等．德化的生活：生活德育模式的理论探索与应用研究［M］．北京：人民出版社，2005：76－78.

③ 赵惜群．德育生活化路径新探［J］．马克思主义与现实，2008（6）：176－178.

是显性或隐性的德育之场；在时间上，德育则是终身的，修身养性乃是人一生的追求。因为作为人的一种内心精神历程,道德教育与外显的、具体的、丰富的生活历程直接一致[①]，人之生活的开端便是德育的开始，生活的终结则是德育的完结，德育的完整性依于生活的完整性。因此，关于“在德育与生活的关系中，生活是否逻辑在先”以及“生活与德育是否表现为目的与手段的关系”两个问题的答案，就在于两者并不是单向推导的关系。德育离开生活就是一个空洞的形式，而生活离开德育就缺少孕育德性的可能，两者互为目的与手段，却又不限于此。

## 二、生活德育的核心理念

### （一）基于生活

“回归生活世界”意味着德育的实践要基于真实的、合乎人性的、丰富而充盈的生活，而不是由客观知识营造出的抽象的、符号化的、抽离了人的主观性的科学世界。因为，生活是德育的根与本：一方面，德育与生活如同树与根的关系，德育犹如人们目光所及的一棵树，而生活则是其埋于土壤之中的生命之根，为德育之树提供支撑与养分，德育一旦切断生活之根，便会成为一堆枯木残枝；另一方面，生活是德育之本，德育的目的在于引导儿童过有道德的生活，从某种程度上看，生活为德育提供了价值导向，德育只有扎根于生活，才能发挥出育德的作用[②]。

“基于生活”的关键问题在于基于何种生活。对此，学者具有不同的观点。有学者认为，生活是一种具有鲜明实践本性的人化生活，在主客体

---

① 高德胜 . 终身德育引论［J］. 教育研究与实验 , 2003 (4) : 15 − 18.

② 孟建伟 . 教育与生活 : 关于“教育回归生活”的哲学思考［J］. 教育研究 , 2012 (3) : 12 − 17.

的交互作用下建构而成，换言之，这种“活化”出的生活就是一种“现实生活世界”。而德育基于生活，既是顺应了生活的实践本性，又是满足了德育自身的要求[①]。有学者提出，德育所基于的生活并非是静止的、固定的、不可变化的，而是一个开放的空间，儿童在日常生活中通过与他人之间的交往活动创造出无限的可能生活[②]。也有学者表示，生活即生活世界，是日常生活与非日常生活的统一、物质生活与精神生活的统一，也是现实生活与未来生活的统一[③]。还有学者从道德生活的现实性、超越性、公共性与文化性四重维度出发，对德育的生活根基进行拓展，试图构建一种整全的道德生活空间以实现道德教育的目标与使命[④]。从不同的视角解读“生活”会得出不同的结论，换言之，“生活”是一个意义无法被穷尽的概念，但这并不意味着德育所基于的生活是杂多而无序的。总的来说，作为德育之“根本”的生活主要具有以下几方面的意涵：

第一，整体性。整体性的意义主要体现在生活的时间性与空间性两个方面。一方面，从时间上看，生活的意义是在过去、现在与未来的叠加中显现与生成的，而非持留在某一断裂的时间碎片之中。正如海德格尔所言，“时间性的本质即是在诸种绽出的统一中到时”[⑤]。如果将生活视为流淌在纯粹、一维的时间序列中的一连串事件，那么，生活中蕴含着的人之生命意义就会被抹灭。斯宾塞的“教育准备生活说”的观点就恰恰展露了连续的时间与断裂的生活意义之间的矛盾；杜威的“教育适应生活说”则看到了

---

① 王夫营，谭培文．德育生活化究竟是何以可能的［J］．广西社会科学，2017 (7)：201 − 205.

② 黄建军．道德教育“回归生活世界”的思考［J］．江西教育科研，2006 (3)：28 − 30 + 36.

③ 王娟娟．关于教育“回归生活世界”的反思［J］．教学与管理，2007 (7)：7 − 9.

④ 叶飞．道德生活的“四重”建构：论生活德育的生活根基的拓展［J］．江苏高教，2013 (4)：97 − 100.

⑤ 海德格尔．存在与时间［M］．陈嘉映，王庆节，译．北京：生活·读书·新知三联书店，2014：375.

生活的时间性与个人生命流程之间的联系。另一方面，从空间上看，生活的本源性就在生活自身，对于其进行各种领域的划分是人为的、相对的。所谓的学校生活、家庭生活、社会生活，它们之间并没有截然的界限，学校生活中往往渗透着诸多家庭、社会生活领域的因素，而学校生活中的诸多因素也会渗入家庭、社会生活领域之中。如果将生活割裂，那么德育则会因为根基不稳而“风雨飘摇”。

第二，境域性。胡塞尔将境域理解为直观行为发生的整体和背景①。海德格尔在此基础上将境域视为先于主体性和对象化之前的具有终极思想意义的存在构成②。这表示，生活世界是一个具有开放性与生成性的意义空间，儿童与生活世界则是表现为一种共在的关系。实际上，知性德育的根基也在于生活，但是在其实践的过程中，用知识的客观性消解了儿童的主观能动性，使得生活变得封闭、僵化，缺少了生命的质感。与之相反的是，生活德育建立在境域性的生活世界之中，在此，儿童的先在经验得到肯定。道德知识不是以确定的方式传授给儿童，而是儿童沉浸于生活世界，发挥主体性价值，主动去认识和获得的结果。

第三，实践性。“实践是社会生活的本质规定，人的现实生活世界不是一种惰性的被动接受的自然状态，而是一种积极的主动建构过程。”③任何生命首先都需要依靠本能生活，但对于本能的依赖程度不同，相较于动物，人对于本能的依赖处于最低的限度，因此人是未特定化的生命④。但也正是因此，实践才成为人的存在方式，赋予人生命的超越性力量，使人不仅能够在自然中生存，更是将人的生存变成具有无限可能性的生活。换言

① 彭立群. 海德格尔的“境域格式”概念解析［J］. 复旦学报（社会科学版），2010（6）：67 – 73.

② 同①.

③ 王夫营，谭培文. 德育生活化究竟是何以可能的［J］. 广西社会科学，2017（7）：201 – 205.

④ 冯建军. 生命与教育［M］. 北京：教育科学出版社，2004：19.

之，生活力量的源泉便在于实践。如果德育忽视了生活的实践性，无疑是将自身剥离在生活世界之外。

## （二）通过生活

“回归生活世界”意味着德育的实践要通过生活来展开，使得儿童能够在生活中学习、感悟、践行，并由此获得道德人格的成长。事实上，生活就是人的生命实践，人只有在生活中才可能显现自我完整的生命样态，也正是通过生活，人才能获得“我之为人”的意识，因此人对于道德的把握、人的德性之形成必然基于道德生活的实践①。“通过生活”反映的是生活德育何以践行的问题，这一问题的要义主要有以下几点：

第一，生活与德育由何者来践行。对此，有两种思路，一是实体性思维，即认为世界是与人无关的、本质既定的、独立自存的、自我封闭的、只有线条而无色彩的实体性存在②。换言之，生活是不以人的主观意志为转移的客观世界，也是人需要去认识的对象。在这一思路的指导下，生活与德育依旧是分离的，德育被排除在生活世界的范围之外，而“生活德育”只是以生活为教，未能走出知性德育的范式，更未能真正地通过生活发现德育，再通过德育返回更高层次的道德生活。二是生成性思维，即认为生活是人的生命的动态展现，没有人，便无所谓世界；没有实践，与人无关的存在，也根本无法构成人的生活世界③。这表示，生活世界是人通过实践活动建构而成的，其中包含了人的主观意志，而这与实证主义科学导向下的纯粹客观的世界截然不同。另外，人通过实践实现生活，并确证了自我生命的在场。从这一层面来看，生活德育与生活过程实际上具有内在的一致性，甚

---

① 鲁洁．生活·道德·道德教育［J］．教育研究，2012(10)：3－7.

② 李文阁，于召平．生活世界：人的自我生存之域［J］．求是学刊，2001(1)：25－31.

③ 冯建军．“德育与生活”之关系再思考：兼论“德育就是生活德育”［J］．华中师范大学学报（人文社会科学版），2012(4)：132－139.

至德育本身就是一种生活。生活德育并不是将生活简单地移植到德育之中，或是将德育抛入生活世界。因此，“通过生活”的理念，绝不是要求将生活与德育变成一种主客体对立的关系，或是包含与被包含的空间关系，而是使德育在生活中存在，即德育依寓于生活、在生活中展开，而生活也在德育的过程中不断生成、焕新。

第二，德育对于生活的态度为何。德育必定处于真实的生活世界之中，但真实的生活世界不尽然是善与美的，也包含了丑陋与罪恶。因此，直面生活的双面性，还原生活的本真，并在此基础上教育儿童扬善抑恶是生活德育的使命与职责。具体来说，德育需要通过日常生活中的道德善意、道德优雅以及道德崇高感来实现道德教育的日常化、生活化和现实化，最终实现道德教育向日常良善生活的回归[①]。要使儿童切身地体验、感悟着生活伦理空间中的道德之真、道德之善与道德之美，并使其自身成为生活中道德良善的阐扬者。然而，生活并不是一个纯粹的道德世界，如果德育忽视生活中的假、丑、恶，将经由刻意涂抹与美化后的生活呈现给儿童，这不仅是一种欺骗，使德育蒙上反道德的阴影，甚至还会使儿童对生活中的不道德现象缺乏理性的审思与批判。在某种意义上，“恶的存在是对善的伤害与威胁，但也正是因为这种伤害与威胁，善才更能显出其光辉”[②]。因此，德育不仅要使人学会扬善，更重要的是要以积极的态度来看待恶，将生活中的恶变成德育的素材，并帮助儿童在与恶的斗争中，发展出高度的道德敏感性、善恶分辨能力以及其他一些道德素养，使“否定性的道德知识”与“否定性的道德行为体验”成为向善的另一种起点。儿童道德的成长往往不是在温室中进行的，而是要经受生活中风雨的洗礼，甚至还要面对一些不良诱惑。但真正的生活德育不能无视这些消极的因素或是向恶妥协，

① 叶飞．道德生活的“四重”建构：论生活德育的生活根基的拓展［J］．江苏高教，2013(4)：97－100.

② 高德胜．生活德育论［M］．北京：人民出版社，2005：86.

而是要积极帮助儿童，使其在面对复杂多样的生活情境时能够保持理性，做出适宜的道德判断，并用行动来诠释生活中的道德良善。

### （三）为了生活

"回归生活世界"具有两重目的，第一重在于以生活推动德育，第二重在于以德育引领生活；前者反映的是德育"通过生活"得以践行，因而德育是生活的目的，后者则意味着德育的存在是"为了生活"，生活是德育的价值旨归。此两重目的的统一体现了"回归"一词的真正意蕴，即德育从生活中来，最终也要走向生活。若从儿童的立场出发，那么德育的最终目的就在于引导人过一种有道德的生活,换言之,德育是"为了人的生活"的实践活动，其本身存在的意义就在于对道德生活建构者的培养。正如鲁洁先生所言："德育引导的根本要旨是在把人培养成自觉的生活建构者。"① 德育回归生活世界，最终是回归到主体性的"人"的身上，因为生活的实质在于人的特殊生命实践。"过一种有道德的生活"一方面反映的是人所选择的或是建构的生活方式，另一方面则体现了人内在的道德精神素养。据此，生活德育研究所提出的"为了生活"的理念不是用德育的价值去承载生活的道德重量，而是要求以人为本，帮助个体的人实现有道德的生活，使人的生活彰显道德的力量，使人因道德生活而自足、常乐。

首先，生活德育要引导儿童"关注生活"。尽管儿童总是处于生活之中，但是他们却常常遗忘这一事实，对于生活的本真缺少领会，从而陷入不同样态的沉沦之中。"关注"实际上是一种意向活动，它强调主体能够聚焦于某一事物并将其从所处的背景中释放出来。"关注生活"则意味着重新发现生活，追问生活的意义，并在领会、体验中显现出自我的道德生活。生活德育语境下的"关注生活"则具体表现为儿童能够以道德为尺度，

---

① 鲁洁．道德教育的根本作为：引导生活的建构［J］．教育研究，2010 (6)：3 − 8 + 29.

连同生活中的遭遇、行动、事件等形成一个意义坐标，并在回顾的过程中，对这些“过去了”的生活经验进行深度加工，使之与当下正在进行着的生活相联结，使得自我的道德体验绵延而持续。正如海德格尔所言：“‘只消’此在实际上生存着，它就从未过去，反倒总在‘是我所曾在’的意义上曾在。”① 关注生活并不仅仅是关注着某一时间片段中的生活，而是力求在完整的生命流程中把握生活，追寻道德的意义。换言之，生活的完整性体现在过去、现在与未来的统一之中。儿童要在这一基础上学会去追问“何为有价值的生活”，“何种生活对我来说是有意义的”，“我对他人的生活造成了何种影响”等问题。

其次，生活德育要引导儿童“反思生活”。“关注生活”最大的意义在于使儿童具有生活的视域，在此基础上，儿童还要学会“反思生活”。“反思”具有两层意蕴，一为反省，二为探寻，并且反省是探寻的开端，探寻是反省的目的。反省即“吾日三省吾身”，与自我形成良好的对话关系，追问自己在过去的生活中是否存在过失，并且这样的生活值不值得过。在反省的作用下，生活从一个肯定性命题成为了被试图“否定”的对象，但需要指出的是，这种否定具有积极的意味，它是对生活中负面、落后因素的批判与审思。探寻则是基于人的超越性与生活的前瞻性，它意味着个体对当下生活的不满以及对未来理想生活的向往与追求。人总是试图追求一种幸福生活，幸福生活可以成为人不断超越自我的一种价值导向以及发展动力。以此为方向，个体才会试图去弥补当下生活的不足，填补精神世界的空缺，并突破现存生命的桎梏，追求更高层次的可能生活。因此，生活德育要培养儿童对于生活的敏感性与批判性思维，鼓励其不断地突破现有的生活眼界与人生格局，形成一定的价值思维图式。

最后，生活德育还要引导儿童去“改变生活”。对于生活的关注与反

---

① 海德格尔．存在与时间［M］．陈嘉映，王庆节，译．北京：生活·读书·新知三联书店，2014：373.

思都是一种相对静止的人的意向活动，其价值在于为可能生活构想出一幅蓝图，而真正能使理想得以实现的则是个体改变生活的实践。“德育意义上的生活改变，包括外在活动、关系层的生活方式的改变，也包括内在意识层德性和人格的改变与提升。这两个方面的改变是紧密联系不可分割的，是统一实现于整个生活重构过程之中的。”[①] 生活方式的改变具体体现在基本的行为规范、文明礼仪、法治素养、生态道德行为等多方面，其指向的是个体外在的表现；内在德性与人格的提升则体现为儿童获得了某种新的、积极的、道德的生活信念并以此为信仰，将之化为行动的力量，用实践进一步坚定内在的信仰，获得更高位格的道德发展。实际上，改变生活的难度体现在两个方面，一是新的生活方式、理念、风格会与现实的遭遇、利益形成冲突，对此该如何以积极的心态、意志去克服；二是个体如何将自身新的生活理念转变为能够改变生活的行动力量。这些也构成了生活德育的难点，是生活德育需要在“回归生活世界”的过程中应对与解决的。

## 第三节　生活德育的实践探索

生活德育在我国的实践探索，集中反映在德育课程与教材的两次重大改革上。德育课程与教材的首次重大改革是在21世纪初，鲁洁教授及其团队编写的《品德与生活》和《品德与社会》，集中体现了生活德育理论的价值内涵，不仅实现了课程与教材“回归生活世界”的转向，突破了以往教条化课程标准与教材的逻辑框架，还体现出极大的创新性和对儿童的人文关怀。此次改革也为后续德育课程设计与教材编写进一步指明了方向。

---

① 鲁洁．道德教育的根本作为：引导生活的建构［J］．教育研究，2010 (6)：3 − 8 + 29.

德育课程与教材的第二次重大改革是在2016年至2019年，统编版《道德与法治》教材在中小学课堂实现全面覆盖。此次编写体现了更先进的知识观、更贴合学生学习的编写逻辑和更丰富的学习内容，为新时代生活德育的发展注入了新的力量。如今，一大批一线德育教师都在致力于实践生活德育理念，更好地发挥德育的特殊育人价值，积累了丰厚的实践经验。生活德育焕发出前所未有的生机！

## 一、“品德与生活”“品德与社会”课程标准的制定以及教材的编写

生活德育论的提出不仅丰富了我国的德育理论体系，还为学校德育实践提供了指导。2002年、2011年的“品德与生活”“品德与社会”国家课程标准以及鲁洁教授团队编写的《品德与生活》《品德与社会》教材皆是以生活德育为理念展开的重大成果，不仅与时俱进，突破了以往课程标准与教材的逻辑框架，体现出极大的创新性，而且做到了对儿童及其生活的关怀，展示出了极强的人文精神。

“品德与生活”是在小学低年级阶段开设的，以培养具有良好品德与行为习惯、乐于探究、热爱生活的儿童为目标的活动性综合课程，“品德与社会”则是在小学中高年级阶段开设的，以儿童社会生活为基础，旨在促进学生良好品德形成和社会性发展的综合课程。总的来说，“品德与生活”“品德与社会”课程皆以儿童的生活为逻辑，关注儿童的生活，并引导儿童在活动中获得道德发展。

从德育课程设置的特点来看，“品德与生活”具有四大特点。第一，生活性。将儿童的生活本身视为课程资源，并将课程学习作为儿童生活的组成部分，贯彻了“生活即教育”以及“教育即生活”的理念。教材的内容亦是有层次、有规律地展现了儿童的生活，从儿童最亲近的环境出发，再逐渐走向远方，使得儿童的生活世界得以逐步扩展。第二，活动性。与

以往的课程呈现方式不同，教材、课本不再是师生教学唯一的权威工具，课堂亦不再是德育的唯一阵地，活动成为教与学的基本形式。儿童在各种主题活动、游戏或是其他形式的实践活动中体验、感悟道德知识，并由此实现德育的目标。第三，综合性。课程的设计与教材的编写都体现了儿童与自我、自然、社会的内在整合，教学内容上实现了品德学习与生活学习的合一，教学实施上将道德体验、知识学习与社会参与三者相互融合、相互渗透，进而促进儿童人格的整全发展。第四，开放性。儿童的生活世界不是静止的、封闭的、狭隘的，因此面向儿童生活世界的课程必然具有开放的特征，一方面，课程会伴随着儿童生活的变化而做出调整，另一方面，儿童的生活所及便是德育课程的范围所及。生活性、活动性、综合性以及开放性也是“品德与社会”的基本特点，由于课程与教材面向的是中高年级的小学生，儿童的社会生活成为编写课程与教材的主线，课程的主要目的在于引导儿童关注自身所处的社会环境、社会活动与社会关系，培养其良好的现代社会生活能力。

从德育课程的基本理念来看，“品德与生活”与“品德与社会”尽管面向的是不同学段的学生，两者各有其侧重点，如“品德与生活”将学校生活视为儿童生活的重要组成部分，而“品德与社会”则鼓励儿童主动参与社会生活，将自我的生活世界逐步扩大。但是两者皆秉持了生活德育的核心理念。第一，基于生活，回归儿童的生活世界。这一理念深刻体现了教育应以人为本的根本性原则，“基于生活”中隐含着多重涵义以及一些值得深究的问题。首先，基于何人的生活。显然德育课程给予的答案是基于儿童的生活，这意味着德育课程及其教材是从儿童的视角出发，而非用成人的意志来对儿童进行规定。其次,基于何种生活。《品德与生活》与《品德与社会》两种教材，皆是基于儿童真实的、整体的、个性化的以及实践性的生活，尊重儿童的心理发展规律以及年龄特征，以适合儿童的方式呈现教学内容，最终使儿童能够在生活中领悟、在领悟中行动。最后，道德与生活的联系为何。“品德与生活”课程标准指出“道德存在于儿童的生活中，德育离不开儿童的生活”，道德向来不是独立于生活之外的特殊存在，唯有把握道德中的生活意蕴以及生活中的道德性内涵，德育才能在道德与生活之中寻觅到生长的空间，真正发挥其育德的特殊价值。第二，通过生活，以儿童生活践行德育。“品德与生活”与“品德与社会”将儿童的生活作为课程的基础，指出要将教与学根植于儿童的生活。这意味着，在课程的实践中，家庭生活、学校生活与社会生活皆作为德育的空间而存在，教室不再是限制教学的物理性边界，儿童生活所及之处皆是德育空间。另外，生活体验、活动、角色扮演等教学方法进入德育之中，讲授式的教学法不再是唯一的德育方式，当生活成为德育的阵地时，德育也成为了生活的一部分。第三，为了生活，以德育引导儿童的道德生活。“品德与生活”将“引导儿童热爱生活、学会关心、积极探究”作为课程的核心,同样“品德与社会”的课程标准也写明要帮助儿童参与社会、学会做人。两门课程的目的皆在于引导儿童关注自己的生活，使其生活作为“前台”而非“背景”显现出来；鼓励儿童反思生活，在不断地超越自我的过程中过有价值的生活；引导学生在一步步成长中创造自己的生活世界，从家庭进入学校，从学校进入社会，逐步扩大生活世界的范围，并同时建立起我与他人、社会、国家的伦理关系，为自我找寻合理的定位，以提升生活的品质。

长期以来，我国的思想品德课程的设置以及教材的编写呈现教条化的特点，在教学中，说教、灌输成为主要的德育方式。显然这种德育严重远离了儿童的生活世界，违背了儿童道德发展的心理规律，并使得道德与生活之间出现明显的空隙，其后果是儿童道德发展的不完全性，儿童内在的情感、态度、价值观未能获得积极的建构。“品德与生活”“品德与社会”将德育重新引入了儿童的生活世界，正如鲁洁教授所言：“我们的课程和教材是由儿童生活世界转化而来，课程和教材又要再转化为儿童的生活世界（是已经改变和提升了的生活世界）。从生活中来，再回到生活中去。

这是我们对于课程回归生活世界的比较全面的理解。”[①] 在生活德育理念的指导下，“品德与生活”“品德与社会”克服了以往德育课程的弊端，增强了德育的实效性与针对性，是一次成功的改革。

## 二、《道德与法治》教材的编写与运用

自 2016 年秋季学期起，小学一年级开始正式使用统编版《道德与法治》教材，至 2019 年秋季学期,《道德与法治》在全国范围内得到使用。《道德与法治》教材在延续《品德与生活》《品德与社会》关注儿童生活、以生活为教、将生活作为德育目的的基础上，还呈现出了一些新的特点。

首先,《道德与法治》教材中蕴含的知识观更为先进。在传统的德育教材中，以“是什么”和“为什么”的提问方式为主，该类问题共占问题总数的 75% 左右[②]。当言及“是什么”与“为什么”，就隐含着一种传统理性主义的知识观，即生成的道德知识是无涉主观价值的绝对真理，使得儿童的道德认识活动的过程中出现鲜明的主客体对立的情况。书本上呈现的道德知识是有待被接纳、理解与内化的客体对象，尽管儿童作为主体的角色出场，但其能动性却主要表现在对知识的复刻上。这种封闭的、静态的知识观意味着儿童并不参与道德知识的生产过程，他们的道德经验遭到漠视，其生命的主体性游离在德育实践之外。但是在《道德与法治》中道德知识被重新定义，它属于人类生活经验中的一类，有着“人类生活历程在意识层面上的凝集”的意蕴[③]，这表示，知识并不具有纯粹的客观性，它的

---

① 鲁洁．再论“品德与生活”、“品德与社会”向生活世界的回归［J］．教育研究与实验，2004 (4)：1 − 2 + 7.

② 章乐，范燕燕．小学德育教材中“问题”的比较研究：基于人教社两套小学三年级德育教材［J］．上海教育科研，2009 (11)：64 − 66.

③ 鲁洁．道德教育的当代论域［M］．北京：人民出版社，2005：289.

价值附着于人身上，具有一定的主观性。正是因为道德知识的生产过程有人的主观因素的参与，道德知识才能被认识、被理解、被重构，道德本身才会在生活中显现出它的意义。更确切地说，《道德与法治》中的一些知识不是明确的、预先设定的，而是具有很强的生成性，它既是以往人类经验的呈现，又包容着每一位儿童的个性化的生活经验。甚至，这些知识还能发挥出一定的引导作用，帮助儿童去选择和建构自我的道德生活方式。

其次，《道德与法治》教材以学生的“学”为主要逻辑。以教为核心的教材，方便了教师的讲授，却忽视了学生对于一些话题的探索、理解和体悟。教师的教，只在教材既定的轨道上运转，学生却偏离在教的轨道之外，其生活经验被排除在外，学习的自主性难以保证，学生对于道德的学习难免停留在认识的层面而难以深入①。而以“学”为逻辑的取向，则充分观照了儿童的经验，有利于提高和激发他们对于道德学习的自主性与积极性。总的来说，《道德与法治》这部“学材”以学习活动为核心，打破了传统德育教材的灌输、说教结构，实现了教与学的互动共生，为儿童生命的整体性投入创造了良好的条件，建构了基于儿童生命经验的道德学习方式，并实现了教材“教学律”与“内容律”的有机融合②。如在《道德与法治》四年级下册第 5 课中呈现的“我的心愿卡”的留白设计就很好地体现了它的“学材”性质，这一栏目给学生留下了充足的空间来对自我的真实生活做出自主反思，并使得学生在这一过程中能够得到启发，对原本的生活做出改变，实现自我在道德上的超越性。

最后，《道德与法治》的教学内容进一步得到拓展，揭示了儿童生活的丰富性，使生活以更加鲜活立体的形式呈现在儿童面前。在国家大力建

---

① 高德胜. 以学习活动为中心建构小学《道德与法治》教材［J］. 中国教育学刊，2018（1）：1－8.

② 同①.

设法治社会的时代背景下，《道德与法治》做了进一步创新，在教学内容上着重凸显了法治教育的内容，开拓儿童法治生活的视野，意识到法治与生活的密切联系，进而以经验的方式理解法治的内涵以及作为国家公民的责任。值得注意的是，加入法治教育的内容并未使新的德育课程退步为背教条、读案例的灌输式德育，而是充分考虑到了儿童认知发展的特点。在小学低年级阶段，儿童的认知水平较低，因此教材在呈现法治教育的内容时采用了隐性的形式来体现，如《可爱的动物》《花儿草儿真美丽》等内容使儿童懂得遵守规则和保护环境[①]；到了小学高年级以及初中阶段，儿童的认知水平获得了一定的发展，对于一些抽象的法治概念有一定的理解能力，教材便逐渐系统地呈现法治教育的内容。此外，《道德与法治》还将中华优秀传统文化作为重要的教学内容编入其中，引导儿童从小树立起文化自信，更好地传承中华文明；理想信念的教育内容助力儿童明确何为有意义的生活，使个人的理想能够与国家的理想相互联系；备受关注的心理健康的教育内容旨在帮助儿童了解或克服厌学、焦虑、抑郁等心理问题，引导儿童过一种身心健康的生活；贴合人类命运共同体议题的生态文明的教育内容，则旨在促使儿童能够在一定程度上走出人类中心主义的立场，真正地关怀自然，爱护地球上的其他生命。

随着《道德与法治》教材的全面推广，一线教师和教育理论的研究者关于如何在《道德与法治》的教学过程中贯彻"回归儿童生活世界"的理念、实现德育课程的生活化提出了一些思考，如，在如何实现情感态度价值观类的教学目标上，提出"理解教材设计，抓住学生的情感线索""关注理性思考对情感态度的影响""重视体验活动的设计，重视学生的亲身体验"等观点；在知识教学如何通达价值认同的问题上，提出"探究式知识教学""寻求知识学习与价值认同之间的关联""重视个人生活经验与知

① 陈明燕.从《品德与生活》到《道德与法治》[J].基础教育课程，2018(10)：66－69.

识学习之间的互动”等[①]；在生活化教学内容如何开展的问题上，提出“巧用教材栏目，挖掘教材内容”以及“精选生活素材，注重价值引导”的做法[②]。这些努力，一方面是在践行生活德育理念，促使理论走向实践，另一方面则进一步丰富发展了生活德育理论，使其与时俱进，在新的时代背景下焕发生机。

---

① 章乐．编者视角下《道德与法治》统编教材教学的问题及建议[J]．江苏教育，2019(17)：23－26＋31.

② 朱静．核心素养视域下初中《道德与法治》课生活化教学研究[D]．扬州：扬州大学，2019：31－32.

# 第六章 制度德育的兴起与发展

制度德育是当前我国德育领域一个重要的理论创新。华中师范大学杜时忠教授在2000年开始对“制度德育”进行系统研究，并在《制度德性与制度德育》一文中正式提出了制度德育模式的核心思想[①]。此后，国内一些学者也开始探索制度德育的相关问题，刘超良教授的《制度德育论》、冯永刚教授的《制度道德教育论》等研究成果，也深入探索了制度德育理论。在此前对于学校德育的研究中，“建立现代德育制度的问题到目前为止尚未引起研究者足够的重视”[②]，制度仅仅作为一种管理手段或评估方式，研究者并未把它当作进行道德教育的资源，这引起了很多学者的批评。制度德育的倡导者认为，在学校的改革实践中，德育工作者往往把已有的德育规范和制度看作天然合理的，对现有的德育制度缺乏道德性视角的审视，更谈不上对教育制度之外的社会制度的反思[③]。制度德育认为，对社会制度与学校制度加以反思与批判是必要的。学校生活的各方面都需要学生进行道德和理性的论证，一味地服从于权威制度是社会道德倒退的表现，不利于未来社会道德的建设。我们应该教会他们用道德标准来看待学校和班级

---

① 杜时忠.制度德性与制度德育［J］.教育研究与实验，2002（1）：38－43.

② 杜时忠.人文教育与制度德育［M］.合肥：安徽教育出版社，2012：297.

③ 同①.

制度，保留道德的制度，对不道德的标准和制度进行讨论修正。因而，德育制度作为一种重要的德育资源需要引起足够的重视，德育工作者也应提升制度德性意识和制度创新能力，通过道德的制度培养道德的人。至此，制度德育的倡导者主张在理论、事实和实践层面系统地展开探索，并提出要通过道德的制度来培养道德的人的重要观点。制度德育的理论探索和实践研究形成了越来越大的影响，获得了广大教育研究者和德育工作者的认同。

## 第一节　制度德育研究的缘起

制度德育主张从制度的角度来审视社会转型背景下的道德格局混乱与个体道德无序问题，以期通过建设完善的学校德育制度，来克服以往德育制度的单向、错位和形式性的弊端，通过道德的制度培养道德的个人。制度德育认为，制度不仅是一种外在的规范性力量，同时制度本身具有丰富的道德内涵，道德的制度可以培养道德的人，不道德的制度可以培养不道德的人。因为，当制度本身是不道德的时候，生活于这个制度下的人也将遭受不良的道德影响，成为道德败坏的人。因而，制度德育主张，学校德育不仅要重视德育课程及教学的作用，更要重视德性的制度体系的建设；只有建构了德性的制度体系，青少年学生才能在德性的制度生活中逐步成长为道德的人。为此，根据制度德育模式的核心主张，建设德性的制度体系是学校德育工作的重要环节。学校德育应该通过制度来育人、育德，这就要求学校必须以平等性、民主性、公正性以及人本性等为基本原则来建构起德性的学校制度体系，形成德性的学校制度生活，最终通过道德的制度培养道德的人。[①] 唯有建立起德性的制度，实现学校制度的德性化改造，

---

① 杜时忠．人文教育与制度德育［M］．合肥：安徽教育出版社，2012：298.

学校德育才能真正培养具有德性精神的人，否则学生的德性成长必然会因为缺乏制度的保障而面临阻碍。制度德育不仅在理论体系上有创新，同时它也在一定程度上推动了一线学校和教师去反思自己所在学校的制度问题，形成制度德育的理念，从而在无形中提升了学校德育工作的效果。

## 一、社会转型背景下道德格局的混乱与个体道德的无序

“无德而富，有德而贫”[①]是杜时忠教授对社会道德格局无序的概括。这种情形并非才出现，然而在现代社会，“无德而富”日渐公开化，呈现出团体化、习惯化和潜规则化的新特点，导致个体对于社会公平和正义的缺失逐渐麻木，也导致社会中崇拜权势和财富的风气盛行，是非善恶观念逐渐模糊。类似的“善行恶报”频频出现，如“老实人”吃亏和助人行为反遭诬陷等。与此同时，社会道德格局呈现出新旧交汇的特点。近代以来，随着向西方文化学习，中国传统哲学中常见的天理、良知等词语逐渐被边缘化。在古代，人们相信天理良知、因果报应等朴素的天命观，如董仲舒将先儒的天命思想进一步深化后提出“天人感应”，除去封建迷信等消极因素，它也有规范和约束个体行为、引导人们向善的积极一面。然而在社会转型背景下，传统的道德资源逐渐失去权威，人们不再相信天命良知和因果报应，而“新的足以支撑精神生活的道德资源和社会认同尚未成型，道德在社会转型中‘迷失’”[②]。

事实上，社会道德失范与个体道德生活无序是一个问题的两个方面[③]。社会转型背景下的个体道德呈现出一种无序状态，表现为人的主动性得到了前所未有的发挥，人性中自我克制的因素锐减，人的自我无限膨胀和虚

---

① 杜时忠．人文教育与制度德育［M］．合肥：安徽教育出版社，2012：282.

② 同①281.

③ 刘超良．制度德育论［D］．武汉：华中师范大学，2006：70.

无起来，个体缺乏足够的精神力量去抵御现实生活中不道德行为的诱惑，从而导致了主体性胜利后人的道德失落现象①。个体缺乏精神支撑和导引，其价值观和行为就产生了善和恶两种可能。个体道德的无序状态加剧了“无德而富，有德而贫”的社会氛围，在社会繁荣发展的表象之下，社会的道德基础和个人的精神力量逐渐弱化。

制度德育理论认为，制度的不道德需要对社会道德格局混乱负责。“用一种脱离现实社会结构和体制的抽象的道德原则、观念来衡量人们的道德意识和道德实践”，一味地指责个人的道德意识和道德实践，是本末倒置的行为②。道德失范反映的是制度对个体的社会行为失去了合理的道德支持，因此需要对道德格局混乱负责的是不道德的制度，而不是个人的道德意识及实践。因此，需要从制度入手，而不是全然依靠建立新的道德规范、提倡道德理想和人文精神等，需要走“以体制的道德性建设为主、个体道德建设为辅的路子”③。

## 二、道德教育面临的“根本性危机”与学校德育的困境

道德失范和个体道德无序使道德教育遭遇了“根本性危机”④。民主发展、科技进步使价值体系由一元向多元转变，从而也使德育的居高临下、强制灌输为社会现实所否定⑤，在这种状况下，学校德育难以回应“个人为何要选择道德”或是“人为什么要有道德”的问题，即对于“应不应该培养有道德的人”难以给出完满的回答，这造成了德育培养“道德的人”的

---

① 冯永刚 . 制度道德教育论［M］. 北京 : 北京师范大学出版社 , 2011 : 22.

② 杜时忠 . 制度德性与制度德育［J］. 教育研究与实验 , 2002 (1) : 38 − 43.

③ 胡承槐 . 体制的道德性与目前道德伦理格局［J］. 哲学研究 , 1997 (8) : 17 − 24.

④ 杜时忠 . 人文教育与制度德育［M］. 合肥 : 安徽教育出版社 , 2012 : 283.

⑤ 鲁洁 . 德育社会学［M］. 福州 : 福建教育出版社 , 1998 : 78.

方向性迷失。由于人们不再关注道德终极价值的问题，学校德育在实践中疏远了培养“道德的人”的应然目标，出现了工具化与功利化倾向，偏离了使人成为人的“本真”意义[①]。当根本性问题回答模糊时，学校道德教育的各种手段就会异化甚至失去意义，最终导致德育目标、内容和课程的设置与实际相脱节，学校制度与德育之间存在的异质性、学校德育的先天不足及其在实际工作中的尴尬处境使德育成为“无用”的“软任务”[②]，学校德育的困境显而易见，“社会转型时期道德文化的多元价值取向，道德尺度与市场尺度的相悖以及暂时性的教育工作者职业地位的下降使得德育过程中教育者的质量在整体水平上不高，表现为教育者对主流道德文化价值缺少真正信念，言行不一，楷模作用不够，从而导致德育过程控制力、影响力、感召力减弱”[③]。因此，学校德育逐渐脱离现实，呈现出知行分离的状态。知行分离的知性德育弱化了道德教育的实践性，而道德实践对于道德认知转化为持久、稳定的行为至关重要。知性德育将道德教育等同于知识传授，这无疑是荒谬的。品德结构包含着“知、情、意、行”四个要素，知识性的内容可以通过课堂教学与教材学习进行，而情感、意志和行为的习得却是在实际的生活情境之中进行，无法从实践中抽象、剥离出来。并且，学生具备的关于道德的知识，不一定见效于行为之中，不能确保自身的行为和道德发展有所改善。

## 三、学校德育制度存在缺陷

制度德育论认为，学校德育的困境与当前学校制度的缺陷有关，学校制度存在着诸多缺陷，如制度拼凑、假章成册、制度不公以及干扰太多等

① 刘超良．制度德育论［M］．武汉：湖北教育出版社，2007：116.
② 杜时忠．人文教育与制度德育［M］．合肥：安徽教育出版社，2012：285.
③ 鲁洁．德育社会学［M］．福州：福建教育出版社，1998：151－152.

问题[①]。首先，建立现代德育制度尚未引起研究者和德育工作者的重视。制度仅仅作为一种管理手段或评估方式被研究，研究者在研究教育学理论时忽视了制度的作用与价值，德育工作者也并未将其当作道德教育的资源。其次，德育工作者缺乏对制度的重视和反思。德育制度、制度文化在学校德育实践中的作用没有进入实际工作者的视野，在学校的改革实践中，德育工作者往往把已有的德育规范和制度看作天然的、合理的，对现有的德育制度缺乏道德性视角的审思，更谈不上对教育制度之外的社会制度的反思[②]。最后，学校道德教育存在诸多缺陷，阻碍道德教育发展的制度安排表现为制度供给不足和制度供给过剩。制度供给不足是指在制度体系中，制度供给无法满足自身的要求，存在制度制定目标功利化、主体的单一化和落实的形式化等问题；制度供给过剩是对于当前社会生活而言的，指无效率的、陈旧的、过时的制度依然存在并运行着，加重了个体的思想和精神负担。违背伦理道德的制度供给是不可能取得良好的道德效果的[③]，德育制度正是在人的发展这一本位价值上迷失了，才导致其出现以下问题：第一，它是单向的，因为学校制定德育规范与德育制度时，并没有征求学生意见。第二，它是错位的，将重点放在纠正学生的“错误行为”而不是养成积极健康的行为上。第三，它是形式的，因为学校德育所强调的道德习惯和行为规范许多是为完成上级任务而“创作”，只是学校德育的“工作”，而不是学生的生活[④]。

此外，学校的制度文化也存在不合理的方面。第一，学校的正式制度存在专横、病态和形式的一面，民主要素缺失、制度执行力疲软仍然

① 杜时忠，张敏，等．重构学校制度生活 培养现代公民精神［M］．武汉：华中师范大学出版社，2016：163－165.

② 杜时忠．制度德性与制度德育［J］．教育研究与实验，2002（1）：38－43.

③ 刘超良．制度德育论［M］．武汉：湖北教育出版社，2007：103.

④ 杜时忠．人文教育与制度德育［M］．合肥：安徽教育出版社，2012：298.

是当前亟须解决的问题；第二，不合理的潜规则会对学生产生消极影响，容易造成学生的主体地位被忽视，使之缺乏情感体验、意志锻炼和实践机会等[①]。这些问题使学校制度文化成为了阻碍学校德育发展的无形屏障，不断消解着德育的效果。值得一提的是，学校制度中比较常见的科层制以及对于“好学生”的道德期望，通过使学生听话、顺从来提升工作效率的组织结构模式，在一定程度上抑制了学生的道德自主性，不利于学生道德的培养。

## 第二节　制度德育理论的核心思想

德育是制度性的学校教育活动，学校的制度因内含一定时代的伦理精神具有道德教化价值，制度与道德之间具有意义上的联结。自教育学者研究德育与学校制度的关系开始，“制度”“德育”“制度德性”“制度德育”“个人德性”等概念及它们的关系就进入了德育理论与实践研究的范畴。制度德育也是在学者们的不断研究中确立与发展的，是通过不断完善制度生活培养道德的人[②]。其基本观点主要包括：其一，制度德性是个体德性的基础和前提，比个体德性更具有普遍性。其二，德育制度是一种不可忽视的德育资源和手段。其三，社会制度德性是开展学校德育的基础。基于此，学校德育实践应该发挥制度道德教化的作用，以制度规范德育的实施，推动学校的德育制度更好地为育人服务。

① 杜时忠．人文教育与制度德育［M］．合肥：安徽教育出版社，2012：322－324.
② 杜时忠．制度德性与制度德育［J］．教育研究与实验，2002（1）：38－43.

## 一、制度德育的基本范畴

### （一）制度与道德

制度与道德都是规范人类行为、调节社会关系的基本方式。一方面，制度与道德具有不同的规范特征。制度是调整一定社会生活中人与人、人与社会之间关系或规定行为者行动的外在的强制性规则体系，具有约束、激励、预期以及整合功能。在生活中，最为典型的制度就是法律。对于制度的理解，杜时忠教授认为可以借鉴新制度主义为思想资源之一来描述教育现实、探讨教育问题、解释制度育德的过程与机制、提炼制度育德的技术与方法。与行为主义把个人视为原子式、单子式的个人不同，制度德育论认同新制度主义中的一些基本观点：第一，坚持制度和道德的整体性特点。制度德育论不把制度归结为单一的规则，或者某个制度要素，而强调制度是一个由多维度、多层次、多要素、多环节所构成的动态体系；也不认为道德只是静态的行为规范，而主张道德是多要素、多层次、多基质的复杂体系。第二，坚持从多学科的视角来理解和透视制度和道德。第三，强调制度的情境性特点，认为制度通过制度情境来影响个体品德。对于长期存在的争议，即究竟存不存在跨情境的稳定的美好德性，持开放态度。第四，肯定制度和道德的长期性、动态性、生成性特点，并承认一种制度有其内在的缺陷和不足。

道德则是通过内在于人的精神品性以指导人们进行价值选择，间接地引导人们的行为，强调诉诸人内在生活世界的秩序和行为主体的自觉性。制度与道德息息相关，“起源上同根同源，内容上相互渗透，功能上相互支撑，特点相异而又义理相通”[①]，制度体现着一定的伦理道德精神，提供

---

① 杜时忠．人文教育与制度德育［M］．合肥：安徽教育出版社，2012：293.

不可逾越的道德底线和道德纠偏功能。制度与道德的内容相互包容，共同承担着社会责任，道德也可以在一定的条件下转化为制度。制度与道德是人类社会发展到一定历史阶段的产物，两者的形成和发展过程，也是开始承担社会责任、促进社会发展的过程，“完善的制度体系，是道德建设保障机制的关键所在……只有完善的制度系统才能确保道德体系的一贯性和道德的有效性”[①]。马克思主义的历史唯物主义、人学思想和制度哲学同样闪耀着制度伦理的光辉：依据唯物史观来探讨道德问题，就不能脱离具体的社会历史条件，特别是社会制度安排去理解伦理概念和伦理范畴；需要从现实的社会经济关系、社会经济状况和物质生活的生产方式来考察。道德作为意识形态，既是一定的社会经济关系、经济状况的反映，更是为特定的经济关系、阶级关系服务的。制度德育论应用马克思主义的立场、观点和方法来研究和阐释人的问题、制度问题、道德问题和教育问题，运用马克思主义基本原理和价值观作为制度批判和制度建设的思想武器。从中华传统文化发展脉络上看，德性培育与制度教化相结合，是中华传统文化的创造性转化，也是在寻求一种转化的方式和程式[②]。最具代表性的政治目标是“化民成俗”“道之以德，齐之以礼”，制度和道德都是在为建立一个良序社会而努力，制度德性还体现了“制度内含的道德价值与功能，是社会道德价值在制度中的凝结”[③]。

我们既要肯定制度和道德都是在为维护社会持续稳定和良序发展而努力，当然，也需要看到制度和道德的异质性和边界。制度更加关注个体行为，具有强制性和权威性，而道德更加关注人的精神世界，更注重内在的自觉，两者的作用方式、评价基础和调整范围都有差别。而对于道德教育而言，

---

① 杜时忠．德育十论［M］．哈尔滨：黑龙江教育出版社，2002：159.

② 蔡春，扈中平．德性培育与制度教化：论道德失范时期的道德教育［J］．华东师范大学学报（教育科学版），2002（4）：10－20＋54.

③ 冯永刚．制度道德教育论［M］．北京：北京师范大学出版社，2011：86.

制度和道德的作用都是有限的，因此，道德教育需要将制度教化和德性培育相整合，调和两者之间的矛盾和冲突，使两者向互补的方向协调发展。

### （二）制度德性与制度德育

近些年来，制度伦理研究、德育社会学研究为制度德育的研究提供了借鉴。“制度伦理学对制度德育的启示在于重新认识学校德育的任务。学校德育首要任务是评判社会制度的道德合理性，并对与学生生活有关的制度进行道德审视。”[①] 现代学者普遍认为，德性是在一定的环境下通过培育形成的品质，是人所具备的稳定的道德状态或特性，对道德情感、道德认识、道德意志及道德行为活动等发挥着导向和规范功效。制度德性“指的是制度是否合道德性，以及合道德性的程度”[②]，其有两层涵义：其一指制度是否符合道德性以及合道德性的程度；其二指制度内含的道德价值与功能，是社会道德价值在制度中的凝结。对社会转型期的社会风气进行审视发现，转型时期的不良社会风气体现在社会制度的混乱、个体的违规行为、个人道德权利的张扬不当三方面。长久以来，评判社会风气的道德伦理视角往往转移甚至遮蔽了人们对影响社会风气形成的深层因素——制度德性的关注。人在制度中生活，制度构成了人的生活环境，个体的价值观念和行为都受到制度所蕴含的价值观和行为要求的影响。制度通过昭示某种伦理要求或制度安排而默示某种价值准则，给人以行为之“道”，使人受此“道”潜移默化的影响而有所“得”，从而形成符合制度要求的道德品性。因此，开展德育活动必须对社会制度是否合乎道德进行鉴别和判定。杜时忠教授通过对多学科实证研究的总结支撑起制度德育论的理论大厦，指出制度不仅有自己的“思维”，能够代替我们做出重大决定，而且决定我们的思维习惯，形成制度思维，影响和改变我们的行为习惯；制度不仅可能使好人

---

① 谈心 . 制度德育前提论［J］. 沈阳教育学院学报，2008，10（1）：64 − 67.

② 杜时忠 . 人文教育与制度德育［M］. 合肥：安徽教育出版社，2012：293.

变坏，也可能使坏人变好；制度以制度情境为中介影响乃至决定人的行为，包括道德行为。

### （三）制度德性和个人德性

个人德性是指个人的行为是否符合道德，以及合乎道德的程度。个人德性并不内发于自身，而是源于社会生活，是在社会活动中形成的道德品性。对于制度德性和个人德性的关系，制度德育理论有如下观点：

第一，制度德性是个人德性的基础和前提，并优先于个人德性。社会制度对于个人来讲是先在的、必然的。“制度比榜样更具强制力、影响力，制度德性比个人德性更具普遍性。”[①] 每个人都是为社会所规定而后才规定社会，故而制度德性比个人德性更具有普遍性，个体的道德生活无序带来的不良社会风气起因于制度德性的不足，我们期待良好的社会风气，应致力于各项制度的德性变革，从而积极引导个体过有道德的生活。道德认知理论研究表明，个体道德在发展达到自律之前，要先经历他律的阶段。一个社会如果是非善恶观念模糊，好人无法得到好报、坏人不能被惩罚，会助长社会的不道德现象。只有制度公正才能减少人与人之间相互交往过程中的种种“未来不确定性”和“横向不确定性”，使人的行为变得规范、可预测。公正的制度不会导致“道德的人与不道德的社会”这样的悖论[②]。制度可以引导个人道德的全方位发展，引导个体行为走向合理，保障个体合理需求并约束其不合理需求，不仅在道德上影响人的行为，还替个体做出包括道德决定在内的重大决定。但值得注意的是，制度德育论的价值取向和根本宗旨，并不是要求个体被动地臣服于制度，而是倡导追求正义的

① 杜时忠. 德育十论［M］. 哈尔滨：黑龙江教育出版社，2002：151.

② 联合国教科文组织国际教育发展委员会. 学会生存：教育世界的今天和明天［M］. 北京：教育科学出版社，1996：6.

制度，不断提升制度品质[①]。

第二，个人德性能维护和发展制度德性。制度德性是人赋予的，道德的制度需要德性高尚的社会成员制定、执行和不断完善。每一种制度并非完美无缺，需要参与者以良好的个人德性促进制度不断完善，个人德性的超越性使之成为较制度德性更为高级的价值原则[②]。个体德性也并非完全被动接受制度德性的要求，个人德性的自主性使之具有弥补制度德性缺陷的可能。个体道德具有不同的发展阶段和发展境界，在个体超越道德他律，达到道德自律或道德超越阶段后，个体可以超越制度的限制和影响，自主地选择或做出正确的行为，从而为维护制度、改善制度贡献力量。

第三，制度德性和个人德性共同影响着社会道德风尚的形成。制度德性影响着个人德性的形成，而社会是由人组合而成，人的道德素养的高低影响着整个社会的道德风尚。因此，制度德性和个人德性对整个社会道德格局的构建具有重要意义。因此，必须构建制度德性与个人德性相统一的社会机制，“能恰当处理社会成员之间关系的运行机制，即建构能实现个人德性与制度德性和谐统一的、具有时代精神的道德纠偏机制”[③]，而这种“纠偏机制”不仅需要抑制个体不道德的行为，还要求建立肯定性的激励机制，为道德人的道德行为提供制度支持，维护良好的道德秩序。

## 二、制度德育的核心理念

### （一）制度是重要的德育资源和手段

制度的规范性和强制性似乎带给人约束和压迫感，但事实上制度本身

---

① 杜时忠，张添翼．三论制度何以育德［J］．教育学报，2020（4）：20－29.

② 刘超良．制度德育论［M］．武汉：湖北教育出版社，2007：101.

③ 同②102.

也是人发挥能动性所创造出来的。因此作为被制度化的现代人，不能为制度所困，而是要积极地将制度为我所用，充分挖掘制度所带来的各种社会价值，发挥制度的正面效应。制度德育理论认为，制度影响并观照着人生存与发展的价值，是道德教育的价值资源。这体现在两个方面：一是社会制度形态形成德育的价值，二是制度是德育的价值支持[①]。制度是人的一种价值存在，引导着人的精神不断趋向道德领域，其伦理特征体现、传承着社会的道德价值，影响着道德价值的生成，担负着引导和塑造社会主流道德价值观的责任。因此，制度形态形成了一个时代的德育价值。作为重要的德育资源和手段，制度对德育的作用主要体现在以下三个方面：

第一，制度是德育的重要价值资源。制度蕴含的道德价值和道德精神，决定了制度可以而且能够成为道德教育重要的价值资源。其一，制度可以缓解道德价值的冲突，形成社会的主流价值形态。通过确立和表征符合社会伦理精神和道德规范的价值，给人以社会主流价值指南，将价值冲突和对立限制在一定的范围内，并为人们的社会化提供行为模式和行动准则，深化个体承担道德责任和实现道德自由的认识。其二，制度可推动道德价值观的重新建构，以生成和实现道德价值。制度为道德提供价值导向，是社会关系在道德观念形态上的体现，一种先进制度取代落后制度的同时，也是一种先进的价值观念取代落后的价值观念在意识形态上的反映[②]。在制度变迁中，先进的制度对个体的道德价值取向有很大影响，在道德价值领域中也能够发挥积极作用。同时，从现代教育出发，公共性作为现代教育的基本特征，是现代教育制度的逻辑起点，合理的现代教育制度体现出的合理性、公益性、公平性和公开性，为学校制度分析提供了基本的价值维度[③]，也为学校德育提供了价值资源。

---

① 冯永刚．制度道德教育论［M］．北京：北京师范大学出版社，2011：70.

② 同①.

③ 余雅风．公共性：学校制度变革的基本价值［J］．教育研究，2005（4）：22 − 24 + 84.

第二，制度是德育的经济资源。首先，制度有利于降低道德教育的交易费用。交易费用是指维持经济制度运行的费用。交易费用同样存在于道德教育的组织和部门之中。降低道德教育费用主要体现在以下几个方面：降低道德教育组织机构的费用，合理的制度能够调节各方矛盾，使机构卓有成效地运作；降低道德教育资源配置的费用，有效的制度可以使资源得到更加合理的配置，协调各方在使用经费上的矛盾；节省道德教育的信息费用，制度具有信息整合的功能，可为道德教育活动提供明确的信息导向，减少道德教育中不可预测的因素，从而降低道德教育的信息成本。其次，制度对利益的分配和调节，有利于促进利益的整合，从而取得更好的道德教育效果。制度有利于消解公共道德和个人道德的矛盾，有助于个体道德的生成以及推动道德的变革和持续发展。

第三，制度是德育的重要手段。制度作为德育的一种手段，可以通过奖励、惩戒等方式让人认识到自己的权利和义务，明确行为需要遵守的边界和底线。依据马斯洛的需求层次理论，自我实现的需要是人最高的需要，也是人的价值和意义所在。作为一个调节器，激励与惩罚的方式在实现自我的过程中不可或缺，且激励与惩罚是制度固有的特征，制度的激励机制、惩罚机制与人的需要结合，客观上构成道德教育运行时的外在制度①。首先，制度可以作为道德教育的激励手段。制度激励是指通过社会结构的制度安排，按设定的标准与程序将社会资源分配给社会成员或集团，以引导社会成员或集团的行为方式与价值观念向设定的价值标准方向发展。制度激励作用的发挥，是对人们价值观和行为的认可和肯定，会激发人们在道德上努力的热情，引发他们肯定的、积极的道德情感，对社会准则、道德规范产生认同和向往之情。当这种外在激励转化为内在需要时，人们会更愿意承担道德责任和义务，自觉遵守社会道德秩序，践行道德规范，塑造健全

① 冯永刚. 制度道德教育论［M］. 北京：北京师范大学出版社，2011：76.

的道德人格。其次，在此逻辑上，制度也可以作为道德教育的惩罚手段。建立完善的惩罚制度，形成用制度约束行为的良好机制并加强执行力度，才能使不道德的人及其行为没有栖身之所。无论作为奖励还是惩戒的手段，这都对制度的道德性提出了更高的要求。合理、有效的制度才能够激励个体去恶从善，因而，引导个体过有道德的生活与营造良好的社会风气需要注重制度的德性变革。

### （二）社会制度德性是开展学校德育的基础

学校是社会的重要组成部分，学校德育的理念、目标、内容和方法等无一不受社会文化、制度的影响和制约。有效开展德育活动，必须有道德的社会制度做强力支撑，否则学校德育将失去它应有的效力。

1. 学校德育应要求社会提升制度德性

道德的社会制度环境对于学校德育的发展具有深远意义。社会环境是个体道德成长的“空气”和“水”，从时间上看，它覆盖了个体生命的全部历程，因而影响个体一生的道德社会化；从空间上看，社会环境包围着学校，并且渗透于受控制的学校德育之中，使个体尤其是儿童的道德发展处在一个全方位的影响之中，因而影响个体各方面的道德社会化。与社会环境相比，学校德育对于个体道德发展的作用是有限的。而德育现代化的视野，不是一味强调学校德育“重要”的视野，而是给学校德育划界的视野[①]。学校德育“万能”的观点无疑夸大了学校的作用，对学校德育的功能限度缺乏理性的认识，忽视了家庭和社会中道德教育的力量，也使学校德育孤军奋战，无形中使德育的发展充满阻碍。只有在一个道德的社会里，才能培养有道德的个人。正如《学会生存——教育世界的今天和明天》中指出的：“教育是在环境中进行的，因而它提供了有关环境的知识，于是

① 杜时忠. 德育十论［M］. 哈尔滨：黑龙江教育出版社，2002：137.

教育便可以运用这种知识，帮助社会觉察到它的问题。”[1]

因此，学校德育应要求社会提供适宜的伦理环境。首先，道德教育需要现实社会的制度支持，“任何高尚的道德理想，如果不能在现实社会中得到法律、规章、制度的支持，它就只能是空想，是一种说教”[2]。植根于新时代中国特色社会主义的时空场域，依据我国的国家性质和社会主义核心价值观，社会主义民主制度就是最好的、最优良的国家制度，当然也是最好的、最优良的学校制度。学校内部的环境和制度仅仅是社会环境和制度的一小部分，学校环境并不是孤立存在的，它离不开整个社会制度的大力支持。其次，“5 + 2 = 0”现象的克服也需要社会提供合理、公正、道德的环境。学校德育的现实意义在于产生影响学生未来的可能，从而对未来社会有所改变。但需要注意的是，“学校德育肯定不是教道德惟一的途径，而且也不是教道德最有效的途径”[3]。学校德育的有效开展需要家庭、社区和大众传媒等各种社会环境的积极配合，否则培养出的人很容易表里不一、知行分离。

2. 学校德育需要主动审视社会制度正义

学校德育的发展并非与社会道德格局亦步亦趋，其需要主动审视社会正义，对于不合理、不完善的制度进行批评与改善。“德育的根本任务就是培养具有主体意识的人，培养能超越和改造现实社会的人……它所发挥的社会功能是变革性而不是适应性的。”[4]制度德育论认为，在制度变革的前提下，学校德育的首要任务是评判社会道德的合理性。学校需要以批判的视角理性看待制度本身的德性，不道德的社会、不道德的体制并不能培

① 联合国教科文组织国际教育发展委员会．学会生存：教育世界的今天和明天［M］．北京：教育科学出版社，1996：84.

② 杜时忠．德育十论［M］．哈尔滨：黑龙江教育出版社，2002：135.

③ 同②69.

④ 鲁洁．德育社会学［M］．福州：福建教育出版社，1998：39.

养大量有道德的个体。

审视社会正义的依据并不是具体的行为规范或一般意义上的道德原则，而是需要“高扬终极关怀”[①]，指向人生存和发展的终极价值。从终极价值出发，关注人的精神追求，才有可能审视、评判社会的道德合理性，实现自我的超越和升华。评判社会道德，学校德育具有实践的土壤，可以对与学生生活有关的制度进行道德审视。让学生从无条件、被动地接受转变为评价、怀疑甚至批判生活中的制度，给学生以道德审视的空间和机会，充分彰显学生的主体性地位，推进学校德育制度的创新。德育制度的创新受德育价值观念、德育现实情境以及德育传统的制约，应遵循公正性、生态性、实践性和人文性原则，改善德育的基本制度和具体制度，创新德育制度的规范和价值，充分尊重学生的主体地位，从而使道德教育真正成为促进个体更好发展、成为理想的人的过程。

## 三、学校践行制度德育的方法与手段

在具体的学校德育实践中，道德规范和要求一旦变成特定的制度，那么在教与学两个方面就会便于人们操作，继而通过实践达到“道德制度化”“道德法律化”[②]。德育作为一种制度性的育人活动,需要发挥制度道德教化的价值，以制度规范德育的实施，这对于制度的德性提出了较高的要求。道德从本质上是实践的，德育是个体感悟、体验和践行的过程，并非施教者的说教性活动，而制度则构成了开展德育活动、提升个体道德水平的外在环境。因此,在学校德育实践中,可以在明确制度建设意义的前提下，尊重学生的主体性和参与性，彰显以人为本的伦理精神，提升学生的参与质量，通过强化制度的执行力和监管力，推动学校的德育制度更好地为育

---

① 杜时忠．德育十论［M］．哈尔滨：黑龙江教育出版社，2002：162.

② 陈俊．刍议制度德育实践化［J］．宁波教育学院学报，2008，10 (6)：22 − 24.

人服务。

### （一）明确制度建设的意义

学校制度文化与学校制度生活都是学校极为重要的德育资源。学校制度文化是指学校共同体成员在学校这一特殊的公共领域中，借助学校制度这一调控系统，围绕学生全面自由发展而展开的一种具有公共性、规范性、理性和民主性的生活方式。首先，加强学校制度建设，有利于不断落实新的教育理念，最大限度地凝聚学校力量，提升办学效能。学校制度文化作为重要的德育资源，在为学生提供有序、合理的学校环境的同时，也保障着学校成员的合法权益，引导着良好的道德风尚的形成。其次，道德的学校制度为学生的理性行为提供了规范的要求，有助于学生逐步认同和内化这些道德规范，完成从他律到道德自律的转变。最后，良好的学校制度会对学生形成心理定势产生深远而持久的影响。德育原本为制度所规定，然而由于学校制度本身的复杂性，使得德育有可能与学校制度之间的关系处于一种异质的状态。因此，要保持德育目标与学校组织实际目标的统一、品德发展的要求与教育机会均等相统一、竞争与合作相统一[①]。

学校制度生活作为学校生活的重要组成部分，是国家及其代理人所构建或予以认可的各种正式制度之中师生所展开的学校生活领域[②]。其主要包含四个基本要素，即学校制度生活主体、学校制度生活存在寓所、学校制度生活的目的以及学校制度生活的调控因素。杜时忠教授使用学校制度生活的概念，旨在寻找一种能够有益于学校共同体特别是学校生存与发展的学校制度，这种制度能够超越其“规则体系”的意义，化为学生公共生活

---

① 鲁洁．德育社会学［M］．福州：福建教育出版社，1998：257－259.

② 傅淳华，杜时忠．论学校制度生活促进个体发展的机制［J］．华东师范大学学报（教育科学版），2014（4）：16－22.

的一种生活方式[①]。在学校制度生活中,学校共同体的全体成员以制度为框架展开生活,学校制度生活是共同体成员共有的一种生活方式。[②]

建构良好的学校制度文化,不断克服和完善其当前存在的缺点和局限,从而为学校德育提供优质的德育资源,以制度安排促进道德教育良性发展的基本路径有以下几点:培育制度意识,建设制度文明;坚持以人为本,提升人性管理;规范制度运行,发挥保障作用。在学校制度建设中,需要构建适宜的学校制度文化与合理的学校制度生活,为学校德育发展提供更加优质的资源。构建道德的学校制度以规范人的行为,可以从三个方面着手:强化制度监管审查,努力建设制度环境,提升德育制度的有效性;努力创设制度情境,营造制度和谐的生活;发挥制度德育功用,追求制度德育的艺术化。

### (二)学校制度建设需要彰显以人为本的伦理精神

加强学校制度文化的建设,应当以学生发展为目标,充分体现时代的伦理精神。以人为本的伦理精神的彰显可以从以下两个方面进行:

第一,制度建设需要关注个体的成长与发展。在要求提升人的生命意义的今天,学校德育制度更应该被赋予人性化的道德价值,提升个性化的时代精神,以实现道德养成的本体价值和培养主体性的道德气质。学生应该先成为规范伦理的“我”——作为一个学生、一个公民“应该做什么样的事”,而后才有可能真正追求美德伦理上“应该成为什么样的人”[③]。教育学立场下的“制度育德”,要求制度是为了人的成长与发展而

---

① 杜时忠.重构学校制度生活 培养现代公民精神[M].武汉:华中师范大学出版社,2016:57.

② 同①60.

③ 蔡春,扈中平.德性培育与制度教化:论道德失范时期的道德教育[J].华东师范大学学报(教育科学版),2002(4):10-20+54.

建立，要实现制度、儿童和道德三者真实的融合与转化，“保卫童年”而不是加快童年的消逝①。制度育德最终成就的是一个“完整丰富”的人，一个具备“生命自觉”的人，一个在道德的“知、情、意、行”上平衡发展的人②。

对于青少年来说，“学生需要的是学生的道德，而且学生有权选择自己的道德，有权创造自己的道德生活”③，在校学习的过程也是不断社会化的过程，道德社会化过程的重点就在于对普遍伦理的学习、体认和践行，而强化普遍伦理的意义在于使学生掌握和领会最基本的社会普遍伦理，了解每个个体都需要遵守的基本社会道德规范。

第二，加强学校制度文化的伦理价值导向。教育的本质目的应当指向人的发展，不仅需要帮助他们提高生存能力，而且要帮助他们提高存在的智慧④，通过教育提升人生境界、陶冶人格修养，满足学生的精神需求。当前学校德育应由限制性特征他律性的德的目的转向发展性特征他律性的德的目的，并在此基础上，以自律性的德为目的，培养现代所需的主体性道德素质。培养学生的道德主体性，不仅是指学生在面对道德冲突时正确做出选择和判断的能力，也指作为道德主体的学生在面对道德困境时提出新行为准则的能力和勇气。

### （三）提升学生参与程度

学校德育需要重视学生个人在道德生活中的主体地位，做到以人为本，提升学生在道德生活各环节的主体性和参与性。“新时代的教育是一种从

---

① 李伟，杨英．“制度育德”的教育学立场初探［J］．教育研究与实验，2013 (1)：22－25＋29.

② 同①.

③ 杜时忠．德育十论［M］．哈尔滨：黑龙江教育出版社，2002：64.

④ 石中英．教育哲学［M］．北京：北京师范大学出版社，2007：74.

异化的教育——为物与关系所控制的教育，复归于人自身的教育。”[①] 学校德育必须以培养学生自身的道德判断、分析评价、选择和创造力为宗旨。制度建设需要符合学生的身心发展规律、关注学生的实际生活、重视学生的选择和需求，使道德的制度深入地贴近学生生活，而不是和学生的真实生活相割裂。“可以肯定与学生生活脱离的学校德育是有害的。”[②] 德育制度应从学生的实际生活出发，为学生的实际生活服务。可以尝试从以下两个方面展开：

第一，充分发扬民主，提升学生的参与度。人类两千多年的民主思想与民主实践表明，民主不仅是一种国家制度，一种政府组织形式，一种理想社会，而且还是理智的思维方法，是有效探究并解决自然、社会和人生问题的有效方法。民主甚至还是一种道德能力，一种有效地解决道德冲突和做出道德选择的能力。纵观人类社会千百年来不同国家的民主实践，建立了民主制度的国家正是通过教育的民主化和民主化的教育，逐步提高国民道德素质的。长期以来，学校德育实践中实效性不高的一个重要原因就是忽视学生的主体性，导致学生难以切实参与德育过程。在学校德育中让学生参与到学校德育制度的制定和实施过程中，真实地了解学校德育制度的形成过程和机制，掌握参与公共生活的基本原则、方法和正确的态度，可以激发他们建设和维护学校良好制度生活的积极性、主动性，同时有助于提升学校德育制度的公信力和权威，增强学生遵守制度的自觉性。制度德育理论十分重视学生在德育过程中的主体参与性，学生成为行动者也是制度德育功能得以发挥的必然要求。而制度之所以能够育德，教师运用制度给学生带来的外在规范是一方面原因，更重要的是学生作为主体参与到制度德育过程中，体味到制度的道德意蕴并且将其内化。

---

① 鲁洁 . 超越与创新［M］. 北京 : 人民教育出版社 , 2001 : 328.

② 杜时忠 . 德育十论［M］. 哈尔滨 : 黑龙江教育出版社 , 2002 : 69.

第二，营造合理的制度环境，创设更为和谐的学校制度生活。首先，学校制度建设应努力实现生活与制度的融合。制度情境作为制度育德的中介之一，能够通过其建构把个体之外的他人纳入其中，同时包含时空、任务、事件等客观性要素以及学生个人状态等主观性因素。制度和情境的结合会生成道德元素，进而激活个体的道德心理。其次，道德的制度情境促使个体被激活的道德感外化为道德行为[①]。通过经历道德的制度化生活，学生可以不断提高自身的道德自觉，最终促进道德成长。这不仅对学生道德和人格发展产生积极的影响，也为学校德育的不断完善注入强大的生命力。最后，在创设制度情境时要注重隐性德育课程对学生道德发展潜移默化的作用。离开了制度环境的土壤，制度德育将失去赖以生长的基础。制度德育的思维方式是以良好的德育制度来创设良好的道德环境，渗透到人们德性形成的各个道德情境之中，让人们自觉体验和选择去做道德的人，这种影响远比枯燥的道德教育课更加深刻且长久，也比粗暴惩罚型的道德教育方式更有实效。

### （四）注重学生的参与品质

衡量学生参与品质的标准涵盖参与主体、参与形式和参与目标三个维度。简单而言，即学生为什么参与制度的建构和实施、如何参与和参与的程度三个方面。品质的提升依赖于学校管理者和教师观念的更新，也与学生参与制度建构的相关知识和能力息息相关。当学生们对眼前的学校制度抱有期待、失望或质疑等复杂的感情时，则会使学生产生改变学校制度的动力，制度德育正是要利用学校制度的使动性，让制度改造过程体现教育性[②]。学校教育制度尤其是学生管理制度或管理条例，是一个制定、认同、

---

① 刘超良 . 制度 : 德育的环境支持［J］. 教育科学 , 2004 (4) : 13 － 15.

② 崔永波 . 意外后果 : 制度德育的美丽风险——一种结构二重性的视角［J］. 教育科学论坛 , 2022 (16) : 76 － 80.

执行、评价、修正的完整过程，学校管理者不应把学生排除在这个过程之外，恰恰相反，应该本着程序正义、实质正义、学生参与的原则，把这一过程变成一个教育过程。因此，制度德育有一个很重要的特征就是互动生成性，是学生与学校制度的良性互动[①]。增强和提升学生参与制度建构的相关知识、能力和态度就显得至关重要。在知识方面，要了解制度及其特点、性质等相关知识，熟练掌握制度的制定、执行和修改的相关程序。关于制度建构的能力则包含人际沟通、协商、自我意愿的表达和与他人的沟通等。最重要的是对于制度的态度，“我们敬畏制度，不是因为惧怕制度的强制和惩罚，而是认同和维护制度所体现的人的价值和所代表的良好秩序的社会生活……参与制度建构，不是为‘作秀’、求‘表现’，而是‘表达’对公共生活的关切和期望……同时学会尊重他人的意见与权利，共同建构良好的学校公共生活”[②]。

制度的建设和实施需要注重示范性和教育性，扎实了解学生的参与品质。从现实情况来看，现代教育越来越重视学生参与，赋予了学生越来越多的教育权利。打破原本以学校、教师为中心的教育权力体系，积极听取学生声音是现代教育变革的大势所趋。在此背景下，学生有望成为学校制度德育实施过程中的行动者，可以与教师合作、与制度对话。首先，从发挥制度建构的教育作用出发，有选择性地引导学生参与学校德育制度的建构。可以有限选择与学生学校生活密切联系、直接关涉学生权利的制度，要公平、公开地选择参与者，丰富参与手段，并注重对在事件过程中出现的问题及时进行经验总结。其次，注重学生批判性思维和制度批判意识的培养。以合理的方式引导学生参与学校德育制度的制定，是学生获得品德自我发展的重要途径。如在班干部产生制度中，制度德育可以尝试班干部

---

① 崔永波．意外后果：制度德育的美丽风险——一种结构二重性的视角［J］．教育科学论坛，2022 (16)：76 − 80.

② 卢旭，李云．引导学生参与学校德育制度建构［J］．教育研究与实验，2013 (1)：26 − 29.

推荐、选举、轮流三轨并行的制度来改造现行不合理的制度，贯彻大众参与、民主参与、直接参与三项原则[①]。在此过程中，很容易形成一个学生自我激励、自我教育的良性机制，促进学生道德的养成。最后，道德的发展本身就是一个从“他律”到“自律”的过程，制度德育的最终目的也并非纯粹利用制度去约束学生或者使学生自觉遵守制度——那只是形式上的外在要求，而是让学校德育制度成为学生自我教育的重要资源，促进学生品德的自我发展。制度德育使学生在德育过程中真实的参与度得到质的提升，即学生不仅仅有接受制度德育的权利，而且具有了选择接受怎样的制度德育，甚至改变制度德育的权利[②]，呈现出更为主动的参与者姿态。在这样的过程中，崔永波指出学生的实践意识和话语意识在德育过程中充分表现出来。实践意识表现为学生遵守制度不仅仅是因为外部的动机所激发，还因为他们是制度德育的主体，而将遵守制度视作了一种例行化或者惯例性的行为，遵守制度的同时也是在维护自身的权利。而进一步来讲，遵守制度在学生眼里也不单单是“不知所以然”的惯例性行为，因为话语意识也通过学生的参与而被强化。话语意识表现为由于每个学生都将“自我”融入学校制度中，所以他们可以理解制度的合理性，并对其进行反思。在实践意识和话语意识的指导下，学生在制度德育中的反思性监控得以实现。反思性监控是结构二重性的重要概念，正是由于个体具有对自身行为和周围环境的反思监控能力，才使个体行动改变结构成为可能。

### （五）增强学校制度的执行力和监管力

道德的制度只有真正被严格执行，才是真实的、落到实处的德育资源。

---

① 谈心 . 制度德育初探［D］. 长沙 : 湖南师范大学 , 2007 : 21.

② 崔永波 . 意外后果 : 制度德育的美丽风险——一种结构二重性的视角［J］. 教育科学论坛 , 2022 (16) : 76 − 80.

提升学校制度的执行力，通过执行达到影响和规范学校生活的目的，从而发挥其规范行为、引导价值的作用。制度德育论认为，学校的制度并非天然合理或是一成不变，制度本身需要随着时间的推移和情况的变化不断完善和更新，使制度趋于合理。制度一旦形成，学校德育就必须不断地维持制度的反省，融入新的时代元素以趋于合理[①]。在制度的执行过程中，需要强化制度的监管审查，尝试通过建立考察制度、完善责任追究制度以促进制度体系的不断完善和科学化。首先，对于执行者和执行部门需要进行监督。执行者必须坚持原则，具有良好的解决问题的能力。其次，通过严格执行学校制度来促进学生的道德发展，消除不合理的潜规则。德育是一个较为复杂的工作，学校要制定科学且具有可操作性的实施方案，既要学生守纪律，又不能过度压抑学生的创新精神；既要让学生互相批评，还要合理考虑学生的自我评价。最后，对于制度的执行者——教师也提出了较高的要求，需要教师认同专业化、个性化的德育角色模式，其特征是德育对象观上有教无类、道德价值观上和而不同、道德教育关系上通情达理[②]。这种教师角色强调的是“互动滋养”的过程，学生、教师、制度之间相互作用、相互成就。学校制度的执行力和监管力的提升不能忽视学生的作用，学生凭借自身权利在学校制度的制约性与使动性作用下的行动也体现在两方面，即“学生一方面意识到自己是学校制度生活的主体，并且受到制度的制约，遵守制度成为维护自身权利的惯例化的行为。另一方面权利的赋予，也使其能够及时反思监控学校制度，并参与到学校制度的共建过程”[③]。

---

① 龙霞．知识德育、制度德育与生活德育的教学整合研究［J］．教育理论与实践，2017，37 (20)：19 − 21.

② 鲁洁．德育社会学［M］．福州：福建教育出版社，1998：178 − 179.

③ 崔永波．意外后果：制度德育的美丽风险——一种结构二重性的视角［J］．教育科学论坛，2022 (16)：76 − 80.

## 第三节　制度德育的实践探索

制度践行的实质是将制度所设定的学校教育生活的“蓝图”转变为现实，使学生不仅仅是遵从某种规范去生活，而是真实地生活在一种德性的环境中，从而实现其内在道德品质对自我的期望与外在道德行为及其结果的统一[①]。制度德育模式只有在学校实践中才能建立起来。随着制度德育模式理论研究的不断深入，其理论也逐渐与实践相结合。制度德育论认为，社会主义民主就是最好的制度育德[②]。这既是民主制度的教育实践，也是制度德育论所倡导的制度实践，可以概括为相互联系的四个方面：以培养学生的道德—民主能力为核心；以民主主义的理智方法实施教学；以“道德两难故事讨论法”切实提高学生的道德判断和推理能力；以“公正团体法”把学校建成民主社区。制度德育实践化的途径可以通过强制的规范对个体进行直接约束，也可以通过制度德育的核心价值和蕴含的潜在价值使受教育者接受并产生共鸣，或通过制度环境稳固学校的物质基础。

杜时忠教授对学校制度生活从两个层面进行了考察：一方面是对学校制度生活的总体批判，另一方面是对学校制度制定与执行的批判。通过实证研究，他指出当前学校生活存在的弊端与不足，如学校制度生活的主体单极化，边界的扩展、调控因素的疲软以及目的的工具化等问题。在以 H 学校为例的实证研究中，他以该校的《学生违纪处罚条例》为例，发现该校制度在制定和执行的过程中存在着缺乏明确的程序、过程不完全公开、缺少学生的参与、各主体地位不平等的问题，难以发挥制度的育人功能。

---

① 卢旭，李云 . 引导学生参与学校德育制度建构[J]. 教育研究与实验，2013 (1)：26 – 29.

② 崔永波 . 意外后果：制度德育的美丽风险——一种结构二重性的视角 [J] . 教育科学论坛，2022 (16)：76 – 80.

同时，学校制度体现出强烈的规训特点，主要通过时间控制、空间分配、层级化监视、考试与排名等方式实现制度的规训性[①]。

目前，关于制度德育模式的实践探索的绝大部分研究集中在“学校德育制度的现状与反思”方面，以下仅就几个比较具有代表性的研究进行概括说明。刘超良在《学校德育制度现状的调查分析》中，通过对教师和学生进行调查，从学校制度的制定、执行、实施效果以及创新四个方面入手，深入分析了学校德育制度的现状。蔡佳辰的《我国学校德育制度问题反思与探讨》和陈嘉丽等人的研究聚焦于高校的德育制度，从不同学校的学生对制度的认识、参与程度等方面出发，对高校的制度进行德性分析，指出当前制度在制定上存在非公平性、目标制定和现实实施的错位性、制度与新型德育制度的相悖性、制定实施过程中的形式化以及学校制度人性化不足的缺陷。在对中职学校、高校德育制度的探索中，《中职学校德育管理制度研究——以河源市为例》指出当前中职学校的德育管理制度在管理观念、社会支持以及评价标准的制定等方面需要创新和改革，《学校制度的德性思考——基于广州地区的部分高校的调查分析》从实践调查的角度提出了一些应对制度德育问题的解决策略。刘任丰在《学校制度的道德审视及其改造》中通过对具体学校的实证研究，对当前学校制度进行了道德审视，分析了学校制度存在的缺陷以及对德育的负面影响，并尝试提出学校制度进行德性改造的具体建议。崔永波在结构二重性的视角下审视制度德育，探讨宏观的学校制度与学生个体的关系，指出学校制度对学生来说具有“制约性”和“使动性”，在此基础上进一步分析学生作为制度德育行动者的行动逻辑以及所引发的“意外后果”——由学生行动所引发的“意外后果”，即“制度判断代替道德判断”“制度共建助力道德成长”“学生主权消解学校权威”，对于制度德育来说是美丽的风险，需要教育者在实

---

① 杜时忠．重构学校制度生活 培养现代公民精神［M］．武汉：华中师范大学出版社，2016：100.

践中提升风险意识。

制定道德的、切实可行的制度应从以下方面入手：第一，建立平等表达、民主参与的机制，让学生参与制度的制定，增强制度生成过程的民主性。制度的制定与实施主要是为了学生道德的健康发展，只有尊重学生的意愿、得到学生的认可和支持、符合学生身心发展特点的德育制度，才能发挥其应有的作用。第二，德育制度应人性化，德育制度的制定应坚持以学生为本的原则，以促进学生全面发展为导向。一套健康的德育制度不仅能够对学生的行为进行有效规范，还能够为学生自由而全面的发展营造宽松、和谐的环境。第三，有效的德育应来源于生活，回归到生活，德育制度应贴近学生生活，与学生的生活相融合，使学生在生活的过程中领悟制度的规定，践行制度规范。第四，教师是学校德育制度制定与实施的主体，引导教师转变教育观念，调动教师开展德育工作的积极性，是实现学校德育制度创新的关键。

制度德育通过“不断完善的道德的制度培养道德的人”的理念，在一定程度上填补了传统校园德育的不足。然而制度德育的理论体系仍需完善，如随着制度德育模式的理论研究不断深入，实践支撑和实践经验不足的问题也逐步显示出来。“制度德育论发展到今天……一个重要的不足在于缺乏教育事实和行动的支撑。”① 因此，制度德育在新的时期要坚持回归实践的研究取向，逐步提升制度德育在现代教育中的实效性。

制度德育在实践中遇到的问题，源于制度自身的客观性、强制性、稳定性、长期性等特性，它对于制度发挥育德功能的作用是有一定限制的。制度德育应与道德生活相整合，与其他道德生活因素和道德教育途径结合起来，使受教育者在道德的生活中实现对道德生活的体验、建构、创造与提升。随着社会的发展和社会制度的不断完善，制度德育在理论研究与实

① 杜时忠. 制度德育研究的缘起与发展路向［J］. 教育研究与实验，2010 (1)：23 − 25.

践探索方面也在不断发展。我们也可以期待，伴随着整个社会的制度体系和学校教育制度体系的不断完善，我们可以更好地通过道德的制度来培养道德的人。

# 第七章
# 公民道德教育的兴起与发展

## 第一节　公民道德教育研究的缘起

“公民”这一概念在西方有着悠久的历史，但对中国而言是一个西方文化的舶来品。20世纪初，公民概念随着中国政治文明的发展、中西文化交流的加深而进入国人的视野。随着对公民以及公民教育研究的深入，我国教育工作者逐渐对公民道德教育产生了浓厚的学术兴趣。同时，推进新时代公民道德建设是中国特色社会主义建设的重大治国方略，是中国社会现代化发展的必然选择，也是推动传统道德教育走出困境，解决公民精神缺失、培养时代新人的重要路径。这推动了当代中国公民道德教育研究的兴起和发展，并对教育理论和实践领域都产生了愈益重要的影响。

### 一、社会的转型要求开展公民道德教育

改革开放以来，中国社会发生了翻天覆地的变化。随着市场经济的发展、国家治理方式的转变、全球化浪潮的推进，尤其是西方公民文化的引入与新的社会关系结构的形成，导致中国道德文化中新旧要素并存并相互

制衡、相互影响。在此过程中，我国的公民社会也逐渐成长起来，国外的公民道德教育思想和实践也愈益影响到我们，包括西方公民道德教育中的民主、平等、自由、权利、法治、公正等价值理念，逐渐为我国道德教育的改革提供了一定的价值导向作用。市场经济的发展也带动了政治、经济、文化、教育等的革新，促进了社会生活全方位的发展和变迁，民主、平等、法治等观念逐渐深入人心。在传统中国社会，没有实现国家与社会、个人的分离，个人是从属于国家的，是国家中的“子民”，不同于西方的公民概念[①]。公民道德相对于我国传统道德而言是一种新的道德范型，它反映了社会生活的新的属性，即个人权利的法律保障和人格上的人人平等[②]。公民道德注重权利与义务的统一，而中国传统文化中的社会关系是讲交情、攀关系。中国传统文化以私德为中心，缺少公德思想和公民精神，主要关注个人的义务范畴，无论是“五伦十义”还是“三纲五常”都是义务性的规范，导致权利与义务处于严重的失衡状态。随着我国市场经济的发展、法治观念和法治精神的不断深入发展，缺少公德思想和权利意识的传统道德教育思想显然已经不能适应社会发展的需要，公民道德教育获得了越来越多的关注，在整个理论研究和实践领域产生了越来越广泛的影响。

## 二、国家政策引导作用的发挥

2001 年 9 月，中共中央颁布了《公民道德建设实施纲要》，第一次使用“公民道德建设”概念，这是一部具有重大意义的文件，它基于我国经济政治改革和社会道德生活的新变化，进一步凝练和提升了以往关于道德建设的思想和举措，明确了公民道德建设的方向、目标、主要内容和具体举措。这是新世纪公民道德建设的纲领性文件。此文件发布后，公民道德

① 李建华．权利意识：公民道德教育的核心［J］．现代大学教育，2002 (3)：23－24.

② 同①.

教育成为焦点话题，日益受到社会各界的关注。随着教育研究者对公民道德教育的内涵、历史地位、举措以及相关概念的辨析等方面的深入研究，公开出版的书籍和公开发表的期刊论文有了大幅的增长。党的十八大以来，以习近平同志为核心的党中央高度重视公民道德建设，强调中国特色社会主义进入新时代，广大人民群众对公民道德建设提出了新要求，为了适应新时代的发展需要，我们应不断提升公民道德素质，促进人的全面发展，培养和造就担当民族复兴大任的时代新人。2019 年 10 月，中共中央、国务院印发了《新时代公民道德建设实施纲要》,对公民道德建设的总体要求、重点任务等进行了全面的总结和概括。该文件的出台推动了教育学者们对公民道德教育的关注，对全国公民道德教育的相关研究及实践活动起到了纲领性的指导作用。

## 三、对传统德育模式的反思

中国是一个有悠久道德传统及德政和德教传统的国家[①]。深厚的历史积淀为中国的道德教育奠定了坚实的文化基础和伦理道德的基础，但是，传统的历史积淀也会带来一定的文化负担及教育负担，它对于培养新时代公民也存在着一定的文化阻碍。显然，传统道德教育的目标过于理想化、泛政治化，疏离于儿童的生活世界；道德教育的内容也过于教条化，不利于培养学生的反思批判意识与能力；道德教育的方法存在着过度灌输的弊端，压抑了学生的主动性、自主性和独立性；道德教育的手段具有强制性，要求学生无条件服从。这些都导致传统道德教育在培养学生的主体精神、民主意识、权利意识及参与精神等方面存在着一系列的问题。因此，为了更好地回应新时代的发展需要，促进社会主义政治、经济、文化的整体发展，

① 刘梅.公民的本质精神与公民道德教育的建构[J].华南师范大学学报(社会科学版)，2005 (2) : 104 − 111.

学校道德教育有必要重新反思和改造传统道德教育模式的弊病，围绕着新时代公民道德建设的总体要求及建设目标推进公民道德的培育，提高学生的公民素养，促进学生公共精神的健全成长。通过公民道德教育的推进和实施，可以更好地培养学生的主体精神，形成学生良好的权利意识和责任意识，从而培养满足新时代需要的公民人格。

## 第二节　公民道德教育的核心理念建构

### 一、公民道德教育的概念内涵

国内不少学者认为公民道德教育是一种以公民权利为重点、强调权利与义务辩证统一的教育活动，其核心任务在于培养公民的权利和义务意识。比如，戚万学教授谈到，公民道德教育的使命是推动中国社会的健康生长，培养公民的边界意识、义务意识、良好的行为举止等公民道德素养。“一个以成熟公民为基础的公民社会，一定是强调权利与义务相辅相成的和谐社会。同样，对于……公民道德教育来说，既要培植未来公民的权利意识，更要培植他们的道德义务意识、责任意识，二者不可或缺。”[①] 曹辉教授指出：“公民道德教育是以公民的本质特征为基础和核心而建立起来的教育目标体系。公民道德教育从本质上说是以公民的基本权利和义务为前提，以人与人之间普遍的契约关系作为要求的‘平民教育’。”[②] 他认为平等、自由、

① 戚万学．中国公民社会的成长和公民道德教育的使命［J］．教育研究，2015 (11)：14－19.

② 曹辉．公民道德教育的三个基本理念［J］．中国教育学刊，2005 (7)：29－31＋40.

和谐是公民道德教育的基本理念，公民道德教育的第一要务就是培养公民意识、公民能力和公民观念，其中公民意识包括独立意识、责任意识、法制意识、主体意识等。李建华指出，权利意识是公民道德的核心内容，权利意识“不仅是指对自身权益的维护，更重要的是要明确，尊重和维护他人权利是社会每一个公民应尽的义务”①。

当然，也有学者主张公民道德教育是一种促使人们履行公民义务，将规则内化于心、外化于行，培育人的公共品德和公共精神的教育活动。“公民道德教育的核心在于把公民在公共生活领域内的行为准则内化为公民意识，成为其自主行为的一部分。所以，公民道德教育并不属于私人道德的范畴，而是公民在参与国家活动、公共生活时表现出来的公共性要求。”②因此，有的学者指出，道德教育、公民教育和公民道德教育是相对独立的概念。公民教育包括公民权利教育和公民义务教育，公民道德教育则是公民教育的一个重要维度，它关注的是个体在公共领域中的道德行为，“公民道德应该是一定国家为了维护国家和社会的整体利益对具有本国公民身份的人所提出的其在国家和社会公共生活中的基本道德要求”③。因此，公民道德教育侧重点在于“社会公德”和“国民公德”。“社会公德”包括遵纪守法、维护社会秩序、维护社会正义、爱护公共设施等；“国民公德”则包括热爱祖国、捍卫宪法和民主制度、维护国家利益和安全、维护民族尊严和团结等。不管是“社会公德”还是“国民公德”，都强调了公民义务的履行。

综上所述，笔者认为，公民道德教育在强调培育个人自由和权利意识的同时，也十分重视培育个人对他人和社会的自觉的责任意识。通过权利

---

① 李建华．权利意识：公民道德教育的核心［J］．现代大学教育，2002（3）：23－24.

② 魏开琼．论公民教育与公民道德教育［J］．河北学刊，2004（3）：205－207.

③ 肖群忠．“公民道德基本规范”新探［J］．南昌大学学报（人文社会科学版），2004，35（3）：1－4.

与责任的辩证统一，公民道德教育培育了人的健全人格，促进新时代公民的成长。

## 二、公民道德教育的核心理念

公民道德教育旨在培养具有良好的权利和义务意识、具有良好的道德品质和参与公共生活的能力与品质的公民。公民道德教育倡导建立公共契约，并引导公民共同遵守契约，以打造良好的道德风尚。新时代公民道德建设既要继承和弘扬中华民族的优良道德传统，又要与时俱进吸收和借鉴西方公民教育的内容，从而促进具有中国本土特色的公民道德教育理念的发展。

### （一）公民道德教育属于公共范畴

公民道德教育旨在培养有道德的社会好公民，一方面，人们不仅应具有良好的道德品质和道德素养；另一方面，人们也应具有良好的公民素质，在公共生活领域是一个合格的公民。"公民道德教育并不属于私人道德的范畴，而是公民在参与国家活动、公共生活时表现出来的公共性要求。"[①] 相比于道德教育，公民道德教育更加强调培养公民的公共品格、公共参与精神和公共参与能力，包括社会公德、职业道德和家庭美德，其落脚点在公民。

### （二）公民道德教育强调公民权利与义务的高度统一

公民是社会和国家的主人，既享受社会的福利，也要承担相应的社会责任。"公民权利与义务的统一是真正公民社会的本质要求……权利与义务是构成一个社会共同体生活的规范体系，这种规范体系基于公民社会成

---

① 曹辉．新中国60年公民道德教育的研究与反思［J］．伦理学研究，2009 (5)：1 − 5 + 34.

员相互关系的要求，以及公民社会的组织需要，同时是保障社会成员获得公正性地位的前提。”[①]公民道德教育不仅要使人们明确自己作为公民所拥有的权利，做到知法懂法守法用法，引导公民理解每个公民都享有宪法和法律赋予的权利，同时也要求人们必须履行宪法和法律规定的义务，要自觉地承担义务。权利和义务是对等的关系，普遍的义务是普遍权利的支撑，只有权利与义务相统一，并处于和谐状态，才能建构讲求民主、公平、正义的社会体系。

### （三）公民道德教育倡导人们共同遵守道德契约

“在充满竞争的现代社会，法律、制度、契约成为维护公共生活正常运转的不可或缺的基本规范。”[②]社会由公民组成，公民之间是一种普遍的契约关系，公民共同遵守契约，践行契约精神是社会健康运转的必要条件。“契约关系的最高表现就是国家的法律规范，公民社会里国家的权力、人们间的权利义务关系都在其中得到体现，‘法律至上’是公民社会一种普遍的观念意识。”[③]用法律作为保障，有助于公民遵守契约精神，践行契约规定。同时，公民道德教育还主张面向全体公民设立道德的底线，引导公民共同遵守，以达到共生共存的和谐状态。

### （四）坚持将继承中华民族的优良道德传统与公民道德教育相结合

“千百年来，中华民族流传着许多传统美德，天下为公、先人后己、见义勇为、舍生取义、热爱祖国等等，这些都是我们在加强公民道德建设

① 曹辉. 新中国60年公民道德教育的研究与反思[J]. 伦理学研究, 2009 (5) : 1 − 5 + 34.

② 刘梅. 公民的本质精神与公民道德教育的建构[J]. 华南师范大学学报(社会科学版), 2005 (2) : 104 − 111.

③ 曹辉. 公民道德教育的三个基本理念 [J] . 中国教育学刊, 2005 (7) : 29 − 31 + 40.

过程中可资借鉴和利用的资源。”①继承和弘扬优秀传统文化，取其精华去其糟粕，是开展公民道德教育的基底，尤其要深入挖掘传统思想的精华，以此来充实公民道德教育的内容与形式。同时，还应将中华传统美德与时代发展需要相结合，既满足社会发展与转型的需要，又能弘扬中华民族的优良道德传统，振奋民族精神。

## 第三节　公民道德教育的实践探索

中国的公民道德教育起源于近代引进西学的思想热潮，由于缺乏稳固的研究基础，经历了一个相当漫长的探索期。一直到新中国成立以后，尤其是到了改革开放以后，伴随着社会经济、政治、文化的发展，公民道德教育的理论研究与实践才快速发展起来，国家课程中也逐渐加入了关于公民道德教育的内容。进入 21 世纪，在国家政策的鼓舞下，德育学者们怀着极大的热情投入公民道德教育的研究，公民道德教育的课程标准研制、课程与教材的建设也取得了一系列的成果，推动了我国公民道德教育的发展。

### 一、公民道德教育的课程教材建设

改革开放以后，我国中小学的公民道德教育发展经历了两个重要阶段。第一个阶段是从 1980 年至 2000 年，物质的逐渐丰富为公民道德教育提供了实践的土壤。《中华人民共和国宪法》（1982 年）突出了公民基本权利的重要性，强调公民权利与义务的统一。这一时期，中小学公民道德教育课

---

① 崔永学．公民道德教育的若干问题研究［J］．教育评论，2012 (3)：78 － 80.

程强调以“五爱”为核心的社会公德。小学开设思想品德课，中学加强宪法学习①。1986 年中央强调培育“四有公民”，在小学四到六年级随后开设了公民教育的综合性课程——“社会”。1988 年《初级中学〈公民〉改革实验教学大纲》颁布，开始在中学开设“公民”课，进一步强调公民的权责教育和道德教育②。

第二阶段是从 2000 年以来至今，它围绕培育和践行社会主义价值观，突出了民主法治、公平正义、诚信友爱等公民道德。2001 年，基础教育课程改革开始推进，教育部颁布的“品德与生活”“品德与社会”“思想品德”等课程的课程标准强调增加青少年参加公共生活的机会，为其成长为社会主义合格公民奠定坚实的基础。2002 年颁布的《基础教育课程纲要》对德育课程做出了具体的调整和规划。小学低年级开设“品德与生活”，小学中高年级开设“品德与社会”；初一开设“青少年修养”，初二开设“社会发展简史”，初三开设“法律常识”；高一开设“政治经济常识”，高二开设“辩证唯物主义常识”，推动了中小学的公民道德教育。

2011 年，教育部颁布了新修订的《义务教育品德与生活课程标准（2011 年版）》、《义务教育品德与社会课程标准（2011 年版）》和《义务教育思想品德课程标准（2011 年版）》，这是经过近十年的实践检验并修订而成的，进一步确认了自 2001 年以来基础教育课程改革的方向和各项举措。以《义务教育思想品德课程标准（2011 年版）》为例，新修订的课程标准遵循原课程标准的结构不变，课程理念、课程性质和实施建议基本未变，合理增加了科学发展观、公民意识教育、生命教育和核心价值体系等内容，把学生生活实际与思想品德相联系，注重把正确的理论和思想引导与学生自主探究、独立思考结合起来，把思想品德教育渗透在日常生活和公共生活的

① 王文岚，黄甫全．我国公民教育课程发展的回顾与展望［J］．学术研究，2008(11):145-151+160.

② 同①.

规则教育之中[①]。与此同时，此次修订更加注重关注学生的公共生活，重视养成学生的公共精神，使得公民的公共精神观念进一步引起了教育学者和一线教师的广泛关注、研究和讨论[②]。

从 2016 年 9 月起，义务教育小学《品德与生活》《品德与社会》和初中《思想品德》教材名称统一更改为《道德与法治》，进行了一体化设计。2017 年开始，国家统编版《道德与法治》教材在全国正式投入使用。这次教材名称的变更是为了落实《中共中央关于全面推进依法治国若干重大问题的决定》中的“把法治教育纳入国民教育体系，从青少年抓起，在中小学设立法治知识课程”这一要求。通过《道德与法治》教材的编写和实施，进一步培育了学生的公民意识及法治观念，培养了他们的法治信仰和公平正义意识，使尊法学法守法用法成为人们的共同追求和自觉行为。

2022 年 4 月，教育部印发《义务教育课程方案和课程标准（2022 年版）》。此次新修订的课程方案和课程标准强调，要大力推进教育教学改革，转变育人方式，切实提高育人质量。此次修订的主要变化之一是优化了课程设置，将《义务教育品德与生活课程标准（2011 年版）》《义务教育品德与社会课程标准（2011 年版）》《义务教育思想品德课程标准（2011 年版）》这三个课程标准进行了一体化设计和系统性衔接，总体变更为《义务教育道德与法治课程标准（2022 年版）》。《义务教育道德与法治课程标准（2022 年版）》强调，“道德与法治”课程是落实立德树人根本任务的关键课程，课程具有政治性、思想性和综合性、实践性等基本属性。在课程理念上，该课程标准提出要培养学生的政治认同、道德修养、法治观念、健全人格和

---

① 赵聪.《义务教育思想品德课程标准 (2011 年版)》的新变化[J]. 北京教育学院学报，2012,26 (3) : 6.

② 李敏，张志坤. 公共精神的新德育目标分析及其教学实现：对《义务教育思想品德课程标准 (2011 年版)》中“公共精神”的解读[J]. 课程·教材·教法，2017 (2) : 7.

责任意识五大核心素养，使学生通过课程学习逐步形成正确的价值观、拥有必备品格和关键能力。

总之，义务教育道德与法治课程标准的修订和完善、课程教材的建设和实施工作为新时期的公民道德建设提供了重要的课程基础、教学基础和教材保障，对于培育青少年学生的公民意识及公民道德品质具有重要的作用。

## 二、学校的公民道德教育实践

学校是公民道德建设的重要阵地，承担着公民道德教育的重要职责，一些学校从课程、活动等途径着手开展公民道德教育实践。有学者从课程目标、课程实施原则、课程实施内容及计划和课程实施要求等方面对我国公民道德教育课程的现状进行了阐述，并对实践进行了反思：一是我国公民道德教育应当立足于中国社会与文化的基础，继承和借鉴相结合，不能简单采取“拿来主义”；二是要培养教师“公民道德修身课程”的教育能力，教师不仅要有专业知识，还需要具备国家民族意识和社会责任意识，具有正确的人生观、价值观和世界观以及良好的个人道德修养；三是公民道德修身教育要走出以下误区，即将公民教育和思想道德教育对立起来和将公民教育狭义地等同于公德教育[①]。江苏省盐城市田家炳实验小学的王书娟总结了开展公民道德教育的实践经验：一是将品德课课程教学与班级生活、班级活动结合起来，在班级生活中渗透；二是通过少先队活动潜移默化地提升学生的公民道德意识；三是在家庭生活、课堂中形成公民道德意识；四是在重大节日中增强学生的民族自豪感、责任感；五是在实践感悟中提升，在实践中体验自己在公共场所中的角色，养成良好的公民道德行

① 周凤林．开设“公民道德修身课程”的实践与思考［J］．思想理论教育，2010 (10)：53 – 56.

为习惯，争做文明小公民。苏州市敬文实验小学开展了丰富多彩的小公民道德建设活动，推进公民道德教育活动进家庭、进社区、进公共场所，鼓励学生自主参与[①]。邓达、孔凡胜通过对我国中小学公民道德教育实践历程进行分析，对公民道德教育实践新路径进行了思考，提出“在实践中通过公民道德教育促进公民身份认同”“开发和利用民族道德文化的传统资源，保持公民道德教育的文化特色”“在实施公民道德教育中，增强公民批判性思维”[②]。扬州市汶河小学开展了五年级的小公民道德实践活动，各班围绕一个问题进行，例如在红绿灯处增加凉棚问题、宠物主人不及时清理宠物排泄物问题、物业缺乏监督问题、广场舞扰民问题、共享单车的管理问题等，通过调查、走访、查阅资料、采集问卷、云采访、发放倡议书、横幅签名等形式让学生走出校园、走进社会、关注民生，旨在扩宽儿童视野，提升公民素养。

此外，研究者还以省为单位对公民道德教育进行了调查与研究，如葛舒阳和朱悦怡对江苏省各个市的公民道德教育实践进行了系统总结：一是精心组织公民道德教育实践活动；二是以思想引领公民道德教育实践活动；三是以行为助推公民道德教育实践活动。[③]也有一些研究者针对教师群体的公民道德教育信念进行了调查，如马莹、于建营通过调查总结出教师公民道德教育信念存在的几个问题：一是教师普遍认可道德教育的重要性，但其对于道德教育之个体功能认同度相对偏低；二是道德教育社会功能的认同度偏低，使得很多教师对新型公民道德教育之意义与内涵、目标与任务缺乏足够了解与理解，部分教师的公民道德教育敏感性与教育意识不足；

---

① 潘娜，王彦文．公民道德实践活动为学生插上腾飞的翅膀［J］．江苏教育研究，2010 (4) : 3.

② 邓达，孔凡胜．我国中小学公民道德教育实践检视［J］．四川文理学院学报，2010 (4) : 111 – 114.

③ 葛舒阳，朱悦怡．江苏公民道德教育实践活动的特色与经验探析［J］．常州大学学报（社会科学版），2016 (3) : 46 – 51.

三是教师缺乏对各学段学生道德发展层次目标的认识与关注[①]。对此，他们提出应提高师范生和在职教师的公民道德素养，在职前职后教育中增加道德教育理论与实践课程，制定系统化、可测的公民道德教育目标等建议。

① 马莹，于建营．陕西省中小学教师公民道德教育信念现状与提升对策［J］．咸阳师范学院学报，2016，31（2）：96－99.

# 第八章
# 其他德育理论的探索与进展

除了上述各章所阐述的德育理论之外，近些年来德育领域还相继兴起了其他一些具有较大学术影响和社会影响的德育理论模式，包括主体性与主体间性德育、交往德育、生命德育等。这些德育理论都坚持以人为本的教育理念，尊重人的主体地位，强调培养人的主体精神及生命意识，促进学生人格的全面发展。主体间性德育主张在主体性德育的基础上，进一步打破主客体二元对立关系，形成主体间的关系，促进学生道德人格的培育；交往德育则重视人与人、教师与学生之间的交往、沟通与对话，形成更加和谐的师生关系，构建更加有效的德育模式；生命德育则主张唤醒生命意识，帮助个体重新建构、实现生命的意义与价值。这些德育理论都极大地拓宽了道德教育的理论视野，为培育全面发展的人提供了新的路径和思考。

## 第一节　主体性与主体间性德育的探索

我国教育理论从 20 世纪 80 年代开始讨论“教育过程中的主客体关系”问题，到 90 年代以后则开始深入探索“教育的主体性”与“主体性德育”主题。新世纪以来，主体性德育的理论研究与实践探索蓬勃开展，尊重学生在德育过程中的主体地位，培养并发挥学生的主体性已经成为德育理论研究者和实践工作者的一致共识，主体性德育成为指导当今基础教育课程改革和实施素质教育的核心理念[①]。主体性德育模式突破了灌输式的传统德育模式，承认并肯定了学生的主体地位，是我国德育研究中的重大进展，具有重要的理论与实践意义。但是，主体性德育自身仍然存在着一定的问题，如果一味地强调主体，"极易导致以极端个人主义、相对主义为基础的放任主义"[②]，进而导致师生矛盾和冲突加剧，相互对立和排斥，师生关系紧张，不利于师生之间形成平等、互助、和谐的主体交往实践关系，使道德教育的开展陷入困境。对此，在反思和超越主体性德育模式的基础上，教育研究者提出了主体间性德育模式，使德育从单一的主体性转向了交互式的主体间性。主体间性德育是对主体性德育的批判与反思、超越与发展，它对于进一步拓展主体性德育的空间、推动形成主体间的交往实践关系具有重要作用。

## 一、主体性德育的兴起与发展

传统德育模式过度强调德育的社会价值，以灌输为主要的德育方式，致使学生知行分离、智德脱节，主体精神被压抑甚至被抹杀。随着社会的进步与教育的发展，个体的主体意识逐渐觉醒和增强，传统德育模式逐渐显示出不能适应时代发展和社会转型需要的弊病，承认、尊重和重视人的主体性日益成为时代发展和教育革新的必然要求，构建新的德育理论体系也越来越迫切。为此，20 世纪 80 年代末 90 年代初开始，我国教育领域对主体性教育的关注度逐步提升。随着主体性教育理论的发展与完善，德育

---

① 冯建军 . 主体教育理论：从主体性到主体间性［J］. 华中师范大学学报（人文社会科学版）, 2006 (1) : 115 － 121.

② 张想明 . 主体性德育对灌输的拒斥与诉求［J］. 当代教育科学 , 2006 (2) : 40 － 42.

研究工作者逐渐对主体性理论产生兴趣，并将其纳入德育视野，提出了主体性德育模式，推动了德育理论与实践的革新。

### （一）主体性德育研究的缘起

主体性德育模式的提出不只是源于教育界对主体性理论的关注，也和我国社会的发展与转型、人们主体性意识的觉醒以及学校德育自身发展的内在需要密切相关。随着改革开放的深入与市场经济的高度发展，我国社会经济结构发生了深刻的变化。市场经济强调经济主体之间的地位平等、权利平等和自由竞争。“市场经济自主经营的原则激发了人的主体意识的生成，市场经济要求经济人充分发挥主体性，实行自主经营、自主管理、自我约束、自负盈亏。”[①] 市场经济尊重个体的主体性并鼓励个体发挥自主性和能动性的这一主张唤醒了人们的主体意识，激发了人们的积极性、主动性和创造性。然而，市场经济也具有盲目性、滞后性、自发性和逐利性等弊端，这些弊端的存在加速了人们物欲的膨胀，个人主义和利己主义成风，进一步加剧了市场经济主体间的不良竞争。为了保证市场具有良好的秩序，市场经济参与主体公平竞争、诚信经营，正确处理个人与集体间的关系，推动市场经济健康平稳地运行，亟须学校顺应时代发展和社会转型的需要采用主体性德育模式。通过采用主体性德育模式，激发并培养人的主动性和创造性，使之成为具有主体素养、主体精神和良好道德素养、道德能力的人。

同时，在社会主义市场经济高速发展的环境下，人们逐渐摆脱了传统血缘和地缘的人身依附关系，主体意识日渐觉醒，主体地位日益提高并被尊重，人们的个性得以张扬，主动性和创造性得以发挥，个人的权利和对利益等的需求得到了更多的承认与认可。受社会大环境的熏陶与影响，学

---

① 傅显捷，范云峰．高校主体性德育与大学生德育自我教育［J］．西南师范大学学报（人文社会科学版），2004 (1)：80 − 85.

生群体的自主意识也在日渐增强，能够意识到并认可自己的主人翁地位。但是，传统德育模式忽视了受教育者的主体地位，一味单向度地向学生传递空洞、乏味的教条和规范，束缚了学生的自主性，压制了学生的创造性，禁锢了学生的思想。尤其是在教学方式和手段方面，教育者主要采用灌输的方式进行道德教育。“灌输的一个根本特征就是强制，或者说是对行为者的主体性和理智能力的蔑视。”[①] 教育者高高在上，将学生当作被控制的对象和接收知识的容器，强调答案的固定性和唯一性，剥夺学生的话语权，违背了德育规律和学生身心发展规律，压抑甚至抹杀了学生的主体性，泯灭了学生的自主性和能动性。这与整个社会政治、经济、文化和教育的变革是相违背的。正是在此背景下，德育研究工作者提出了主体性德育的理念和模式，主张德育要承认学生的主体地位和主体权利，尊重学生的身心发展规律，唤醒学生的主体性意识，促进学生主体性人格的形成，使学生具备独立自主地思考、判断和选择的能力，引导学生能够自觉将道德规范内化为自己的道德信念，成为符合时代发展需要的主体人、道德人。

### （二）主体性德育的基本理念

主体性德育重视学生主体性人格的培养和发展，强调在德育过程中教师要尊重学生的主体地位，顺应主体发展的规律，培养学生的主体意识、主体精神和主体能力，以形成健全人格。同时，主体性德育也重视发挥教师的主导作用，主张教师充当学生成长的引路人，引导学生整全发展。

1. 主体性德育的内涵

主体性是生命的本质。人的主体性主要表现在自觉性、能动性和创造性三方面。所谓自觉性是指人具有自我意识，能够意识到自己作为主体而

---

① 陆有铨，戚万学．关于我国道德教育的几点思考［J］．华东师范大学学报（教育科学版），1990 (2)：11 − 19.

存在，能够自发地根据环境的变化自主、自愿地进行自我调整。能动性是指主体能够主动地、积极地认识世界和改造世界，而不是消极被动地接受。创造性意味着主体能够对理论和实践进行批判和创新，做到不唯上不唯书、不故步自封。主体性德育，既尊重学生的主体地位，也重视对学生主体意识的激发，强调培养学生的主体精神与主体能力。

德育研究者对主体性德育内涵的表述主要分为三类：第一类以学生为本位，尊重学生的主体地位，培养学生的自主能力，强调学生自我育德，拥有健全的人格。持有此类观点的研究者居多。例如卢勃认为“主体性德育就是指按照人的特性在德育的组织和实施中尽量发挥人的自觉性、自主性、能动性和创造性以培养主体性人格的过程”①。李颖认为“所谓主体性道德教育就是以尊重学生的主体性为前提，利用充分发挥学生主体性的教育方式，以形成学生真正自律的道德品质为目的的教育”②。周仁准和张平波认为“主体性德育就是在德育中树立促进人的全面发展的思想，以承认、尊重人的主体性为前提，以人的发展和完善为目的，按照人的特性在德育的组织和实施中引发受教育者内在的教育需求，调动和激发人的自觉性、自主性、能动性和创造性，以促进人的德育发展，培养主体性人格的教育活动”③。第二类学者以社会为本位，强调在实施德育的过程中既要尊重学生的主体地位和主体的发展规律，更要以社会发展的需要为标准，以培养适应社会发展的、具有自主能力的道德人，从而在社会中实现个人价值。例如马亚静认为“主体性德育就是引导学生主动地去认识自我、反省自我、寻求真理、完善人格，把自己塑造成为具有鲜明的个性特征和良好素质的

---

① 卢勃．德育过程主客体关系探讨：兼谈主体性德育问题［J］．思想教育研究，2000 (4)：20 − 22.

② 李颖．浅谈主体性道德教育［J］．中国高教研究，2001 (12)：57.

③ 周仁准，张平波．对主体性德育与灌输问题的思考［J］．安徽工业大学学报（社会科学版），2005 (3)：140 − 141.

社会个体，去面对生活、适应社会、创造人生，最大限度地实现自己的人生价值，使学生成为适应社会发展需要的高素质人才”[①]。第三类学者在强调适应社会要求和尊重学生主体的同时，也主张要发挥教师的主体性，以培养学生良好的道德品质。他们认为主体性德育是教育者和受教育者共同参与、互相交流的过程，德育活动的开展既需要发挥教师的主导作用，也需要激发学生的积极性、主动性，在教师和学生的共同参与、交互作用下培养学生的主体素养和道德人格。简单来说，该类研究者认为主体性德育是教师的启发、引导与学生的认知、体验、践行的交互作用的过程，也是教师的价值导向与学生的自主选择相统一的过程。例如李爱君和段国华认为主体性德育是“教师主体根据社会要求和学生身心发展规律，有目的有计划地组织各种德育活动，激发学生主体的能动性、自主性、选择性和创造性，通过师生双向平等交往、交流、对话、实践等形式，促进学生现有思想品德素质的自我完善与提高，把学生培养成为走向社会后具有自我教育能力、自我完善能力、自我发展能力的社会主体意识的人的教育实践活动”[②]。

2. 主体性德育的核心理念

主体性德育强调承认学生的主体地位，尊重学生身心发展规律，发挥学生的主体性，培养学生的主体性人格和良好的道德品质。主体性德育坚持以人为本，将学生视为德育活动的主体，认为德育过程是学生自主建构的过程，以培养学生的道德主体意识、主体精神、主体能力和健全人格为目标。

（1）充分尊重学生的主体地位

与传统的德育模式不同，主体性德育模式强调受教育者是道德教育的主体，反对传统灌输式、工具性的道德教育。主体性德育认为，学生的

---

① 马亚静．论主体性德育［J］．煤炭高等教育，2002 (3)：39 － 42.

② 李爱君，段国华．主体性德育浅析［J］．河北大学学报（哲学社会科学版），2006 (3)：99 － 103.

道德主体人格不是外在强制灌输的结果，而是在教师的引导下学生自主选择、主动内化的结果。道德品性的养成受学生主体性发挥程度的影响和制约，只有学生理解并认同道德内容，生发了道德情感，才有可能内化道德规范，形成道德动机和道德意志，践行道德行为，成为一个有主体性的道德人。如果教师一味采用说教的方式向学生灌输德育内容，将学生置于被动的地位，学生缺乏对授课教师、授课内容和授课方式的兴趣，其主体性也很难被唤醒和激发，德育内容更是难以入脑入心，道德教育也就难以产生积极的效果。对此，主体性德育主张，教育者要尊重学生的主体性和主体权利，尊重学生的身心发展规律和品德发展规律。一方面，要根据学生的年龄特点及思维发展、心理发展的特点和关键期确定德育内容，选择合适的德育方式与方法；另一方面，要尊重学生的个体性和差异性，允许并接纳学生具有不同性格、气质和学习方式，做到因材施教，拒绝戴着有色眼镜区别对待学生。主体性德育强调要承认并尊重学生的主体地位，教育者要走进学生、了解学生、关怀学生，从学生的切身需要和现实道德困惑出发，以激发学生的内在动力，调动学生参与德育活动的主动性和积极性，促使学生主动认同并自觉吸收、内化德育内容，形成良好的道德品质。此外，实施主体性德育，不能将德育活动局限在学生对德育内容的理解和掌握层面，还应关照到学生情绪的波动和情感的需要，满足学生的正当性情感需求，以此吸引学生的注意力和兴趣，激发学生的自主性、自觉性与能动性，培养学生积极的道德情感和坚韧的道德意志，促使学生知行合一、言行一致。

（2）重视教师主导作用的发挥

主体性德育强调尊重学生的主体地位，以学生独立自主的学习和自我教育为重要目标，但是，主体性德育并不否认教师在德育活动中作用的发挥。德育活动离不开教师的组织和设计，无论是践行课程标准还是实现教学目标，都需要教师的引导。如果一味地强调学生的主动性和个性需要，容易导致学生以自我为中心，致使学生道德发展偏航，出现道德认知不清晰、道德情感不显现、道德意志不坚定的情况。“主体性德育认为在主体性德育实践中教师和学生都是德育活动的主体，教师是德育中‘教育’‘引导’的主体，学生是自我育德的主体。”[①]学生是发展中的人，其认知发展水平和心理发展水平尚未成熟，学生的分析理解、独立思考和批判选择的能力仍需进一步增强，因而需要教师作为航向标，引导学生的道德学习和发展。主体性德育要求教师转变观念，放下颐指气使的姿态，“放弃传统的‘年龄主义’的居高临下式的师生观”,“摒弃强迫和反理性的教育方式”[②]。一方面，教师应从台前转向幕后，从道德的说教者、灌输者转为德育情境的创设者、德育活动的引导者，成为学生自我育德的引路人，与学生和谐相处，相互尊重、互相理解、相互信任。另一方面，要求教师通过引导、启发和互动等方式，激发学生的主动性，满足学生内在精神的需要，引导学生主动认可并接受德育的观念与内容，自觉践行道德规范和准则。同时，主体性德育活动的开展应当结合学生的生活实际，从学生的现实需要和成长困惑出发，创设适合的道德情境并设置相应的道德两难问题，为学生提供实践平台，在实践过程中培养学生的自主性、独立性和能动性，培育良好的道德素养和道德人格。

（3）以培养道德自我教育能力为重要目标

主体性德育将培养学生的道德自我教育能力作为目标之一。所谓自我教育“是指自育主体自觉按照德育的目标和要求，主动提高自身思想认识和道德水平以及自觉改正错误思想和行为的活动”[③]。自我教育活动是学生自我认识、自我反思和自我发展的过程。德育的过程本质上是学生在教

---

① 傅显捷，范云峰．高校主体性德育与大学生德育自我教育［J］．西南师范大学学报（人文社会科学版），2004（1）：80－85.

② 檀传宝．主体性德育：欣赏型德育模式论要［J］．深圳教育学院学报（综合版），1999（1）：13－17.

③ 张彦．高校德育主体的厘清与功能定位［J］．江汉论坛，2009（10）：131－134.

育者的引导下自主建构、自我发展和完善的过程，“每个主体德性的发展从根本上说，都是不断进行自我教育的结果，是主体积极自为的过程，是一个借助自己的智能努力探索，不断建构，从而达到自主、自觉的过程”①。学生作为德性实践活动的主体，应该“能在既有的社会规范基础之上，经过自己的理性思维，独立地进行正确的道德判断和选择”②，自主地调节自己的德行，在生活实践中完善自身的品德，丰富和发展社会的道德规范。培养学生的道德自我教育能力，关键在于培养学生的主体性素养，也即激发学生的自主性、能动性和自觉性，培养其主体意识、自主能力和创新创造能力，帮助学生形成道德判断能力、道德推理能力、道德批判思维和道德选择能力，从而也就达成自主自觉的道德自我教育。学生主体性素养的培育必须以承认和尊重学生的主体地位为前提，回归学生的生活世界，让学生在实践活动中理解道德内容，形成道德认同、道德情感和道德意志，践行道德规范，在实践体验中掌握道德分析、判断、选择等明辨是非善恶的能力，从接受教育走向自我教育，从被动学习转向自主建构，从而实现真正意义上的道德主体性。

## 二、主体间性德育的兴起与发展

21 世纪初期，我国德育工作者在借鉴西方主体间性哲学理论的基础上，对以教师为中心的主客体分离的德育模式进行了反思，同时也对以学生为中心的主体性德育进行了批判和超越，从而避免德育中的主客体二元对立思维。主体间性德育强调，德育活动中教师和学生都是主体，他们所形成的是主体与主体之间的平等交互关系，通过对话与交流相互理解、尊重彼

① 李爱君，段国华．主体性德育浅析［J］．河北大学学报（哲学社会科学版），2006 (3)：99 − 103.

② 王小燕．主体性德育的哲学思考［J］．江汉论坛，2004 (6)：55 − 58.

此，从而形成主体间性的交往实践，实现道德品质的健全发展。

### （一）主体间性德育研究的缘起

主体间性德育的兴起源于对主客体二分思维的批判和对单子式个人主体性的反思与超越。“主体间性”一词，是20世纪西方哲学史中一个非常重要的概念。它的提出旨在消解主客体对立和以主体为中心的主客二分思维。所谓的主客二分思维,一方面,其将教师与学生的关系机械地割裂为“主体”与“客体”对立的局面，片面夸大主体、边缘化客体，既歪曲了师生的关系，造成师生分离，隔阂增加，也造成了师生之间缺乏尊重，缺少情感和精神层面的交流与对话，矛盾与冲突不断增加。另一方面，主客二分思维过分强调主体的地位和权利，一切以主体的需求为中心，导致主体权利膨胀，依照个人意志行事，排斥他者，试图支配和占有客体，致使客体的地位被压制，权利被抹杀，德育实效性堪忧。

目前，主体性德育的实践中存在着教师中心论和以学生为中心的主体性德育模式两种错误倾向。“一种是表面上举着主体性德育的大旗，但学生只是形式上的主体，实质上仍是由教师掌握着‘话语霸权’；另一种是以目标代替现实，把学生作为现实的主体，认为学生可以自我教育，因而放弃了教师应有的价值引导职责，放任学生的各种行为。”① 可以看出，第一种错误倾向实质上是传统德育中的教师中心论，教师高高在上，学生成为被动的一方；第二种错误倾向是以学生为中心的主体性德育模式，否定教师的主体性，将教师的主张、建议等束之高阁。事实上，两种倾向归根结底都是名义上打着遵循主体性原则的旗号，实质上却在践行着主客二元对立的思维，“最终都使教学交往成为主体性原则规范和支配的交往。主体总是体现出自身相对于客体的优先性……将交往的他者视为与教学内容

---

① 张鲁川．主体性德育：提升德育实效的路向：上海市徐汇区实施主体性德育的实践与思考［J］．思想理论教育，2007（10）：26－30.

或环境一样的物化的存在，试图通过张扬自己的主体性而否定和湮没交往的他者的主体性，从而以自我的自由和自主使他者处于被动和依附”[①]。要想克服以主体为中心、将客体边缘化的弊病，回归尊重主体权利与地位、师生平等对话与交流的德育模式，必须打破师生二元对立思维，践行主体间性德育模式。具体来讲，主体间性德育的兴起有以下几方面的原因：

首先，主体间性德育是对以教师为中心的传统德育模式的批判。传统的德育模式以教师为中心，强调教师的权威性，学生被看作德育活动中没有生命力的客体，要绝对服从和践行教师的命令。这种德育模式过分强调教师的地位和权利，贬低学生的人格，践踏学生的尊严，不仅不利于师生关系的和谐，更不利于学生健全人格的发展。第一，师生地位不平等，教师居高临下，处于支配地位，学生处于被支配的地位，学生被物化为被教师管束和灌输的工具，被当作装载道德知识和规则的容器，压抑了学生的生命活力和学生的能动性。第二，教师拥有绝对的话语权，德育过程变成了教师说教式的独白，教学成为了教师的一言堂。同时，教师还强制学生必须服从教师的领导和指挥，全盘接受教师讲述的内容，不得质疑教师的言论和行为，“导致教育活动呈现出一种单向的输入与输出的线性关系”[②]，学生成为了装载知识的机器。第三，“传统德育教学模式更多地是一种道德知识、规范的传授、灌输和训练”[③]。在此过程中，教师和学生之间只是单纯的知识的传递和输入，师生内心封闭，缺少交往和互动，缺乏情感的观照和精神的交流，缺少对道德内容、规则和标准的分析和探讨，使学生难以理解道德及其规范，从而无法产生道德认同，更无法激发学生对道德

① 刘要悟，柴楠．从主体性、主体间性到他者性：教学交往的范式转型［J］．教育研究，2015（2）：102－109.

② 王鹏．主体间性师生关系的建构：学校德育困境的现实转向［J］．教育探索，2011（1）：123－124.

③ 马荣幸．主体间性德育教学模式论析［J］．扬州教育学院学报，2014（2）：57－59.

的热情和追求，甚至使学生排斥道德，造成学生道德人格的发展受阻。显然，德育是关于人的活动，道德是在人与人交往互动的过程中存在和生成的，人是有意识、有情感、有理智、有思想的生命，人与人之间是平等的，应当相互尊重和理解，而非彼此互相利用的工具，更不是被他人任意支配的提线木偶。由此看来，以教师为中心的传统德育模式恰恰否定了人的生命性和主体性，剥夺了他者的权利和尊严。主体间性德育的提出，正是对于主客体二元对立德育的反思和超越。德育不是孤立的个体活动，而是主体与主体之间的平等交往活动，只有在师生之间建立起平等而真诚的交往，才能使学生知行统一，培育真正有道德的主体人。

其次，主体间性德育也是对以学生为中心的主体性德育的超越。针对教师的一言堂抹杀学生主体性的弊病，德育工作者以主体性理论为依据，提出了以学生为中心的主体性德育模式。此种主体性德育模式认为学生是德育活动中的主体，强调在德育活动中尊重学生的人格和主体地位，培养学生的自主性、能动性、独立性等品格和能力，最终实现学生自觉育德，培养道德健全的主体人。以学生为中心的主体性德育的提出具有一定的时代性和合理性，有利于克服以教师为中心的德育模式的弊端，扭转以教师为中心的局面，引导教师尊重学生的主体地位和主体权利，为培养学生的主体意识、主体精神和主体人格奠定良好的基础。但是，在主体性德育的推广过程中，也出现了一些矫枉过正的现象，即从教师中心论走向了学生中心论，陷入了二元对立思维的另一个极端。比如，在实践过程中，德育工作者过分强调学生的自主权利和主观能动性的发挥，一味地坚持以学生的想法和需求为标准，“过分低估了教师作为一个相对成熟的社会中的人在德育活动中的地位与作用，使得德育活动中教师过分尊重甚至放纵学生个性”[①]，导致学生以自我为中心，过于骄纵、任性和放肆，不尊重教师，甚

① 孙肖．主体间性师生关系：学校德育困境的出路［J］．教育现代化，2018 (23)：236－237＋244.

至贬低教师。而教师的地位和权威也随之下降、教师的主导作用和引领作用被逐步消解，造成德育活动无序化。事实上，以学生为中心的主体性德育并未摆脱主客二分的思维模式，它只是将教师和学生的地位进行了互换，将教师拉下神坛的同时将学生推向了高位，仍然存在学生与教师二元对立的现象。甚至由于教师地位的下降和权威性的极大受损，德育的实效性相较于采用传统德育模式更为低下。正是在这个背景下，德育理论界才进一步提出了主体间性德育理论，试图走出以教师为中心或者以学生为中心的单一主体论的困境，打破主客二元对立的思维模式，实现教师与学生在真正意义上的主体间的交往与对话。

再次，主体间性德育也是对双主体德育模式的反思。为解决以学生为中心和以教师为中心的单一主体论的德育模式困境，德育研究者曾提出双主体的德育模式。“双主体论认为在道德规范教育中，教师作为知识先知者与社会代言人是德育主体，学生是客体；而在学生自我道德学习、发展中，学生是主体，教师是客体。”[①] 和单一主体论相比，双主体论无疑是一个巨大的进步，它“体现了人是教育的目的和出发点的思想。但是，一方的主体性的确立是建立在对方为客体的基础上的，这意味着一方主体地位的获得，必须以另一方主体地位的丧失为代价，教师和学生之间的平等交往和对话关系仍然无法建立”[②]。不难发现，双主体德育活动看似同时承认教师和学生的主体地位，并尊重教师和学生的主体权利，实际上割裂了德育活动的整体性，将德育活动分为了两部分，每部分都存在主体和客体。实施双主体德育模式，在教师为主体、学生为客体时依旧会导致教师占据高位对学生进行控制；当学生为主体，教师沦为客体时，依然存在学生主体性

---

① 吴岳军．主体间性：建构现代德育师生关系的价值取向［J］．教育学术月刊，2010（1）：32－34.

② 许桂林．主体性德育的理论发展、现实问题及实践化原则［J］．当代教育科学，2020（4）：3－6.

膨胀，以自我为中心的可能性。因此，双主体德育模式本质上还是主客二分的思维模式，依旧没有逃离主客二分的窠臼。显然，德育活动是教师和学生共同交往、双向互动的活动，教师的教和学生的学是同时发生的。教师组织德育活动时是主体，是发挥主观能动性的，学生发生学习行为也必须是学生的主动行为，否则学习行为是不可能发生的，因此教师和学生都是德育活动的主体。双主体德育模式将德育活动分成了教师的"教"和学生的"学"两部分，生硬地将教师与学生、教与学分开，违背了道德教育的交往特性，割裂了德育过程的完整性，也破坏了德育活动的整体性和系统性。因而，双主体论不仅不能解决教师主体和学生主体的双重困境，也不利于师生之间的平等对话与交流，不利于和谐的师生关系的建立，德育的效果依旧难以得到保障。主体间性德育模式的提出，就是要打破这种教师与学生的二元对立的困境，重新建立起德育活动的整体性和系统性，实现教师与学生的主体间性的交往互动，从而构筑真正和谐的师生关系，让师生在交往过程中共同推动德育活动的进程，获得道德性人格的发展和完善。

### （二）主体间性德育的基本理念

主体间性德育是对主体性理论的继承与超越，是对主客二元思维的反思与批判。一方面，主体间性德育"超越了主体性的自我化倾向，倡导主体间的共通性，但又保留了个人主体性本身的根本特征"①。另一方面，主体间性德育反对将师生主客二分化，既尊重了教师的主体地位，也承认学生是德育活动的主体。然而，主体间性德育模式并不同于双主体德育模式，它克服了将德育活动分裂为两部分的弊病，认为"师—生、教—学不是主次、中心和边缘的关系，而是协同依存、交互反馈的合作共生关系"②。因此，

---

① 赵欢春 . 论主体间性德育［J］. 江苏教育学院学报（社会科学版）, 2008 (5) : 26 – 28.

② 叶澜 . 教天地人事 育生命自觉 "生命·实践"教育的信条［N］. 光明日报, 2017 – 02 – 21 (13).

主体间性德育不再是主客二分的思维方式，它体现出了新的内涵及理念。

1. 主体间性德育的内涵

主体间性德育在尊重德育规律的前提下，以主体性理论、主体间性理论为基础，同时借鉴吸收胡塞尔的交互主体性哲学和哈贝马斯的交往行为理论，在多重理论的相互交织作用下进行了德育理论的建构。所谓主体间性“指主体与主体之间的相互性、统一性，是两个或多个个人主体的内在相关性。主体间性师生关系认为教师与学生既是两个相互尊重、彼此承认的独立的主体，又是相互影响、彼此联系的不可分割的整体”[①]。主体间性理论彻底摆脱了主客二元对立思维模式，是对“占有式”主体性的一种超越，平等、对话、沟通、理解和共识是其基本特征[②]。主体间性理论下教师和学生之间不再对立，而是平等和相互尊重的关系。主体间性理论的主张有利于建构平等、融洽的师生关系，促进师生之间的交往和互动，促使师生共同进步、协同发展。在主体间性理论和交往行为理论的指导下，主体间性德育形成了自身的一般内涵。所谓主体间性德育，是建立在关系思维中的德育，它强调教师和学生之间的相互影响、相互促进，它注重师生之间的理解和对话,强调德育过程是“主体—主体”间的双向互动的建构过程。主体间性德育既肯定了教师和学生的主体性，又克服了德育的单一主体思维，促进了师生的平等交往，增加了主体间的对话，有利于构建和谐的师生关系。

2. 主体间性德育的核心理念

道德源于生活，用之于生活，是人与人之间交往的产物，也是调节人与人之间关系的准则。主体间性德育主张教师和学生都是德育活动的主体，

---

① 孙肖．主体间性师生关系：学校德育困境的出路［J］．教育现代化，2018 (23)：236－237＋244.

② 屈家安，刘菲，郭胜利．主体间性视阈下的感恩教育范式［J］．学校党建与思想教育，2009 (25)：53－54＋63.

没有主次之分。主体间性德育通过创设情境、回归生活等方式为师生平等交往提供机会、空间和平台。平等性、对话性和生活性也就成为了主体间性德育的核心理念。

平等是主体间性德育的首要条件。人生而平等，无论是教师还是学生，都具有平等的主体身份，具有平等的人格。主体间性德育是教师和学生间的平等性交往，缺乏平等要素，师生之间的交往活动难以展开。由此，平等性也就构成了主体间性德育的首要条件。平等首先意味着主体间的地位平等。平等是相对于特权而言的，真正的平等不是一方凌驾于另一方之上，也不是一方被另一方任意操纵和摆布，而是主体与主体之间地位对等、权利对等。这一理念在主体间性德育模式中表现为，教师和学生都是参与德育活动的主体，具有平等的人格和地位，不存在高低贵贱之分。教师和学生在德育过程中是“我”与“你”的关系，不是控制与被控制、支配与被支配、依附与被依附的关系。因此，教师和学生不仅要承认双方的地位平等，更要尊重对方的主体地位、主体权利和独立人格，学会相互倾听和理解。平等还意味着教师和学生具有同等的话语权。“从知的角度说，教师与学生只是知识的先知者和后知者的关系，二者并不存在尊卑关系，教师不应以知识的权威自居。”[①] 教师有讲述德育内容、组织和开展德育活动的权利，学生也具有表达自己观点、对德育内容进行分析和批判的权利。主体间性德育主张师生相互尊重、相互理解，在平等对话、协商、沟通和交流的基础上推进德育活动的开展，促进彼此道德人格的发展和完善。

对话是主体间性德育开展的主要形式。在主体间性德育模式下，教师和学生是平等交往的关系，“也只有立足于主体间性的交往关系，教育者才能把受教育者当作‘主体’，当作‘人’，当作一个‘生命体’看待，

① 吴岳军．主体间性：建构现代德育师生关系的价值取向［J］．教育学术月刊，2010 (1)：32 – 34.

教育的过程才能成为生命的激情对话和心与心的交流”[①]。在主体间性德育中，教师和学生以道德内容为中介，主要通过对话的方式进行交往。这种交往是师生间相互尊重的交往，是师生共同探讨和分享知识与智慧的过程，也是师生共同进步、相互成就、和谐共在的状态，而非封闭的、孤立的、单向度流动的僵化模式。每个主体都有参与对话的权利和表达自己的机会，主体间的对话是民主、平等、自由的。所谓对话，不能流于形式走过场，是主体与主体间真诚、有意义、有价值的对话与交流。在对话的过程中，教师和学生会对道德事件中的各要素进行反复阐述、分析、讨论和反思，培养学生的道德想象力，引导学生形成道德意识，学会道德思考、道德选择和道德批判，善于自我反省和质疑，从而对道德形成更深刻的认识、理解和认同，以践行道德规范，做道德人。在敞开心扉的对话过程中，教师和学生不仅能够加深彼此之间的了解，还能感受到彼此情感和情绪的变化和需求，进而走进对方的内心，真诚地关心对方，在换位思考中理解彼此的观点和选择，实现道德的交往，成为道德的人。

回归生活是主体间性德育模式的必然要求。回归生活既是现代哲学的一种发展趋势，也是一种重要的德育理念。生活是德育的根本，人类生活关涉德育的内容、方式和目的。德育的目标、内容及方法等都离不开生活，离不开生活经验的积累、现实生活的需求以及对未来生活的向往。生活是道德生发的土壤，是人的道德构建、发展和完善的动力与源泉，甚至可以说，生活本身就是道德教育，德育活动与生活是同步进行、同频共振的。生活是磨炼学生的道德能力与品质的重要途径，因为，“学生独立的道德抉择能力和正确的道德人格的培养只有在真实的社会情境中才能得到培养与发

① 冯建军．教育现代性的反思与批判［J］．南京师大学报（社会科学版），2004(4)：69 – 74.

展”[1]。主体间的交互性是人们真实的生活状态，主体间的交往需要在现实生活中进行，生活为主体间交往提供了情境、空间、内容和方式，并且生活的方式、状态和态度决定了主体间交往的方式、程度和结果。主体间性德育植根于现实生活的土壤之中，回归生活，在生活中开展德育活动，既是主体间性德育的必然选择，也是满足生活发展的需要，更是顺应时代发展的趋势。

## 三、主体性与主体间性德育的实践探索

随着主体性德育理论和主体间性德育理论的不断发展与完善，德育实践工作者对主体性德育和主体间性德育的实践路径进行了探索，以期改善我国德育的现状，提升德育的实效性。在不断的实践探索中，德育理论研究者和实践工作者积极创新主体性德育，并取得了一系列的实践成果，形成了独具特色的实践方法。近些年来，德育理论研究者和实践工作者在主体性德育模式的基础上，又不断推进主体间性德育模式的实践，取得了诸多的实践经验。

### （一）主体性德育的实践探索

德育理论工作者和实践工作者以主体性德育理念为依据，不仅从实践的理论层面提出了主体性德育的实施路径，而且以学校为实践平台推进主体性德育的落地。以叶澜教授为代表的“生命 · 实践”教育学派就主张坚持教育的人学立场，认为学生正处于生命成长的重要时期，具有主动发展的需要与可能，教育要尊重每个学生的主体性和独特性，培养学生的自尊、自信和主动性。在此理念指导下，“生命 · 实践”教育学派与上海、江苏、

① 孙肖．主体间性师生关系：学校德育困境的出路［J］．教育现代化，2018（23）：236－237＋244.

山东、广东、福建等地的中小学形成合作关系，在这些学校中实践其教育理念。“生命·实践”教育学派强调，学生是学习活动的主体和责任人，是教学活动复合主体的构成。教育要尊重学生的主体地位，学生是独立的、自主的、具有主观能动性的生命体，要在教育活动中尊重并培养学生的主动性，让学生成为学校生活的创造者。主体性教育和主体性德育的思想在全国范围内产生了重要的影响，带动了中小学德育实践活动的探索和发展。

自 2001 年开始，全国各地有不少中小学校开展了主体性德育的研究和实践探索。比如，有的学校组织春游和秋游活动前按照主体性德育的理念，先征集学生的意见。学生以小组合作的方式，通过搜集资料，提出关于活动主题的切实可行的方案，并对自己确定的活动目的、地点、形式和任务的原因进行阐述，最后由全校师生进行评选，将获选的方案作为出游的最终方案。再如，有的学校让学生参与学校《学生须知》的修订活动，学校以问卷和学生座谈会的形式听取学生的意见和建议，从学生的思维发展特点、现状和现实需求出发做出合情合理的决策。如此，既能得到学生的理解、认同和支持，又能激发学生参与的积极性和主动性，还有助于进一步培养学生的主体精神，增强德育活动的实效性。有的学校采用的探索方式是开展主体性德育的相关实践研究及实践活动设计，主要研究学生的心理接受能力以及学生心理接受的特点和规律，重视学生的情感体验、问题探讨和内心感悟对道德规则转化为学生内在道德的作用程度。为调动学生的主动性，促进学生自主发展，有的学校从学生的道德需求出发，给学生分配不同的任务，使学生各司其职，各自负责。实践发现，在德育过程中尊重学生的主体性，有助于培养学生的道德情感，激发学生的道德信念。有的学校还开展了“成长教育”的校本课程活动，设计了“认识自我”“发展自我”“正确评价自我”等内容，帮助学生掌握控制情绪的方法，磨炼学生的意志，提升学生的自制力。关于学生的自我道德教育能力的提升，学校主要进行了以下两个方面的探索：一方面，学校以自愿选择为原则，组织了学生社团活动，将选择活动的权利赋予学生，让学生根据自己的兴趣爱好进行主动性的选择；另一方面，学校以培养学生独立自主的能力为目标,将开展活动的权利赋予学生,学生在教师引导下自主开展活动。例如，以年级为单位主持学校的升旗仪式，给学生提供亮相的平台；以学期为活动周期，每月组织丰富多样的主题活动等，给学生提供展现的舞台，锻炼学生的自主能力。

通过主体性德育的实施，学生的主体性地位被认可和尊重，学生的主动性和能动性被调动了起来，德育活动更加贴近了学生的生活实际，增强了德育活动的真实性、感染性和实效性，提升了学生的道德认知，引起了学生道德情感的共鸣，激发了学生的道德意志，生成了学生道德的行为。主体性德育通过回归学生的生活世界，归还学生的主体权利，让学生在亲身体验中学习、感悟、成长，自主建构道德知识，锤炼道德意志，调节道德行为，学会处理与自我、他人、社会的关系与价值冲突，完善自身的道德认知，提升道德思维能力和道德想象力，从而更好地培养具有主体精神的道德人。

### （二）主体间性德育的实践探索

为走出单一主体德育模式的困境，克服二元对立思维，德育理论工作者提出了主体间性德育模式。随着主体间性德育模式不断走向成熟和完善，相关的实践探索和创新也越来越多。其中，不少一线学校提出了主体间性对话的德育实践方式，主张德育要促进师生、生生之间的交往与对话。“德育对话立足于真实生活，通过对话，使师生之间、生生之间相互沟通、交往和理解，使对话主体与世界、对话主体与文本之间相互认同和体验。”① 比如，有的学校就着重于主体间对话的德育实践探索，开辟了师生对话、生生对话、自我对话等多种对话渠道。在主体间的对话交流会上，教师抛弃了惯常的“训话”方式，通过邀请学生来广泛参与讨论，展开师生、生

---

① 余玲芝．学校德育对话的特征和途径［J］．教育科学研究，2010 (11)：54 − 57 + 62.

生等之间的对话交流。通过这种对话模式，学生的积极性、主动性得到了很好的调动，教师和学生的情感交流也得到了加深。有的学校还组织开展了"对话源—对话流—对话场"的主体间性德育活动。在德育活动中，"教师、学生（多个学生）、文本（课程、教材或道德人物形象等）三者之间是平等、独立、可转变、自组织的'对话源'……'对话源'互相作用，彼此对话，形成'对话流'。'对话流'不断运动、碰撞、交流，从而创建动态的、具有无限潜能的'对话场'"[①]。在师生的主体间的对话中，教师学会了倾听学生的心声，诚恳地赞美学生的品质，发自内心地尊重学生的思想和行为。同时，通过这种师生主体间的对话，教师和学生之间有了更深入的理解，相互的共同话题也增加了，彼此之间的关系更为和谐，同时也更好地推动了学生的主体精神的发展，并实现了教师的主体性与学生的主体性的融合为一。

有的学校还组织了以"心灵对话"为主题的主体间性德育活动。这种主体间性德育活动强调两个主要方面。一是以学生的需要为出发点。学生作为鲜活的生命个体具有被尊重的需要和成长发展的需要，教师尤其要尊重学生的心理需求，倾听学生内心的真实想法，以实现心灵的对话，引起心灵的共鸣。二是实现心灵对话，创新德育思路。以某学生的成绩突然下滑为例，教师首先与家长交流，确认学生成绩下滑的原因，然后通过班会或者适当的场合，给予学生暗示，等待学生主动与教师交流。在交流的过程中，教师敞开心扉，真诚地讲述自己在初、高中阶段的学习生活经历，引出学生所处年龄阶段会发生的事情以及应该持有的态度，告诉学生什么是理智的选择，遇到类似问题应该如何处理。"这样的心灵对话过程，没有任何矫情，有的只是师生之间互相尊重，有的只是敞开心扉之后的思想交流，有的只是教师对学生的谆谆诱导和教诲。学生的尊重需要得到了满

① 李来新．"对话式德育"的认识和实践［J］．基础教育参考，2011 (17)：56－57.

足，对情感的认识得到了提升，自然也就促进了他在学习与生活中的理性认知，从而成绩的提升也就是自然而然的事情。”[①]通过教师和学生之间的心灵敞开、主体间的交流对话，教师在引导学生的道德主体精神方面发挥出了重要的作用，而学生也基于自身的自主自觉的学习以及教师的道德引导，获得了更好的道德成长。

还有的学校以情感作为联结，探索主体间性德育实践方案。学校从三个方面入手开展主体间性德育实践[②]：第一，尊重学生，构建平等民主的师生关系。通过平等交往的方式缩小师生之间的距离感，拉近彼此的关系，防止师生间的对立。第二，强化情感沟通，加强对话交流。即在师生对话交流时投入真情，自然流露对学生的关心和爱护，以赢得学生的信任，实现师生之间的情感交流。以教师发现学生作业本中的剪纸画事件为例，教师并没有批评学生不认真完成作业，而是询问学生做贴纸的过程和感受，并送给学生剪纸刀鼓励学生坚持剪纸创作。在教师的关爱下，学生主动和教师交流心得，询问教师的建议，在师生的交往过程中，学生的剪纸技艺和学习成绩不断提升。可见师生间平等的情感交流与沟通的重要性。第三，以情激情，在情感交融中实现共鸣。也就是说，教师要不失时机地关注和关心学生，及时用情感行动强化师生之间的情感联结，促使师生间的关系更为紧密，交往更为默契和和谐。例如，学生生病在家，教师不仅主动家访关心学生病情，而且还亲自到学生家中为学生补习功课，既减缓了学生学习的压力与焦虑的心情，更使得师生之间的关系更为亲近。由此说明，以道德情感为联结的主体间性德育模式能够取得良好的德育效果。

总之，主体间性德育植根于学生的生活世界，鼓励德育活动回归于教师与学生的主体间性的平等对话，它能够更好地激发学生的积极性和主动

---

① 李少华．基于学生成长需要的心灵对话方式研究［J］．成才之路，2016 (32)：14.

② 陈逸辉．主体间性德育的实施策略［J］．广西教育，2015 (13)：53.

性，同时创设出更加平等、自由的德育环境，促进学生的道德主体精神的养成和发展。通过主体间性德育的理论探索和实践推进，中小学的德育活动进一步走向多元和开放，对于促进学生的主体精神及健全人格的养成发挥出了积极的作用。

## 第二节　交往德育的探索

### 一、交往德育的缘起

新世纪以来，越来越多的教育学研究者开始对传统德育模式展开了反思和批判。传统德育模式过于注重知识灌输和价值强制，从而导致在教师与学生之间形成了主客体二元对立的关系，阻碍了教师与学生之间展开真正意义上的交往对话，从而极大地制约了教育以及德育工作的效果。为此，新世纪以来，不少学者纷纷围绕着交往德育这一研究主题展开学术探索，并尝试建立交往德育模式，提出了以交往对话来重塑学校德育的学术主张，而这种主张也就逐渐发展成为了交往德育的理念与模式。

交往德育的提出一方面是源于学者们对于教育实践（德育实践）的一种新的理解和体悟。不少学者认为，活动和交往统一于实践之中，对于教育实践而言，它既反映了在活动中所结成的人与人之间的交往关系，也反映了人在交往关系中进行着对客观世界的改造。因此，单子式的个人是不存在的，教育活动（包括德育活动）必定是一种人与人之间的关系，应该体现着人与人的主体间交往，从而才能真正完成教育的使命[①]。而传统德育所采用的方法主要是灌输式的方法，受教育者在灌输、强制中失去了主体

---

① 冯建军．主体间性与教育交往［J］．高等教育研究，2001 (6)：26 − 31.

间交往的可能性，迷失了自身的主体意识，这也造成了德育效果的低下。因此，以交往德育来重塑学校德育活动中的主体间性，也就具有了重要的理论与实践意义。张天宝则指出，教育活动是人类社会实践活动的一个特殊领域，在本质上它是一种建立在人类生产实践活动基础之上的人与人之间的特殊交往实践过程[①]。因此，学校教育以及德育必须关注人与人之间的交往实践，通过主体性的教育理念来建构主体性的、交往对话性的课堂教学生活，从而更好地实现教育以及德育的目标。

交往德育的提出还源于人们对于当代德育危机的反思，并试图在反思的基础上解决当代德育所面临的问题。传统德育往往倾向于采用灌输式的道德教育方式，这种德育方式导致了教育者与受教育者在德育过程中的分离，甚至对立，使得德育过程中的师生关系异化为主—客对立关系，这就使得学校德育实践脱离于交往生活世界。对于交往生活世界的脱离，导致学校德育陷入危机与困境之中。因此，越来越多的学者主张把“交往”引入德育研究领域之中，通过交往理论、对话理论来重新审视德育实践中的诸多问题，使德育观向主体间性的交往德育转向。交往德育通过倡导主体间的交往对话来促进道德价值观的有效传递与学习，对于解决当前德育工作中的一些问题无疑具有重要的学术价值与实践价值，将促进当前学校德育模式的革新。

## 二、交往德育的基本理念

交往德育强调，教育以及德育在本质上是一种建立在生产实践活动基础上的人与人之间的特殊的交往活动。学校德育不是由教育者向受教育者单向度地传递道德价值观，而是需要在主体间性的交往关系中传递道德价

---

① 张天宝．走向交往实践的主体性教育［M］．北京：教育科学出版社，2005：78.

值观，从而形成教育者与受教育者之间的真正意义上的交往对话。交往德育主张，交往对话是学校道德教育的基础，教育者与受教育者应当回归于人与人之间的本真交往关系，在学校德育中则是回归于教师与学生之间的交往对话的平等性与开放性，在交往对话中达成价值的共识，而不是形成价值观的灌输。显然，交往德育推动了学校德育更广泛地关注交往对话、民主讨论、公共协商等德育新理念、新方法，它促进了教师和学生展开更加平等、民主以及包容的对话，使得教师与学生的心灵世界更好地沟通和融合，而不再是使教师、学生生活于两个分隔的世界当中，失去沟通与对话的基础。这对于解决当前学校德育实践中的一些问题具有显著的效果。

### （一）交往德育强调德育的交往实践性

交往实践在交往德育中具有十分重要的地位和作用，它是交往德育的基本媒介，通过有效的交往实践，交往各方能够达成共识和理解，从而也就形成了价值观的传递和交流[①]。如果说传统的德育模式更加注重教师与学生围绕着知识与考试的交往，那么交往德育则把交往上升到了一个新的高度，交往不仅是知识的交往，交往更是人的源自于生命存在的本体价值的精神交往、观念交往与价值交往。这也正是雅斯贝尔斯所说的“生存交往”。因此，交往德育主张通过交往实践来重建教育者与受教育者之间的本真关系，让交往真正成为德育过程中的必备媒介，使得教师和学生能够通过交往实践来更有效地达成价值共识。交往德育模式把交往作为师生之间重要的沟通途径与平台，强调教师与学生通过交往关系来进行主客观世界的改造，既改造了客观世界，同时也改造了主观世界（即人的精神与观念的世界），从而也就实现了人的内在的道德品格的培养[②]。

---

① 彭未名．交往及“生活世界”：交往德育之存在［J］．辽宁教育研究，2004 (7)：82 － 84.

② 冯建军，尚致远．走向类主体：当代社会人的转型与教育变革［J］．教育研究，2005 (1)：23 － 29.

### （二）交往德育主张德育过程的主体间性

交往德育主张在人与人之间建立起主体间性的交往关系。通过这种交往关系，才能把教育过程中人与人的关系从“人与物”的关系中解救出来，以“主体—主体”的关系取代“主体—客体”的关系。这种主体间的关系，将自我与他者同样视为主体，在交往过程中既肯定了自我的价值，同时也尊重了他者的价值；既把自己当作主体，也把他人当作主体，主体间通过中介物而展开交往活动，达成交往认识。所以，主体间的交往关系是“主体—中介—主体”，或“主体—客体—主体”的模式，它是“主体—主体”关系和“主体—客体”关系的内在统一①。交往德育认为，交往构建着人与人之间的交互主体，交互主体的扩大，就构成了人类社会的形态。一方面，人在交往中获得了人的社会规定性，如马克思所言，人的本质在其现实性上，是一切社会关系的总和；另一方面，交互主体在交往中获得了“扩大的”社会力量，使交互主体走向地域的、阶级的、民族的社会，使历史走向世界历史，最终走向“类”的社会和存在。所以，交往推动着社会形态的变革，交往实践发展到什么程度，交互主体、人类社会也达到什么程度②。交往活动与对象化活动不同。对象化活动反映的是主体与客体之间的“占有”关系，它是单一的主体对客体的占有，因此在单一的对象化活动中所生成的主体性是占有性的个人主体性，它支持的是单子式的个人。而交往德育所主张的交往活动，它是主体与主体间的社会—实践系统的实现，它所反映的不是主体—客体关系，而是主体间的平等交互关系。在交往德育模式中，不存在纯粹的客体，每个人都是主体，都是彼此间相互关系的创造者，它们塑造的不是对方，而是相互间的关系，通过对相互间关系的塑造而达成共

---

① 冯建军 . 以主体间性重构教育过程［J］. 南京师大学报（社会科学版），2005 (4)：86 − 90.

② 冯建军 . 主体间性与教育交往［J］. 高等教育研究，2001 (6)：26 − 31.

识、理解、融合[①]。因此，交往德育模式也是对个人主体性的反思，它批判了个人主体性的孤立、封闭，认为个人主体性失去了人与人之间的共同性、平等性，从而歪曲了人与人之间的关系，异化了个体的人格。交往德育倡导对人与人之间的主体间交往的回归，它主张重新塑造教师与学生的平等关系，实现道德教育的革新。

### （三）交往德育强调师生关系的对话性和协商性

交往德育认为，师生交往生活应当是一种自由而平等的交往和对话。在课堂教学活动中，要加强师生交往的平等性建构，增进学生在课堂中的"言说"权利，对学生进行话语的"赋权"，鼓励学生与教师在德育教学中展开平等的交往和对话。学生不是教学过程中的被动接受者，而是主动的学习者和参与者。学生有权参与德育的教学目标、教学内容、教学方法等方面的交流与探讨，与教师一起促进课堂教学的改进。在教学目标的设定上，教师并不是凌驾于学生的唯一权威者，教学目标不是教师一个人说了算，学生也应当具有充分的参与权。当教师在思考和定位教学目标的时候，必须与学生展开充分的协商和对话，鼓励学生发表自己的意见，从中更深入地了解学生的愿望和需要。只有当教师与学生就教学目标展开了民主的沟通和对话之后，教学才可能体现出学生的需要与期望，教师与学生也才能真正共享"教与学"的权利[②]。此外，在课堂教学的内容设置上，教师和学生也应该展开心灵的沟通。德育教学内容是面向学生的，需要以学生的发展水平、知识兴趣为基础。教师在教学内容的安排上不能仅依据知识体系、学科专业的逻辑，还要适应于学生的兴趣和需要。教师只有与学生展开真诚的、平等的对话，才能真正进入学生的内心世界，才能使教学内容

---

① 冯建军．主体间性与教育交往［J］．高等教育研究，2001（6）：26－31.

② 肖龙海，郑锡灯．共享学习的权利：关于协商式学习的研究［J］．教育发展研究，2003（11）：44－46.

符合学生的发展需要。同时，在教学实施的过程中，教师也应当与学生展开平等的、协商的交往，以此来形成更加和谐的师生交往关系。总之，不论是从德育的教学目标、教学内容还是从教学实施等方面来分析，教师和学生都应形成对话性、协商性的交往关系，促进师生交往的和谐，同时也促进学生的品德发展。

### （四）交往德育强调德育的反思性与批判性

交往德育始终关注人的生活世界及其交往，关注人类精神发展的现状和生存状况，并且以追求共识的方式来表达自己的关注。交往德育是一条精神之路，它能够为人们的生存与生活提供价值、意义和方向。它怀着对人类生存与发展、对人性与人格关怀的执着，旨在通过德育实践致人以觉解与新生。因此，交往德育模式意欲改变人们习以为常的思维方法和思想观念、行为方式和交往关系，使人们由此获得对于世界和人生的新体验以及对其诠释的新话语①。交往德育强调通过一种主体与主体之间的交往与对话，实现一种反思性与批判性的精神沟通与对话。在交往德育的过程中，教育者与受教育者之间形成的是平等、交互的关系，而非强制与灌输的关系。在交往对话中，受教育者可以接受教育者的熏陶与感染，同时，受教育者本身也可以不断反思和批判教育者所提出的价值与观念，进行批判性的吸收与重建，从而使自己的精神、态度及价值观得到更高的升华。交往德育不是使学生被动地适应社会，更不是牺牲学生的价值观念来融入社会。学生对于社会道德规范的适应和融合应由师生共同去做，在交往对话中寻求尽可能多的共识和理解。因而，道德教育的重要任务就在于通过探究、审视、批判等，提高学生诠释生存境遇的能力，提高学生的反思和应对能力。从本质上讲，交往德育是从人的知情意信行相统一出发来建构人的生

---

① 彭未名．交往德育论［M］．太原：山西教育出版社，2010：219.

存境遇，来引导人们对于社会生活及其价值观念体系的吸收与批判，并以此形成人的觉解和理想形象的实践活动。交往德育所倡导的交往，是一种带有批判性、反思性的精神交往或价值交往，通过这种交往活动，个体可以更好地认识自我、理解他人，在自我与他人间能形成一种“共生”的关系，从而彼此获得真正的自由。交往德育在本质上是唤醒人的生命意识、启迪人的精神世界、建构人的交往方式以实现人的觉解和价值生命的活动，它直接指向人的生命存在的完善与发展。

## 三、交往德育的实践探索

交往德育模式不仅形成了一批具有学术影响的理论成果，同时对于当前的学校德育实践也产生了比较重要的影响，这种实践影响表现在：

一方面，自从交往德育模式提出以来，越来越多的一线学校和教师开始关注交往对话的重要价值，主张通过交往德育理念来改造传统的课堂生活。传统的课堂生活所期望维系的是教师与学生之间的权威—服从的关系，它否定了教师与学生之间平等交往的可能性与必要性。而在交往德育模式提出以后，越来越多的学校和教师加入到交往实践的改造活动当中，他们致力于把课堂生活空间建设成为民主平等的交往对话的空间，主张教师与学生之间的、以民主交往为核心的关系，从而促进了师生关系和课堂生活的变革。比如，有些学校通过教师代表会、学生代表会、学生申诉委员会等组织或机构，来建构公共的讨论空间、公共的议事机制，为教师和学生的交往、对话和协商提供平台和机会。公共的讨论空间，其目标是为学生创造一个超越于课堂知识空间的民主对话场所，通过教师与学生之间的交往、对话、讨论来反思学校生活中的问题，形成解决问题的思路和方法，直至最终解决这些问题。在公共的交往、对话空间中，教师与学生的主要任务是开展道德对话，学生作为主体参与各种类型的价值观问题的讨论，发挥出自身的道德主体性，最终也使自身的道德品质得到提升。

另一方面，越来越多的学校和教师围绕着德育交往这一主题，尝试去构建以交往协商为中心的教育活动、以问题及讨论为中心的教学情境，或者尝试去构建回归生活世界的交往生活情境，从而纠正了传统德育过度依赖于知识灌输的弊病，使道德教育更好地回归于教师与学生的交往对话的世界，回归于师生的本真的生活世界。师生交往的交往对话性建构了师生共享的意义世界，使得教师与学生可以在学校生活和课堂生活中共建属于自身的意义世界和生活世界。不论是知识的世界，还是生活的世界，都是在师生共同对话、共同沟通与共同分享的基础上才能建构起来的。师生作为学校公共生活中的成员，他们共同分享着彼此的价值观、世界观以及公共生活的理念。甚至可以说，这种共同的交流、分享和沟通本身就是教育的重要部分，更好地形成了相互之间的共享、共存的关系。通过交往德育模式的理念和实践的指导，一线学校的德育工作越来越体现出了对话性、生活性以及实践性，德育活动广泛地采用对话讨论法、协商法、实践互动法、情境设计法等新方法，在推动师生的主体间交往的同时也提升了学校德育的效果。

## 第三节 生命德育的兴起与发展

生命德育是以生命为出发点，尊重生命，关怀生命，以提升生命价值、实现生命的意义为旨趣的教育活动。生命德育的提出在一定程度上是试图改变“无人”的德育模式，使德育重新回归于“人”本身，回归于“育人”的初心，最终提高德育的实效性。生命德育是对现代社会及现代教育中“生命扭曲”“生命异化”“生命颓废”等现象的反思和考问。生命德育认为，现代社会和现代教育在一定程度上导致了人的生命异化，使人脱离了生命的本真存在，使人失去了对生命意义的追寻[①]。生命德育认为，道德教育要以人的生命为基点，展现生命的完整性与独立性，凸显生命的价值与尊严[②]。而人的生命的本质特征，就在于人不仅拥有物质性的生命，人还拥有精神性的生命；人不仅要活着，而且要活得有意义。这意味着，德育不仅要保全生命、使人"活着"，同时更要激扬生命、促进生命、提升生命，使人活得"有意义""有价值""有尊严"[③]。生命德育凸显了个体生命的尊严与价值，使道德教育在促进生命的整全、生命的健康以及生命的意义方面发挥出了更加重要的作用。生命德育促进了学校德育对青少年学生的生命的本真内涵的关注，使教育不再只是关注知识和考试，同时更加关注学生的健全生命的发展，关注学生的生命价值的实现。生命德育强调，生命是道德的基点，没有生命，道德便无从谈起;道德以生命为载体，是生命存在与生命共在的重要方式。道德的存在使生命拥有价值，道德的践行使人成为了真正意义上的人，生命的价值和意义在道德中得以彰显和实现。

## 一、生命德育研究的缘起

20 世纪中期以来，美国学者就开始对有关死亡教育的相关问题进行探索，试图帮助学生树立正确的生死观，追求生命的意义和价值。随着研究的不断深入，生死教育、生命教育等词语相继出现，西方国家随之开始关注并开展生命教育。1968 年，美国学者杰·唐纳·华特士（J. Donald Walters）首次明确提出生命教育（education for life）思想，并在美国加

---

① 刘济良．生命的沉思：生命教育理念解读［M］．北京：中国社会科学出版社，2004：66－73.

② 刘铁芳．生命与教化：现代性道德教化问题审理［M］．长沙：湖南大学出版社，2004：121.

③ 冯建军．生命教育与生命统整［J］．教育理论与实践，2009，29(8)：8－11.

州创办了第一所生命教育学校——阿南达智慧生活学校（Ananda Living Wisdom School），倡导并践行生命教育理念。1974 年，澳大利亚的特德・诺夫斯（Rev. Ted Noffs）提出关于实施生命教育（life education）的主张，并于 1979 年在悉尼建立了世界上第一个生命教育中心（Life Education Center，LEC），旨在预防药物滥用、暴力与艾滋病等危害生命的行为。日本的生命教育有着丰富的内涵，其内容涉及教育学、心理学、伦理学等多个学科领域。1989 年，日本修订的新《教学大纲》针对青少年的自杀、欺侮、杀人、破坏环境、浪费等现象，提出以"尊重人的精神"和"对生命的敬畏之观念"来定位生命教育的目标①。英国的生命教育是与公民教育一起产生和发展的，是全人培养与全人关怀的教育。从 1988 年英国政府出台《教育改革法案》到 1990 年英国政府把对经济和工业的认识、健康教育、公民教育、环境教育、生涯教育等学科规定为跨领域国家课程，再到 1997 年英国国会通过文凭与课程局（Qualifications and Curriculum Authority, QCA）的设置，增订公民教育与个人、社会与健康教育为新课程②，都为英国生命教育体系的构建奠定了更加坚实的基础。

20 世纪八九十年代，在国外生命教育理念的影响下，我国台湾和香港地区相继对生命教育理论和实践进行了探索。台湾是我国最早关注和开展生命教育的地区，其目的在于改善学生的暴力和自杀等轻视生命的行为。1997 年底，台湾地区颁布了开展生命教育的实施计划，并于 1998 年在中学全面展开生命教育；2000 年，台湾教育行政部门成立"生命教育推动委员会"，并将 2001 年定为"生命教育年"，推动生命教育在一线学校的实施。香港生命教育的兴起主要是由民间社会团体发起并推动。面对严重的社会和经济发展衍生的问题，1995 年，香港地区民间慈善团体发起"生命教育活动计划（the Life Education Activity Programme，LEAP）"，旨在预防青少

---

① 王学风．国外中小学的生命教育及启示［J］．外国中小学教育，2007 (1)：43 − 44 + 5.

② 王定功．英国青少年生命教育探析及启示［J］．中国教育学刊，2013 (9)：74 − 78.

年毒品滥用并提高青少年的生活技能。1996年，香港天水围十八乡乡事委员会公益中学率先推行“生命教育课程”的探索与实践[①]，这标志着生命教育正式纳入学校教育。20世纪90年代末期以来，尤其是新世纪以来，生命教育、生命德育的理念在我国大陆地区逐步兴起。一方面，随着市场经济的快速发展和物质收入的增加，人们的生活条件也得到了极大的改善和提高；另一方面，物欲的急剧膨胀催生了人们对物质享受的盲目追求和对获取经济利益的狂热心态。工具主义、竞争主义、功利主义和个人主义的盛行，致使人们精神生命失落、生命价值缺失，空虚、焦虑和缺乏安全感等成为了人们生活的常态，人们的生命信仰、道德信念也遭受到前所未有的威胁，出现了“生命存在的无根感、孤独感、漂泊感”[②]等消极的生命状态。同时，传统的德育模式脱离了生命本体，忽视了对人的关注，缺乏对人的尊重和观照，背离了德育的初衷。生命的缺场致使德育方法变成了机械的记诵和一味的灌输，德育内容成为了驯化人的教条，德育目标被记忆、分数所取代，德育变得抽象、空洞、乏味，难以激发学生对道德的热情和追求，导致学生缺乏生命理想和奋斗的动力与目标，甚至出现漠视生命、轻视生命、残害生命、放弃生命等现象，“引导人过一种有意义的生活的道德教育成为时代的呼唤”[③]。在此背景下，生命德育成为了研究者改善社会窘境、解决德育困境的重要思路。生命德育的倡导者主张德育要回归人的本真，教人珍惜生命、保护生命、尊重生命、涵养生命，实现生命的健全成长。

## 二、生命德育的基本理念

生命德育始终围绕着“生命”来展开，始终以生命为出发点，在开展

---

① 盛天和．港台地区中小学生命教育及其启示[J]．思想·理论·教育，2005（17）：27－30．

② 杨思平．生命道德教育及其伦理建构[J]．继续教育研究，2009（5）：176－177．

③ 刘济良．生命体验：道德教育的意蕴所在[J]．教育研究，2006（1）：27－30．

道德教育的过程中遵循生命的发展规律，关怀生命的生存现状，满足生命发展的需要，引导学生树立正确的生命观，做到珍惜生命、热爱生命、尊重生命、关怀生命，追求生命的意义与价值，从而涵养人的健全生命，促进道德人格的全面发展。

### （一）生命德育的内涵

关于生命德育的内涵，道德教育研究者众说纷纭，总体而言，主要包括以下四个层面：第一，通过引导学生认识生命，进而使其热爱生命、珍惜生命、尊重生命。例如，章文丽认为“学校生命道德教育是指通过对中小学生进行生命的孕育、生命发展、生命价值升华等知识的教授，让他们对自己及他人的生命抱珍惜和尊重的态度，并让学生在受教育的过程中，培养对社会、对他人尤其是对残疾人的爱心，形成良好的道德修养，在人格道德上获得全面发展”[①]。第二，以生命为本位，关注生命，聚焦生命现状和发展需要，促进生命的整全发展和生命价值的实现。例如，马多秀提出“生命德育就是以人为本的、重在关注学生的生命、关注其生命的生存状况、关注其生命意义和价值的获得、关注其生命的成长和完善并始终以学生的发展和成长为终极关怀的德育范式”[②]。第三，遵循生命成长的规律，以生命化的手段和方式实施道德教育。正如王慧敏谈到的，“关注生命的生命道德教育应该是‘以人为本’的教育，应该是人性化的教育。生命道德教育也就是在道德教育中应以生命化的形式来进行教育，应关注人的生命中的喜怒哀乐，尊重人的生命中的自由和权利，把握人的当下的诉求，以‘道德’的形式来进行道德教育”[③]。生命化德育既是一种德育理念，也是实施德育的方法。生命化德育是一种“主动关心学生、理解学生、关注

---

① 章文丽．实施生命道德教育 提高德育实效性［J］．文教资料，2005 (4)：93－95.

② 马多秀．从功利到审美的德育宗旨［J］．现代教育论丛，2007 (1)：28－31.

③ 王慧敏．生命道德教育：高校道德教育的重要纬度［J］．教育探索，2012 (4)：122－124.

生命本真的德育模式……它强调人与人之间的关怀和理解，强调对话和聆听在德育过程中的不可替代的作用"[①]。第四，以实现生命价值与意义为追求，以促进人的幸福为旨归。以刘慧阐释的生命德育内涵为例，她指出狭义的生命德育应当以追寻生命的价值为目标，其"主要是指或专指促进个体生命成为优质自己的教育"[②]。所谓优质自己是指在个体生命之道及所处环境所允许的范围内成为最佳自己，具有生命感、自主性、动态超越性和幸福感等生命品质[③]。此外，朱华从生活世界视角进行的阐述也将生命德育作为了通向幸福之路的途径。朱华认为生命德育关注个体的现实生活和精神生活，以促进个体道德生命的自由生成，最终为人的终身幸福奠基[④]。

### （二）生命德育的核心理念

生命德育是基于生命、为了生命、通过生命，促进生命整全发展，帮助生命追求意义与价值，从而实现自我、获得幸福的教育活动。实施生命德育，实现生命德育的目标，需要坚持以生命为本、回归生活世界、追寻生命价值三个核心理念。

1. 以生命为本

生命是生命德育的出发点和落脚点，生命性是生命德育的本质属性。以生命为本是生命德育核心理念的首要组成要素，也是衡量生命德育是否有效、是否符合道德的关键所在。以生命为本的生命德育是生命化的道德教育。"所谓生命化是强调生命道德教育一定要回到生命之中，遵循生命之道，关爱生命，生命有爱。"[⑤]生命化的道德教育要求教师根据学生生命

---

① 冯建军，等．生命化教育［M］．北京：教育科学出版社，2007：73.

② 刘慧．生命德育论［M］．北京：人民教育出版社，2005：96.

③ 同① 132－142.

④ 朱华．"生活世界"视阈中的生命德育探析［J］．当代教育理论与实践，2014，6（6）：101－103.

⑤ 同① 99.

发展的需求确定生命德育的内容，根据学生生命发展的规律选取教学手段和方法，在生命德育活动开展的过程中遵循生命的发展规律、尊重生命的主体性、关注生命情感的需要、挖掘并促进生命潜能的发挥。

生命的身心发展具有顺序性、阶段性、差异性和不平衡性等特点。教师在德育过程中应当根据学生的年龄特点、理解能力、身心发展的关键期等确定教育内容和方法，做到循序渐进、螺旋上升、有的放矢，不可逾越也不可违反学生身心发展的特点。同时，还应照顾到生命之间的差异，遵循因材施教的原则，最大限度地促进生命的个性化发展，使生命成为其本该成为的样态。

生命德育是主体的道德教育。“道德的特性在于自由，道德的成长不是外部施加影响或驯服的结果，道德的成长是生命的一种自我超越，因此，生命的道德教育不仅注重提高生命的善的价值，而且注重以自由的方式，以道德生命的舒展方式实施道德教育。”[①] 生命的主体性要求教师承认学生的主体地位，在进行生命德育的过程中尊重学生的主体地位，激发学生的自主性、主动性和能动性，给予学生思考的空间，允许学生质疑和发问，鼓励学生发表个人见解和看法，以培养学生良好的逻辑思维和辨别是非善恶的能力，提升学生的道德想象力和道德判断力。此外，教师尤其要学会倾听、主动倾听、善于倾听，并乐于倾听学生的生命故事和生命观点，尊重学生表达的权利，满足学生表达的需求和欲望，并与学生充分地交流互动，尊重学生合理的观点，而非一味地灌输、压抑学生的话语权。

生命德育是关注生命情感、充满爱与关怀的道德教育。人是感性和理性的结合体，只有同时具备感性和理性的人才是完整的人。从人具有感性的角度来讲，人是情感性的动物，道德的情感是生发道德行为的重要影响因素。这要求“生命道德教育必须关注由生命本能产生的情感和情绪性冲

---

① 冯建军．生命道德教育的提出及其内涵［J］．现代教育论丛，2003 (6)：8 − 11.

动，以此为开端，在宽容、激励、引导的方式下逐步达成生命道德教育”[①]。情是生命德育的关键，因为情感因素的存在，生命具有感动性。情感是道德认知转化为道德行为的中介，“动之以情”是开展生命德育的重要途径。在德育活动和德育教学过程中，教师应主动关怀学生，用真情关爱学生，关注学生情绪的变化并及时给予回应和引导，用心体会并及时满足学生对情感的正当需要，选取合适的教学素材和方法激发学生的道德情感、触发生命的感动，并适时抓住教育机会促使道德情感和生命的感动转化为道德意志、道德信念和道德行动，培养知行统一的道德人。

2. 回归生活世界

生命德育是回归生活世界的道德教育。一方面，生活世界为生命存在、道德的发生提供了可能。“‘现实生活世界’是人的个体生命存在的根基，也是道德教育最真实、最坚实的基础。”[②]生活世界是生命和道德的生发地，赋予了生命和道德存在的价值。传统的道德教育脱离了学生的真实生活，忽视了学生生活对道德的需要，导致学生对德育活动和课程失去兴趣，排斥甚至厌恶德育课程，德育实效性差。另一方面，道德为生活服务，生命和道德的存在使得生活世界拥有秩序和仁爱，只有在生活中生命道德的价值才得以彰显，只有生命践行道德，生活世界才有可能走向和谐。因此，生命德育就是要回归生活，植根于生活，观照现实生活，展望未来的生活，在生活体验中挖掘道德元素，引导学生过道德的生活，构建道德的社会。

回归生活世界的生命德育，一方面，学校和教师要直面学生生活的现状和困境，根据学生的生活状态和生活环境确定并调整生命德育的内容和方法，帮助学生解决当前生活中面临的道德问题和困惑，增强学生对道德的认知和深度认同，引导学生主动追求道德的生活，争做道德人。同时，教师还应当预测学生未来生活可能面临的道德状况，培养学生应对未来生

---

① 崔立刚．论生命德育的内涵与实现方式［J］．现代职业教育，2016（35）：136－138.

② 沈楚．基于生命关怀的高校道德教育［J］．高教探索，2006（6）：88－90.

活可能会出现的道德问题与挑战的能力，为学生追求美好生活奠定基础。另一方面，生命德育应“从生活中取材，用学生身处其中的亲身经历或耳濡目染的富有生命道德意义的生活事件来激起学生的生活体验和感悟”[①]，进而引导学生进行道德分析和批判，掌握明辨是非善恶的方法，深刻体悟道德的内涵、价值与意义。

回归生活的生命德育是体验式的道德教育。“体验是人的生命存在的方式，也是追求生命意义、实现人生价值、焕发生命动力、走向生命超越的方式。”[②]生活本身就是一种生命体验，是生命之间交互作用的结果。个体生命对道德的认识和践行需要在体验生活的过程中进行，需要在与他者生命交往和互动的过程中获取。生活需要人亲自在场和参与才能称之为生活，道德在生活体验中生成并逐渐走向完善。道德的生成和价值的凸显需要回归生活，需要人在亲身参与、亲身体验的过程中体悟。生命德育重视学生的生命体验，一方面，将学生的生活体验作为生命德育的宝贵素材，通过生命叙事的方式让学生讲述自己的生活体验、对生命的体悟和对道德的反思。同时，生命德育还教导学生倾听他人的生命体验心得，了解他人的道德生活，从而在自我体验和体察他者的过程中理解道德，形成正确的道德观，生发道德情感和道德意志，追求道德并践行道德。另一方面，体验式的生命德育强调学生的在场，注重学生自身的参与和感受，是直接习得道德的方式，与灌输道德知识等间接获取道德的方式相区别。

3. 追寻生命意义与价值

人的生命不仅是感性的存在，也是理性的存在；不仅有自然的欲求，更加追求精神层面的享受。生命的超越性将人与动物区分开来，使人称之为人。正如马克斯 · 舍勒所说，“人，只有人——倘使他是人本身〔Person〕

---

① 杨思平 . 生命道德教育及其伦理建构［J］. 继续教育研究，2009 (5)：176 − 177.

② 同①.

的话——能够自己——作为生物——超越自己”[①]。人追求超越，也必须走向超越——超越生命的有限性，追求生命的无限性；超越生命的自然性，追求生命的精神性。生命只有通过超越，超越生死、超越生物的局限性，才能成为大写意义上的人，才有可能实现生命的价值。

生命的超越性意味着人是精神性的存在，作为精神性的存在，人渴求意义与价值，并将实现意义与价值作为一生的追求。生命“是一个能够超越自身的、有个性、有尊严和有理想的道德存在”[②]，心灵的满足是生命价值的真正源泉。“对意义的追寻是人的生存方式，人就是在追寻意义的过程中获取精神的超越和心灵的安顿。”[③]生命德育关注人精神生命的需求和发展，旨在帮助学生在体验生命的过程中认识生命、珍惜生命、热爱生命、关怀生命，树立正确的世界观、人生观和价值观，坚定理想信念和人生目标，克服生命的惰性，战胜生命的软弱性，与生命的劣根性做抗争，在不断的自我发展和完善中，超越自我，达到精神上的享受与追求。

### （三）生命德育的主要内容

生命德育旨在引导学生认识生命、尊重生命、热爱生命，追寻生命的价值，成为整全的、优质的生命，过幸福的生活。实现生命德育的目标，培养整全发展的道德人，不仅要回归生活世界、采用体验式教育模式，还需要将生命意识教育、生死观教育、生命价值教育等作为生命德育的主要内容，以培养学生积极的生命观和良好的道德素养。

第一，生命意识教育。传统德育不仅忽视了学生的生命特性，也缺少了对学生生命意识的唤醒与培育。知性化的德育将学生当作被灌输的容器和为学校争名夺利的工具，使得生命的鲜活性、真实性和主动性被掩埋。

---

① 马克斯·舍勒.人在宇宙中的地位[M].李伯杰，译.贵阳：贵州人民出版社，1989：34.

② 冯建军，等.生命化教育［M］.北京：教育科学出版社，2007：45.

③ 沈楚.基于生命关怀的高校道德教育［J］.高教探索，2006(6)：88－90.

知性化的德育强调答案的标准化和唯一化，主张采用单向的一言堂式教学方法，导致学生失去了生命的自主性和灵动性，缺乏分辨、选择、批判和反思的意识与能力，使学生的生命失去了本真，道德教育成为“无人的空场”，变成了无道德的教育。生命德育意在走出知性化德育的困境，尊重生命，尊重学生生命的主体性，培育学生自主生命的意识与能力。生命意识教育旨在通过向学生讲述生命的孕育过程、生命健康知识、生命交往的方式等，帮助学生认识生命、了解生命、珍惜生命、热爱生命、关爱生命，形成正确的生命意识，树立健康的生命观，培养独立思考、自主判断和选择的能力，做自己生命的主人，对自己和他人的生命负责。

第二，生死观教育。传统德育中生命的缺场，加之我国传统文化忌讳谈论关于死亡的话题，导致生死观教育在我国德育中成为空白。这也是学生群体中出现自杀或者杀人等危害生命行为的重要原因之一。“死亡的道德意义在于使人意识到个体生命随时都可能消失，死亡使生命的力量、紧张与丰满彰显，并在爱中显现。”[①] 生命德育重视生死观教育，提倡开展死亡教育，引导学生认识生与死，激发学生珍惜生命，热爱生命，向死而生，在有限的时间内追求更有意义的生命。生死观教育旨在通过介绍死亡知识，讲述死亡的必然性和死亡的意蕴，引导学生树立正确的生死观，明白生命的弥足珍贵。生死观教育侧重引导学生学会珍惜、做到“不后悔”、记住“不要紧”、积极生活。“一定意义上讲，一个人生命质量的高低往往与他对自己的所作所为是否后悔有关，尤其是在生命即将结束时。”[②] “不后悔”是人犯错后或者事情的结果不尽如人意时的一种心态。提升生命质量，需要正确理解“不后悔”的意义，践行“不后悔”的理念。生死观教育引导学生认识到，人生是一个试错的过程，每个人都会犯错，不能因为犯了错就失

---

① 刘慧．生死教育：学校生命道德教育中的重要之维［J］．教育研究与实验，2003 (2)：31 － 34.

② 刘慧．生命德育论［M］．北京：人民教育出版社，2005：189.

魂落魄、走向沉沦，更不能因为犯错就结束自己宝贵的生命。与宝贵的生命相比，许多事情都是“不要紧”的，事情都是可以改变和弥补的，学会对自己适当的宽容，使生命张弛有度，身心才能健康发展，生活才有可能走向幸福。同时，没有生命是尽善尽美的，所有生命都处于变化、发展和完善之中，因此，还要学会包容他人，不能对他人太过苛刻，要容许他人在许可范围内出现失误。

第三，生命价值教育。当代社会物欲的膨胀和快节奏的生活，助长了人们对物质财富的追求和急功近利的心态。在逐利的过程中，人们往往会失去人与人之间的真情与关爱，失去生命的方向，陷入孤独和迷茫，找寻不到生命的价值与意义。生命德育的根本目标在于指导个体生命获得意义，过得幸福。“意义是人存在的依托，是人们心灵的庇护所，是人的精神的家园，是人的生命由不完美向完美的超越。”[①] 只有感受到生命的意义与价值，人才能获得存在感与尊严感，才能拥有奋斗和前进的动力，生活才有奔头。生命是有尊严、有价值、有意义的存在，克服自然生命的低级欲望，超越自然生命的脆弱性和功利化，追求精神上的享受，人们才能摆脱空虚，走出迷惘，享用生命。“生命意义不仅是指个体生命的意义，同时也是指对人类在宇宙中位置的思考以及对人类‘类生命’本质的思索，两者是相统一的。”[②] 人的生命形态分为种生命和类生命，人的生命是种生命和类生命的统一体。生命德育应视个体生命的意义与类生命的意义并重，培养学生种生命和类生命的意识，实现人与自身、他人、社会、自然的和谐共生。

---

① 王慧敏．生命道德教育：高校道德教育的重要纬度[J]．教育探索，2012(4)：122－124．

② 程红艳．生命与道德：兼从生命的角度谈道德教育[J]．教育理论与实践，2002，22(3)：56－60．

## 三、生命德育的实践探索

新世纪以来，如火如荼的生命教育和生命德育实践在开展过程中积累了许多经验，形成了富有成效的实践探索，集中表现为开设生命教育课程、建立生命教育研究中心、举办学术研讨会或学术年会、地方政府颁布生命教育政策、建立生命教育和生命德育实验学校等方面。以上实践推动了人们对生命教育和生命德育的关注和研究，拓展了生命教育和生命德育的影响范围，丰富了生命教育和生命德育的内容与形式，构建并完善了生命教育和生命德育的理论与实践体系。

2000 年以来，为推广生命教育与生命德育的理念，提升学生的生命意识，培养学生珍惜生命、尊重生命、热爱生命的道德情感和意志，促进学生追求崇高，以实现生命价值，一些高校陆续开设了关于生命的课程和讲座。2000 年，广州大学开设了选修课“生死学”；2003 年，沈阳师范大学开设通识选修课“生命教育”；2003 年，武汉大学举办了生命教育主题讲座；2006 年，江西师范大学针对本科生开设了选修课“生命教育与生死哲学”；2008 年，浙江传媒学院开设公共选修课“生命学与生命教育”，等等。同时，学术领域举办了系列有关生命教育、生命德育的学术年会，并成立了关于生命教育和生命德育相关的研究中心来推进研究工作。自 2005 年起，中国宋庆龄基金会开始举办“中华青少年生命教育论坛”；2010 年，生命教育研究中心于北京师范大学成立；2012 年，首都师范大学成立儿童生命与道德教育研究中心，旨在研讨生命教育、研究课题和培训教师；2013 年，中国陶行知研究会生命教育专业委员会在北京成立，该专业委员会致力于生命教育理论研究，推广生命教育的理念，提升教师生命教育的素养。2016 年，中国陶行知研究会生命教育专业委员会编写的《中国生命教育发展蓝皮书（2015）》正式出版，对中国生命教育的发展进程、生命教育理论与实践的探索进行了概述[①]。

自新世纪以来，各省市的教育行政部门通过政策引领的方式也积极推动了生命教育和生命德育的研究与实践的发展。2004 年，辽宁省教育厅颁布了《辽宁省中小学生命教育专项工作方案》，提出要把中小学生的生命教育工程落到实处，开展生命教育与指导、建立生命教育指导机构。2005 年，中共上海市科技教育工作委员会、上海市教育委员会颁布了《上海市中小学生生命教育指导纲要（试行）》，着重强调了在中小学开展生命教育的重要性和紧迫性，并对生命教育的原则、内容和实施途径等进行了详细的规定。同年，黑龙江省教育厅颁布了《黑龙江省中小学生命教育指导意见》、湖南省教育厅颁布了《湖南省中小学生命与健康教育指导纲要（试行）》，提出了开展生命与健康教育的指导思想和基本原则、目标、内容、途径、方法等。2008 年，中共云南省委高校工委、云南省教育厅颁布了《关于实施生命教育、生存教育、生活教育的决定》，提出了实施“三生教育”。“三生教育”是生命教育、生存教育、生活教育的简称，“三生教育”的理念在全国范围内引起了高度关注。所谓“三生教育”，就是通过整合学校教育、家庭教育、社会教育的力量，激发学生的主体认知和行为实践，最终达到帮助学生树立正确的生命观、生存观和生活观的过程。其中，生命教育是帮助学生认识生命、尊重生命、珍爱生命，促进学生主动、积极、健康地发展生命，提升生命质量，实现生命的意义和价值；生存教育是帮助学生学习生存知识，掌握生存技能，保护生存环境，强化生存意志，把握生存规律，提高生存的适应能力和创造能力；生活教育是帮助学生了解生活常识，掌握生活技能，实践生活过程，获得生活体验，树立正确生活观念，养成良好生活习惯，追求个人、家庭、团体、民族和人类的幸福生活。“三生教育”中的生命教育、生存教育、生活教育互为条件、密不可分、相辅

---

① 朱小蔓．中国生命教育发展蓝皮书 (2015)［M］．长春：东北师范大学出版社，2016：6 – 9.

相成，是一个有机统一的整体。其中，生命教育是前提、是根本，生存教育是基础、是关键，生活教育是方向、是目标。“三生教育”的实施得到了广大师生和社会各界的支持与认可。

在生命教育与生命德育的理论和实践探索中,以叶澜教授为代表的“生命·实践”教育学派在理论界和实践界产生了重要的影响。1994 年，叶澜教授倡导“新基础教育”，强调基础教育的四个“还给”：把课堂还给学生，让课堂变得生动有趣;把班级还给学生，让班级充满欢乐;把创造还给教师，让教育变得充满智慧；把精神气息还给师生，让校园浸润在爱的海洋里[①]。体现了对生命的观照、对生命主体性的尊重和对生命创造性的激发。随着新基础教育理论和实践走向成熟,2003 年,叶澜教授将研究团队命名为“生命·实践”教育学派。叶澜教授提出，“生命·实践”教育学派要推动基础教育学校的变革,把学校从“大工厂”转化为“生命场”,尊重学生生命,反对把学生当成物、工具或将学生抽象化；学校教育不仅要培养学生自我反思的意识，还要培养学生自我超越的信念和能力，引导学生确立清晰的人生目标，全面提高学生的生命质量。叶澜教授及其“生命·实践”教育学派还与上海闵行、江苏常州、江苏淮安、山东青岛、广东深圳、福建厦门等地教育局、教研室和 100 余所中小学开展合作研究，先后创建了 18 所“生命·实践”教育学合作研究校，推动学校教育更好地关注学生的生命成长，促进学生对于生命意义与价值的追求。“生命·实践”教育学派的理论思想丰富了我国教育理论体系，充盈了生命教育和生命德育的内容，推动了生命德育实践的发展，为我国基础教育的进步和完善做出了重要贡献。

此外，自 20 世纪 90 年代以来，以朱永新教授为代表的“新教育实验”学派的理念和实践也推动了我国生命教育和生命德育的发展。新教育实验

① 王伟 . 新基础教育理论的内涵与追求［J］. 教师 , 2018 (35) : 46 － 47.

的发展历程大致可以分为四个时期：实验酝酿期（1986—1999 年）、实验初创期（1999—2002 年）、实验建构期（2002—2013 年）和实验深化期（2013 年至今）。新教育实验团队成立了新教育实验学校、组织新教育实验年会、召开新教育实验区工作会议、研发新教育课程等，增进实验团队人员、学校间的交流，增强新教育实验的理论性、推动新教育实验的实践性。经过 20 多年的探索与实践，新教育实验以哲学、伦理学和心理学为基础，形成了自身特有的使命、愿景和价值观。新教育实验学派将“过一种幸福完整的教育生活”奉为新教育实验的使命，并提出了两个“成为”和四个“改变”的愿景体系。两个“成为”是指：成为中国素质教育的一面旗帜和成为扎根中国大地的新教育学派；“四个改变”包括：改变教师的行走方式、改变学生的生存状态、改变学校的发展模式、改变教育的科研范式。新教育实验的基本价值观是：执着坚守的理想主义、深入现场的田野意识、共同生活的合作态度和悲天悯人的公益情怀。新教育实验一直重视“行动”。2013 年，根据中国教育存在的问题、学校教育面临的困境，新教育实验提出了新教育的“十大行动”，同年还提出了包括新生命教育课程、新智识教育课程、新德育课程等在内的课程体系框架。新教育实验团队还推出了中小学《新生命教育》《新生命教育 · 抗疫版》《生命安全与健康教育》丛书，为推进生命教育和生命德育做出了重要贡献。同时，新教育实验团队提出的新德育课程在一定程度上与生命德育理念存在共性，针对中国德育存在的“人学空场”“重智轻德”“言行分离”等现象，提出了关怀学生生命、培育学生良好品德的教育路径。新教育实验推动了我国教育理论的发展，尤其对生命教育和生命德育的发展做出了突出贡献，受到了国内外同行的广泛关注。

# 第九章
# 面向未来的中国德育：主题与展望

当今世界，全球化和信息化迅猛发展，依托于互联网技术的新媒体、人工智能及大数据等席卷着人们的生活，影响着德育的形态与发展。德育研究面临越来越多元和复杂的现实环境，机遇与挑战并存。近些年来，我国学者也以更为多元、开放和包容的态度审视德育问题，创新德育的理念、路径和方法，形成了多元、开放的学术争鸣态势[①]。展望未来，德育研究的多元与争鸣趋势将持续发展，德育基本理论问题研究，德育一体化研究，中华优秀传统文化与德育的融合研究，媒介素养教育研究，大数据、人工智能与德育研究，生态德育研究等将继续深化发展，并成为未来一定时期德育研究的方向和趋势。

## 第一节　德育基本理论问题研究

德育基本理论研究以德育的概念与本质、德育的目标与功能、德育的模式与方法、德育的过程与评价等为基本研究对象。它们是德育学科未来

---

① 叶飞．德育理论的中国探索与转型之路 (1949—2019) ［J］．南京师大学报 (社会科学版)，2019 (4)：27 － 39.

发展、建设的重要基础，指导着德育实践的改革与创新，影响着德育政策的出台与调整。德育基本理论研究的突破是德育发展的动力源。面向未来的中国德育，必须建立在深入推进德育基本理论研究的基础上，更新德育研究的内容、方法等，正确把握德育基本理论的走向。德育研究作为一种科学理性活动，旨在揭示德育问题、探寻德育规律、建构德育理论、引领德育实践[①]。对德育基本理论进行研究能帮助人们深入、完整地把握现有理论研究成果，并对这些成果加以创造性转化，促进理论创新和德育实践的发展。德育基本理论问题在研究内容上具有继承性与推进性，我国德育理论研究在继承之前优秀经验的基础上，经过学者不断地探索和创新，形成了丰硕的研究成果，在德育概念与本质、德育目标与功能、德育模式与方法、德育过程与评价等方面进行了深入探究，为德育理论的发展奠定了扎实的基础。

## 一、德育概念与德育本质研究

“德育是什么？”是德育基本理论研究的基本问题，也是建构德育理论体系的逻辑起点。在我国，“德育概念及本质研究”于 20 世纪 80 年代初期与教育本质大讨论同时展开。

关于德育的概念，研究工作者主要从词源学角度对“德育”进行语义分析，对呈现在甲骨文上的“德”“育”等词进行溯源，并考察其在汉、英语境中的演变。同时，遵循逻辑学的定义规范，以“属+种差”的方式为现代德育概念下定义，阐述其内涵和外延。在改革开放的整个发展历程当中，学者们对德育的内涵还是存在着不同的理解。1982 年，李道仁提出，德育是教育者根据社会向人们提出的思想言行规范，对受教育者提出要求，受教育者自觉地选择、消化、吸收、运用这些要求，并转化为个人的要求，

---

① 杜时忠，孙银光，程红艳．德育研究 70 年：回顾与前瞻［J］．教育研究，2019 (10)：17 － 26.

形成个人品德的具有自身特殊性的矛盾运动[①]。1989年，胡守棻在《德育原理》一书中指出，“德育即是将一定社会或阶级的思想观点、政治准则、道德规范转化为个体思想品德的教育活动”[②]。鲁洁、王逢贤在《德育新论》中则认为，德育是“根据一定社会和受教育者的需要，遵循品德形成的规律，采用言教、身教等有效手段……通过内化和外化，发展受教育者的思想、政治、法制和道德几方面素质的系统活动过程”[③]。以上观点在德育本质上分别属于转化论、外化论、内外化统一论；从外延上看，德育又有广义与狭义之争。狭义的“德育”指道德教育，广义的“德育”包含了多种要素，如上述鲁洁、王逢贤先生所述，德育是思想政治、道德、法律以及心理健康等多种教育的总和。业内对这一表述基本达成了共识，但也有学者认为这一表述存在逻辑纰漏，在理论论证、分析、运用的不同阶段使用的概念缺乏彻底性，并由此导致了前后冲突、自相矛盾、各行其是的问题，并不能揭示德育的本质。因此“探索德育以一贯之的符合逻辑与学术要求的本体涵义”[④]，仍是一项重要而基本的任务。

以下是讨论德育本质的一些观点。有学者将改革开放以来关于德育本质的研究划分为转化论阶段（1978—1993年）、适应论与超越论阶段（1994—1999年）与多元化阶段（2000年以来）[⑤]。转化论包括“外化论”“内化论”以及“内外化统一论”三种主要观点，但无论哪种方向的转化，都有忽视受教育者主观能动性的机械论倾向。学术界对德育本质的学术争鸣主要聚

---

① 李道仁．德育本质问题的探讨［J］．华中师院学报（哲学社会科学版），1982(6)：105－110.

② 胡守棻．德育原理［M］．北京：北京师范大学出版社，1989：20.

③ 鲁洁，王逢贤．德育新论［M］．南京：江苏教育出版社，2010：105.

④ 孙玲，唐爱民．试论“广义狭义式”德育概念界定的逻辑纰漏［J］．当代教育科学，2013(15)：10－12.

⑤ 张忠华．德育基本理论研究30年：1978—2008［M］．哈尔滨：黑龙江人民出版社，2010：59.

焦于“适应论”与“超越论”。“适应论”认为，德育是教育者将社会提出的思想言行规范转化为受教育者个人品德的矛盾运动过程[①]。1994 年，鲁洁在《道德教育：一种超越》一文中率先提出，德育的本质在于超越，道德教育是按照某种超越于现实的道德理想去塑造与培养人，促使人去追求一种理想的精神境界与行为方式，以此实现对现实的否定。由此引发了学术界对德育本质是“适应”还是“超越”的讨论，最终形成了“适应本质论”“超越本质论”及“适应与超越相统一”的主要观点。超越有两个层次，一是道德教育作为一种精神活动，虽然要受物质与现实的生活制约，但道德教育并非以现实社会为归宿，而是一种促使人追求理想精神境界的活动。二是人的自我超越，“自我超越是人之本性”[②]，人通过不断超越自身生活的意义，走出现实，走向可能，从而实现自我超越。这是我国德育基本理论研究中一个里程碑式的事件，它标志着德育突破了工具论的范式，转而关注人自身的发展，由此引发了学术界对德育本质是“适应”还是“超越”的百家争鸣现象。1996 年，赵志毅的《论超越性与现实性的辩证统一》、刘惊铎的《德育：在适应中超越》、梅仲荪的《道德教育的现实性与超越度》等文章表达出了对德育具有超越性本质的认同[③]。德育的超越性本质逐渐成为学界的共识。

德育具有发展性，对德育本质的探讨在不同时代会有不同表征。新世纪以来，学界进一步基于哲学、逻辑学、语义学等跨学科的视野来探究德育本质，使关于德育本质的讨论呈现出了多元景象。龚孝华引入现象学视角，认为德育是“参与德育活动中的人与人之间的生活方式”[④]。刘先义指出，价值关系、价值观念与价值实践是构成主体价值生活的基本要素，因此，

---

① 李道仁．德育本质问题的探讨［J］．华中师院学报（哲学社会科学版），1982 (6)：105 − 110.

② 鲁洁．道德教育的期待：人之自我超越［J］．高等教育研究，2008 (9)：1 − 6.

③ 关于德育超越性本质的讨论（笔谈）［J］．教育研究，1996 (3)：17 − 28.

④ 龚孝华．现象学视野中的德育本质［J］．现代大学教育，2004 (1)：64 − 65.

道德教育是社会价值体系对个体道德价值体系进行定向整合与提升[①]。赵志毅等从本体论出发，认为德育最终是追求一种“善的生存”[②]。然而，也有学者否定本质性思维这一宏大叙事方式，指出德育研究需要从德育问题出发，关注在具体的情境中的德育建构。关于德育本质的观点与成果颇丰，极大地推进了德育的学术繁荣。

## 二、德育目标与德育功能研究

德育目标是德育基本理论研究的问题之一，引导着德育活动的出发点和归宿，是德育工作开展的核心。当前，我国对德育目标的研究走出了政治及浪漫色彩浓重的时期，走过了规范化的建设阶段，建立了德育的目标层次体系，并使得德育目标定位向科学化、人本化、生活化迈进。新世纪以来的课程改革，学界对德育目标的分类、层次及序列化问题进行了探索，重视学生的主体性，培养主体性道德人格，并倡导德育要回归生活，在生活中实现德育目标。德育目标与德育功能联系紧密，要想更全面地认识德育目标，需要在与德育功能的对比中一起讨论。这也是 20 世纪 90 年代德育理论界研讨的热点之一，并引发了一场旷日持久的争论，主要围绕以下三个议题展开了争鸣。

第一，关于德育功能与德育价值、德育目的之间关系的争鸣。德育目的与德育功能相互联系。德育目的是某一主体以满足某种需要而期望德育能够实现的结果，指正向的主体预期之内的结果。然而，也有论者认为，除正向功能外，德育也可能包括负向功能[③]，因此两者具有内涵范围上的不

---

① 刘先义 . 价值论视域中的德育本质［J］. 当代教育科学 , 2006 (3) : 5 － 7.

② 赵志毅 , 张鹏程 . 追求“善的生存”: 德育本质再探［J］. 杭州师范大学学报 ( 社会科学版 ) , 2012 (3) : 112 － 117.

③ 卢跃青 . 试论德育功能与德育实效［J］. 教育探索 , 2001 (11) : 78 － 79.

同。德育功能是实现德育目的的手段，李太平区分了德育功能与德育目的与德育价值的联系和区别。他认为，德育功能有多方面，性质复杂，具有客观性与价值中立性。因此，德育目的的制定需要建立在对德育功能的科学认识基础之上[①]，这也进一步凸显了德育功能研究的理论与实践意义。

相对来说，德育价值具有内在性。德育价值旨在满足某种需要，具有主体性与为我性，与德育功能的客观性不同。德育价值是“德育的属性、功能对德育价值主体的需要之满足所产生的效应。它离不开德育这一客体的属性、功能，但又不是德育之属性、功能本身”[②]。但是德育功能观影响、制约德育价值观，德育功能是德育价值的前提与基础，否认德育的功能，则不会承认德育的价值。反过来，德育价值观也会渗透和支配德育功能观，影响人们对德育功能的选择。

第二，关于德育社会性功能与个体享用功能之间的争鸣。德育在发挥社会作用的同时，也试图跳出外部系统力量的促逼，还原“超越论”的本质，争鸣还深化了关于德育在学生个体道德、精神成长中的引导作用的认识。鲁洁面对曾经片面强调德育政治和工具性功能的惯习，主张更为全面、系统的德育功能观，于 1993 年前后发表了一系列论文，如《德育之文化功能探索》《试论德育的经济功能》《试论德育功能观的转变》《德育功能观之历史考察》《试述德育的自然性功能》《试论德育之个体享用性功能》等，论述了德育的功能，“社会性功能”与“个体性功能”是其功能观的两个基本维度。从不同的社会构成论与社会发展论出发有不同的德育功能观，有的社会形态将德育作为社会历史发展的目的，抑或否认道德功能。承认道德与道德教育能动性在于看到了其经济功能、文化功能等。此外，在人们长期将道德局限于人与人之间以及生态环境恶化的背景下，鲁洁提出德

---

① 李太平．德育功能·德育价值·德育目的［J］．湖北大学学报（哲学社会科学版），1999（6）：89 － 92.

② 徐贵权．德育功能与德育价值之关系［J］．教育评论，1995（6）：15 － 17.

育的自然性功能，包括形成新的人生观、自然观，认识人与自然关系中的善与恶以及规范人与自然的交往行为，树立新风尚，以培育维护与改善自然环境的公民[①]。在德育的个体功能维度，她从不同的品德生成论、人性构成论与人性发展论角度考察了德育对于人品德养成、理性构成以及人格的发展等方面的作用。此外，她还专门提出并强调了德育的个体享用功能："所谓德育的享用功能，即是说，可使每个小体实现其某种需要、愿望(主要是精神方面的)，从中体验满足、快乐、幸福，获得一种精神上的享受。"[②]当前学界对于德育个体享用功能意涵的观点主要包括以下两种：一是在满足精神需求的基础上完善个人与社会的关系；二是通过道德完善和精神追求来平衡物质生活的发展[③]。而不论是哪种享用，都承认并主张德育与个体的精神成长、享受、满足有关。

鲁洁提出的德育功能观引发了关于这一议题的学术争鸣。刘尧认为，因为道德仅在主体之间存在，因此否定德育的自然性与个体享用性功能，而仅仅具有发展功能[④]。这一商榷引起了不小反应。檀传宝对此回应道，将道德的内涵从人与人、人与社会扩展到人对自身以及人对自然的态度表明了社会的进步，而鲁洁对个体享用功能的强调是德育理论界全面认识德育功能的代表成果[⑤]。鲁洁也针对刘尧的商榷发表论文表示，德育的个体享用功能具有教育意义，且具有社会性等基础，因此是一种客观存在[⑥]。

第三，关于德育功能分类的争鸣，促使德育理论研究者从不同学科视

① 鲁洁．试述德育的自然性功能［J］．教育研究与实验，1994 (2)：13 － 14.
② 鲁洁．试论德育之个体享用性功能［J］．教育研究，1994 (6)：46 － 47.
③ 刘雪庚．德育的个体享用功能刍议［J］．广东教育学院学报，2000 (1)：103 － 105.
④ 刘尧．德育有多少功能：与鲁洁教授商榷［J］．教育研究与实验，1994 (4)：35 － 37.
⑤ 檀传宝．对两种德育功能的理解：谈谈《德育有多少功能》一文的问题［J］．教育研究与实验，1995 (1)：20 － 24.
⑥ 鲁洁．再议德育之享用功能：兼答刘尧同志的"商榷"［J］．教育研究，1995 (6)：27 － 31.

角审思德育的作用。按照性质来分类，德育功能主要有规范与发展、正与负、显性与隐性、应然与实然的区分。按照德育功能发挥的领域，德育的社会性与个体性功能划分已经大致形成了共识。其中，社会性功能又包括文化功能①、政治功能②、经济功能③、生态功能④。个体性功能指道德教育通过德育活动将一个自然个体转变为拥有道德认知、情感与行为的社会主体，如德育促进个体的品格发展、认知发展以及个体的享用。檀传宝认为，德育的个体功能包括其对个体生存、发展、享用三个方面的功能，并强调德育对于个体发展的重要价值，德育引导个体在道德提升中追求个体生命的意义。他还提出了德育的教育性功能："德育在完成教人做人的总目标和支持智、体、美诸育具体任务的完成这两个方面的实际作用。"⑤李道仁认为，德育的根本功能在于"育德"。其后，还有其他学者发表余论，形成了更为全面的德育功能观。

德育功能的研究是一项基础性很强且具有实践意义的学科化研究，构建德育功能体系，探索德育功能的发生机制、实现条件与优化途径，将为进一步定位德育价值提供理论前提与基础。同时，进一步在经验层面证实德育功能理论，并在概念界定、内容及方法等层次进行多重探索，是未来德育功能研究的主要路向。

## 三、德育模式与德育方法研究

"模式"指特定主体为解决特定问题而采取的行为方式与思维程式，模式具有稳定性与整体性。程建平认为，德育模式是德育实施范式或定型

① 鲁洁．超越与创新［M］．北京：人民教育出版社，2001：189－194.

② 戚万学，唐汉卫．学校德育原理［M］．北京：北京师范大学出版社，2012：32－36.

③ 同①198–208.

④ 鲁洁．试述德育的自然性功能［J］．教育研究与实验，1994(2)：13－14.

⑤ 檀传宝．德育功能简论［J］．中国教育学刊，1999(5)：8－12.

化的操作样式，以一定德育观和品德发展观为指导，其形成是德育体系建立的标志[①]。德育模式具有较强的实践意义，是解决德育实际问题的一系列模型、思想体系或思维方式，是联系理论与实践的桥梁。因此，从不同的道德发展理论及德育观念出发，会主张不同的德育模式。

根据德育理论的出发点与实践特色，德育模式可以分为德目主义、全面主义与混合德育模式。德目即德育的目的，以各种具体的目标作为模式开展的核心。“开设独立的道德课程，把人们经过多年生活经验积淀和验证而得来的一些道德品质和规范以德目的形式固定下来，编成教材，通过教师的系统传授，让学生熟记、理解和掌握这些德目”[②]是德目主义模式的根本特征。全面主义模式以杜威的实用主义模式与价值澄清为代表，具有相对性、教育途径的间接性、重视学生自主性、德育方法的实践性四个特点。混合德育模式是两者的综合，具有多元性、目标与内容的多样同一性以及德育方法的综合性等特点。

根据品德的三个成分与道德发展规律，可以分为主知型德育模式、主情型德育模式与主行型德育模式。李伯黍等将这三种德育模式进行了进一步的分类和澄清。其中，主知型包括正确掌握和理解道德概念、提高道德因果关系认识以及发展道德判断能力等，主情型包括培养高尚道德情操、形成正确立世态度、发展移情能力等，主行型包括榜样示范、培养行为自控能力等[③]。我国经过对德育模式的译介、本土化研究与试验，在德育理论不断生成的过程中，已形成生活德育模式、情感德育模式、欣赏型德育模式、制度德育模式、生命德育模式、主体性德育模式、主体间性德育模式等，都强调了以人为本，反映了现代德育模式的发展趋势。各种德育模式各有侧重并相互依赖，但是在实践层面，还存在德育模式更加关注学生理性认

---

① 程建平．德育模式论［J］．黑龙江社会科学，2005 (5)：133－137.

② 王玄武，等．比较德育学［M］．武汉：武汉大学出版社，2000：160.

③ 李伯黍，岑国桢．道德发展与德育模式［M］．上海：华东师范大学出版社，1999：10.

识的培养、忽视了对学生道德行动的激发的缺憾，这需要德育方法的落实。

德育方法是指在德育工作中为完成德育目标实施的手段。德育方法研究与提高德育的实效性密切相关，是德育基本理论研究的核心问题之一。檀传宝从德育方法的作用将德育方法分为思维训练法、情感陶冶法、理想激励法、行为训练法、修养指导法[①]。新时期，有些学者提出了一些新的方法，如价值判断澄清法、游戏角色扮演法、情景活动强化法[②]等。

在这一领域中，关于对中国传统道德教育方法的认知、对西方德育方法的译介等方面的研究仍在不断更新和丰富。从中国传统文化中挖掘德育方法智慧的研究有郑永廷的《现代思想道德教育理论与方法》（2000），张凤池、胡守钧的《道德教育的方法与实践：基于中国传统文化的视角》（2019）等著作。王新荣的《浅谈学校德育方法的改革》（1986）、《谈学校德育方法科学化》（1987）等是较早开展对德育方法研究的论文。他们在汲取传统德育智慧的同时，也揭露与批判了传统德育方法的弊端，如余敦旺认为，传统德育方法存在忽视道德教育形式与本质、忽视学生潜在能动性的问题，因此，德育方法的创新也被研究者重点关注，涌现出许多研究成果，如谢瑞军的《21 世纪德育方法创新的思路和原则》（2001），郑润凡、周月朋的《高校德育方法创新思考》（2004），申恒发的《德育方法要与时俱进》（2003），冯文全的《论新时期学校德育方法的变革》（2005），万美容的《谋求德育方法的新发展》（2005）等提出了德育方法变革的原则与策略。

另有大量文献介绍了外国的德育方法经验，如新加坡的德育方法包括设身处地考虑法、文化传递法、道德认知发展法与价值澄清法[③]。美国主要通过人文社会科学课程等进行道德教育，并通过课外活动进行渗透、通过

① 檀传宝．德育原理［M］．北京：北京师范大学出版社，2007：234.

② 蔡静文．现代学校德育方法创新初探［J］．班主任，2002（2）：3－5.

③ 刘培军，商秀梅．新加坡中小学德育方法及其启示［J］．教学与管理，2008，362（1）：79－80.

心理咨询培养健全人格，增强德育实效，其特点是无意识性、实践性、多样性与专业性[①]。日本通过渗透式、实践性道德教育对学生进行全方位的教化[②]。英国的道德教育方法包括关心体谅法、文化传递法、价值澄清与社会行动法[③]等。

未来，在已有德育方法研究的基础上，要加强德育方法的体系性研究。一方面，目前关于德育方法的分类方法过于杂乱，依据不明，缺乏论证以及影响结论的可用性。另一方面，分类标准不明确导致德育方法分类体系不完整。因此，要理清各层次方法之间的关系，“明晰德育哲学方法、一般德育方法、学科德育方法和具体德育方式方法的层次和关系”[④]。另外，需要继续关注传统德育方法的现代转化研究。传统德育方法具有灌输倾向强烈、功利性突出、形式主义严重等问题，需要对这些弊端进行批判，并根据实践的需要进行创新。同时，还应加强对德育方法的本土化探索。目前，学界对国外的方法介绍比较多，如价值澄清法、关怀德育法等，都停留在描述和介绍层面，在实践层面上缺乏对理论中国化的探索。因此，国外德育方法的本土化有待进一步提升，同时，对本土德育方法的创新也有待开拓。

## 四、德育过程与德育评价研究

德育过程是德育活动实现自身目标的历程，教育者、受教育者、德育目标、德育内容、德育方法及环境是德育过程的重要构成要素。研究德育过程，了解人的品德形成规律，对人的品德培养具有重要意义。改革开放

---

① 张水银．如何提高高校德育方法、途径的实效性：以美国高校德育为例［J］．法制与社会，2008 (2)：213－214.

② 牛立忠，贾娟．日本中小学道德教育的特点及启示［J］．吉林师范大学学报（人文社会科学版），2018，46 (2)：106－110.

③ 罗骋．试析英国学校道德教育的方法和途径［J］．湖北社会科学，2005 (7)：162－163.

④ 张忠华．我国新时期德育方法的研究与反思［J］．教育学术月刊，2010 (4)：55－59.

以来，学术界对德育过程的概念、本质、结构、矛盾、规律等方面进行了研究，其中关于德育过程本质与规律的研究形成了多元观点争鸣的局面。

在有关德育过程本质的研究中，鲁洁、王逢贤认为，德育过程是造就道德主体或再生产道德主体的过程[①]，旨在促进受教育者的思想品德发展。范树成认为，德育过程是价值引导与自主建构的统一[②]。还有论者认为，德性是一种获得性的精神品质，因此，德育过程是培养人德性的一种特殊精神生产活动[③]。而从代际角度看，德育过程是社会有目的地传递思想品德于下一代，并与之共同生成的过程[④]。虽然以上研究从不同的视角展开，结论也具有较大差异，但是德育过程是“社会道德个体化与个体道德社会化”的过程被学界公认，德育过程与教育相同，都是师生之间的主体间活动过程。

关于德育过程的规律，研究者得出了以下代表性观点。从品德形成过程的规律看，德育过程具有知情意行相统一以形成学生思想品德、以活动与交往为基础、以学生心理内部矛盾为动力、需要长期的积累和发展等规律[⑤]。张澍军从哲学层面上指出，为了满足社会需要，维系社会的生存发展，德育遵循着内涵性规律、外延性规律[⑥]。德育也是诸要素矛盾统一的过程，如统一性与多端性、实践性与社会性、教育与自我教育、反复性与渐进性[⑦]。另外，德育活动与受教育者的思想品德，以及德育过程的构成要素与其社会历史条件也会相互制约[⑧]。

---

① 鲁洁，王逢贤．德育新论［M］．南京：江苏教育出版社，1994：263－267.

② 范树成．德育过程论［M］．北京：中国社会科学出版社，2004：32.

③ 王宏阁，张澍军．论德育是人类特殊的精神生产过程[J]．白城师范学院学报，2005（4）：81－83.

④ 葛喜平．高校德育过程的实质、规律及评估依据［J］．黑龙江高教研究，2005（3）：49－50.

⑤ 南京师范大学教育系．教育学［M］．北京：人民教育出版社，1984：262－267.

⑥ 张澍军．德育哲学引论［M］．北京：人民出版社，2002：258－259.

⑦ 韩丽筠．略论德育过程的规律性［J］．河南大学学报（社科版），1996（6）：49－51.

⑧ 鲁洁，王逢贤．德育新论［M］．南京：江苏教育出版社，2002：1－2.

关于德育过程的研究为选编德育内容、选择德育方法与模式、确定德育原则提供了理论依据，直接影响了德育的效率和质量。其中，对德育过程规律的研究存在较大争议，故仍将是未来研究的重点。此外，需要完善对学生道德学习过程的研究，深化对个体道德习得的认识。

德育评价是德育工作者根据特定的标准和目的，对德育结果进行评判，进而调控德育过程的基本手段。德育评价既是德育工作的重要组成部分，也是德育基本理论研究的重要内容。

我国的德育评价经历了从经验范式的主观主义到科学范式的科学主义再到人文范式的人文主义的转变[①]。主观主义的德育评价发轫于我国古代，主要采用问答鉴定法、察言观行法、情境测验法等，具有经验性、情境性与实践性，尚没有形成系统的评价体系，缺乏规范性和制度化。现代科学主义的德育评价兴起于 20 世纪 20 年代，着重采用测量方式评价学生的思想道德素质。基于科学范式的评价追求精确性，但具有片面性与封闭性的缺陷。由于测量方式暴露出各种问题，我国相继颁布《关于深化教育改革全面推进素质教育的决定》《关于进一步加强和改进高等学校思想政治理论课的意见》等，促进德育评价范式朝向人文主义转变，出版了指导德育评价改革的诸多专著，如萧鸣政的《德育测评》（1993）、《品德测评的理论与方法》（1995）等。叶飞认为，具有人文关怀的德育评价需要以儿童人文精神的发展为目标，改变过度量化的方式，避免否定性评价的伤害，尊重学生，体现师生交互理解性[②]。针对量化测评的封闭性弊端，他指出，评价主体、形式与目的的封闭性不符合儿童品德的发展规律，因此需要转变教师的评价观念，实现评价形式的多样化，保证评价主体的多元性，发挥评价的发展性功能[③]。仲建维同样指出，要以人文价值观引领德育评价内

① 陆启越．德育评价范式：内涵、类型及演变［J］．大学教育科学，2021（1）：78－84.

② 叶飞．论德育评价中的人文关怀［J］．教育测量与评价（理论版），2008（1）：33－35.

③ 叶飞，李会松．德育评价：由封闭性走向开放性［J］．中国德育，2006（6）：20－22＋66.

涵与方法的重建[①]。

新时期以来，在智能时代与测量时代的背景下，随着大数据测量技术的进步，德育评价的改革成为引起诸多学者关注的议题，主要内容有以下几个方面：第一，当前德育评价的困境与价值转向。戴军认为，当前的德育评价有着过度关注青年一代、难以获取学生真实有效信息以及反复评价削弱德育引领功能的困境[②]，对此，德育评价应该关注儿童有意义的世界，并来源于生活。尹伟揭示了德育评价注重评"学"的现状，忽视了对教师"教"的评价，这可能导致教师拒绝道德责任的危机，因此也要重视评"教"取向。冯永刚则解析了复杂科学视域下，德育评价应该走向多元、动态与综合[③]。第二，大数据时代德育评价的境遇。大数据可以为评价提供数据支撑，使得评价更具客观性、全面性与深入性，但是这种精准测量也许会走向功利化、单一性。对此，冯建军指出，在测量时代，需要淡化德育评价的功利性与工具性，坚守德育评价的底线，寻求同一性与多样性的统一、发挥师生评价作用、以科学人文主义指导德育评价[④]。叶飞也倡导德育评价要向培育人及其道德人格的本体价值取向改革，在理念与目标上回归"人"之需要、破除绩效主义等以建构现代化评价体系，并在内容指标上综合评价学生道德发展，采用融合性评价、开放性评价、增值性评价等多元评价方法[⑤]，回归本体价值，关注儿童的整全性[⑥]。第三，中小学德育评价改进与创新。在实践领域，中小学的德育评价变革是重点。张典兵、刘秀娟的著作《小学生品德发展与道德教育》（2021）从学生品德发展的规律审视了评价方式。

---

① 仲建维．德育评价应超越量化取向［J］．教育研究，2014 (5)：75－77.

② 戴军．德育评价的当代困境与价值选择［J］．人民教育，2014 (13)：67－69.

③ 冯永刚．复杂科学视域下的德育评价［J］．外国教育研究，2007 (11)：40－43.

④ 冯建军．测量时代的德育评价：难为与能为［J］．中国电化教育，2022 (1)：1－8.

⑤ 叶飞．回归本体价值的德育评价改革［J］．南京社会科学，2022 (1)：147－154.

⑥ 叶飞．关注儿童生命整全性的德育评价改革［J］．新教师，2021 (5)：12－13＋49.

此外，探讨这一领域相关问题的论文有汪瑞林《改进中小学德育评价的方向性思考》(2019)，张冲《中小学德育评价与创新研究：现状·问题·建议》(2019)，唐汉卫、刘金松《高考中的德育评价：新中国成立70年的回顾与展望》(2019),徐洁等《智能时代中小学德育评价变革探析》(2022)等。可以发现，虽然在实践中仍存在工具化、片面化等弊端，但总体价值导向与理论研究倡导的多元化、遵循品德发展规律、师生共同参与等导向相契合。

当前，在人文价值的实现更为困难的测量时代，德育评价范式具有忽视德育本体价值、窄化评价功能等不良倾向，因此，德育评价的改革仍是未来值得探讨的话题，以使其适应时代发展和教育发展，回归其培育整全人的本体价值。

## 五、德育现代化建设研究

自20世纪80年代开始，随着德育研究开始进入了一个宽松的、快速的发展时期，德育学者们开始着手建构现代化的德育理论体系，推进德育的现代化建设研究。党的二十大以来，学者们开始在中国式现代化的背景下进一步探索德育现代化建设问题，推进中国式的德育现代化研究。20世纪80年代末，鲁洁教授从现代化建设的角度出发，认为我们不仅要重视德育的政治功能，同时也要重视德育的经济功能、个体功能等，学校德育不能脱离于商品经济发展的需要，而是要通过培养人的竞争观念、开拓精神、创造意识等来促进现代化的市场经济的发展[①]。班华教授则在《现代德育论》中深入探索了现代社会、现代人与现代德育的内在关系，从总体上探索了现代化的德育目标、德育内容、德育过程、德育方法以及德育评价

① 鲁洁．商品经济与教育［J］．江苏高教，1989 (1)：15－19.

等方面的建构工作。这也推动了更多的学者探索德育现代化建设中的具体问题。有的学者从德育内容层面上开展研究，关注社会主义教育、爱国主义教育、集体主义教育、社会公德教育、基本文明礼仪教育等方面的德育内容[①]，主张把这些内容分别归入道德教育、法制教育、思想政治教育、心理健康教育等范畴，形成了一个"大德育"的体系。这也使得当时的德育内容体系更好地适应了社会主义现代化建设的需要。有的学者从德育方法的层面上，主张运用更加多元、科学的德育方法来展开德育工作，包括榜样示范法、理想激励法、情感陶冶法、对话讨论法、行为训练法等方法，从而通过更加现代化、科学化的德育方法来促进学生的道德成长，提升学校德育工作的实效性。

党的二十大以来，学者们关于德育现代化的研究进一步深化和拓展，更聚焦于在中国式现代化的背景下观照德育的现代化建设问题。习近平总书记明确指出，中国式现代化不同于西方化，它既有各国现代化的共同特征，更有基于自己国情的中国特色，中国式现代化是在吸收西方现代化的经验、规避西方现代化弊端的基础上，走出一条符合自身发展实际的现代化之路。对于中国德育体系而言，中国式现代化在德育领域中的落实，其核心也是要坚持走中国特色社会主义的德育发展之路，全面落实立德树人根本任务，加快德育现代化建设以及人的解放，在中国式现代化洪流中不断促进现代人的培养。这也是德育在新时期需承担的重要历史使命。不少学者指出，德育现代化是中国式现代化的重要组成部分，它展现了德育事业要走出一条中国式新道路的决心和勇气。这条新道路致力于创造出德育发展的新形态、新路径，从而使德育全面融入中国式现代化，为建设现代化教育强国、培养具有现代精神的新人贡献中国智慧和中国方案。因此，中国式的德育现代化，其核心就是以人为中心的现代化，同时也是德育自

---

① 詹万生．整体构建德育体系总论［M］．北京，教育科学出版社，2001：311.

身（包括德育理念、内容、方法等）的现代化[①]。因此，一方面，德育现代化是以人为中心的现代化。德育现代化，其最终目标是促进人的现代化，也只有促进了人的现代化，中国式现代化建设才能真正成功。西方的现代化道路，包括西方教育的现代化道路，它虽然以个人自由为口号，却带来了人的身体和精神的极大不自由。中国式德育现代化，显然必须坚决反对这种对人的自由、尊严和价值的践踏。中国式德育现代化是始终坚持以人的发展为中心的现代化，始终以人民对美好生活的向往为目标追求的现代化，它强调的是人与他者、人与社会、人与自然的和谐共融。中国式德育现代化，事实上就是要打破西方现代化的个体主义及个体化、割裂化的生活方式，走向以人的发展为中心的、人与人实现价值共享的现代化。这样的现代化，才是能培养真正意义上的“现代人”的现代化，才是涵养人的现代精神以及现代人格的现代化。另一方面，德育的现代化也是德育自身的现代化。德育自身的现代化是实现人的现代化的重要基础。在中国式现代化建设的背景下，德育自身的现代化主要体现在两个方面。一方面，德育自身的现代化是具有中国特色的现代化。它不是以西方现代化为蓝本，而是致力于打破西方现代化的霸权话语，摈弃启蒙运动以来所形成的科学主义、人类中心主义等现代化理念。中国式德育现代化的新理念倡导的是物质与精神、肉体与心灵、理智与情感等的有机统一，它形成的是人的全面发展以及德育的现代化发展。这种理念要求德育的内容、方法等要进行现代化的重建，以更好地传递人与人、人与社会、人与自然的和谐共融、共建共享的价值观，从而走出一条不同于西方的现代化道路。另一方面，德育自身的现代化也是面向数字化、信息化转型的现代化。德育现代化必然需要面向未来，需要面向以互联网、大数据、人工智能为核心特征的数字化社会。在数字化社会里，德育现代化已然整体“嵌入”了整个信息网络及大数据

① 叶飞．德育现代化的核心要义及实现路径［J］．中国电化教育，2023 (1)：70 － 72.

系统当中。因此，德育现代化不仅要广泛使用人工智能、云计算、大数据等新技术及方法，加强自身的现代化信息技术水平，同时，更为重要的是，德育现代化也要以数字化、信息化来深度改造自身的理念、内容、方法、评价等，从而更好地应对数字化社会和数字化生存的挑战，培养符合未来社会发展需要的新人。

## 第二节　德育一体化的理论与实践研究

德育是构建德智体美劳全面培养的教育体系的重要组成部分，在落实立德树人、培育时代新人方面发挥着举足轻重的作用。德育一体化建设则是立足于德育体制机制改革的需要以及人的全面发展的需要，致力于构建整体的、系统的、衔接的德育体系，以避免碎片化、割裂化、分散化的弊病。由于缺乏整体上的设计，我国德育工作呈现出碎片化、孤立化的状态，导致不同学段的德育衔接不畅、实效性低的问题。对此，我国明确提出了构建以社会主义核心价值观为引领的大中小幼一体化德育体系，以解决这些问题，为德育改革与发展指明了方向。

### 一、德育一体化的背景与缘起

德育工作关乎青少年世界观、人生观、价值观以及道德品质的形成，关系到年轻一代人的整体道德素质。2010 年，《国家中长期教育改革和发展规划纲要 (2010 —2020 年 )》将“德育为先”作为战略主题,并提出“构建大中小学有效衔接的德育体系”，以增强德育工作的针对性和实效性。2017 年，中共中央办公厅、国务院办公厅在《关于深化教育体制机制改革的意见》中再次明确提出，“构建以社会主义核心价值观为引领的大中小幼一体化德育体系”，以加深青少年对社会主义核心价值观的认同，为培养能够担当民族复兴大任的时代新人凝心铸魂。这标志着德育工作步入了一个新的阶段，也为新时代德育的改革与发展指明了新的方向。

德育一体化的提出不仅是践行国家战略的需要，也是由道德培育的特殊性决定的。首先，道德由道德认知、道德情感、道德意志和道德行为构成，四要素相互联系、相互贯通，是有机的统一体，忽视任何一个因素的培养都无法实现整体的道德教育目标。其次，道德的形成不仅受学校教育和家庭教育的影响，而且受社会风尚、舆论环境等隐性因素的影响。只有学校、家庭、社会的德育保持整体性、系统性，才能解决青少年思想道德形成过程中存在的德育分歧。一体化建设有助于多种德育影响互相补充，相互促进，从而使德育获得整体大于各部分功能之和的效果。从这个角度而言，德育一体化是新时期德育发展所需要的重要基础。

当前，德育工作的碎片化与孤立化现状也需要德育的一体化建设。我国的大中小学德育工作存在着目标衔接不够准确、内容递进逻辑性不强、各学段德育工作者缺乏沟通以及家庭、学校、社会德育影响相互冲突或分裂等问题，导致德育效果被大大削弱。此外，德育与学校教育的其他四育相脱节，使德育陷入孤立化境地。解决德育工作的碎片化与孤立化问题，一方面，要求把直接德育、间接德育和隐性德育，把学校、家庭和社会有机联系起来，形成一个纵向衔接、横向贯通的有机整体①。另一方面，要求德育工作渗透入其他四育中，与学校各类教育教学工作相联系，使德育真正成为教育的灵魂。

## 二、德育一体化的内涵及基本思想

德育一体化建设是落实国家教育战略、培养全面发展的人的重要基

① 冯建军．“德育一体化”议［J］．北京教育（普教版），2021 (7) : 30 − 31.

础[①]。德育一体化的理论研究聚焦于德育一体化的内涵与建设领域、大中小学德育一体化的基本原则以及德育课程一体化建设的关键策略与实践路径。德育一体化有助于推动德育与其他学科教育的有机整合，有助于拓宽理论研究视野。德育一体化建设还需要加强德育课程一体化的系统性研究与基础理论研究，革除德育工作的碎片化与孤立化的弊病，提高德育实效，落实培养全面发展的人的使命。

德育一体化作为德育改革的最新动向，应该遵循一定的哲学理念和规律，如如何把握一体化与多样性的统一、公共价值与个体价值的统一、普遍性与特殊性的统一[②]，以保证德育一体化实践的科学性。作为一种文化活动，德育一体化建设应该面向文化多元的事实，为建立一个可以包容和解释处于剧烈变化过程中的文化精神现象的教育实践体系做出求索[③]。作为一种公共治理活动，德育一体化建设应该以公共性为原则，注重统筹协调多方治理主体对德育课程建设的协同参与和合作共治。从不同视野审视德育一体化，均有其特殊使命和任务，从而在整体上把握德育工作的基本方向。

德育课程一体化是当前德育一体化建设研究的重点，以课程和教材为载体的直接德育教学是德育的主渠道，也是体现国家事权、实现德育公共治理的重要手段。目前我国大中小学德育课程在目标和内容上存在着衔接与贯通不畅的问题，如大中小学思政课课程体系的区分度不明显，衔接思路不清晰；各学段不同德育课程在内容上存在简单重复的现象，在衔接逻辑上，不能实现循序渐进、螺旋上升；思政课程教材的理论研究不足，不

---

① 叶飞，檀传宝．德育一体化建设的理念基础与实践路径［J］．教育研究，2020 (7)：50－61.

② 叶飞．公共治理视角下德育课程一体化的理论构建［J］．课程·教材·教法，2021 (3)：62－68.

③ 赵小鸣．德育一体化的文化内涵［J］．深圳大学学报（人文社会科学版），2000 (5)：63－67.

能有效将文件语言转化为教材语言，将政策语言转化为教学语言等[①]。基于以上问题，研究者对德育课程及教材一体化展开研究，主张推进德育课程的一体化建设，强调把握好一体化与多样性的统一、公共价值与个体价值的统一、普遍性与特殊性的统一，促进多方治理主体对德育课程建设的协同参与和合作共治。德育课程一体化建设的主要观点如下：第一，统筹建设各级各类德育课程目标。设定一以贯之、循序渐进的课程目标是实现德育课程一体化的首要策略。这需要以立德树人为统领，把理想信念教育、社会主义核心价值观教育、道德品格修养教育、国家认同和爱国主义教育等融入一体化德育课程体系中，以实现立德树人的总任务和总目标。第二，德育课程内容的衔接。课程内容的一体化是实现德育课程一体化的关键环节，其一体化建设需要整体设置德育课程内容体系，通过制定一体化课程大纲、课程标准、教材体系来实现[②]。也有学者从德育内容模块入手，将个体品德模块、社会公德模块、思想政治模块、心理健康模块、传统文化教育模块等进行有机整合[③]。第三，教材的一体化建设。在教材编写过程中，加强教材编写人员、编辑和审核者等人员的素养培训，做好从文件语言到教材语言、从教材语言到课堂语言的转化。对教材的编写、审核、出版、使用、评估等加强顶层设计[④]。教材编写还需要考虑到不同学段教材的内在逻辑、内容重点、叙述风格等因素，形成内容连贯而又层次鲜明的教学体系[⑤]。第四，教师队伍与教学一体化建设。课程与教材的一体化最终需要教

① 韩震．大中小学德育一体化思路下的德育教材体系建设［J］．教育研究，2020 (3)：14－18.

② 汤玉华．大中小学德育课程内容一体化建设思考［J］．教育评论，2017 (10)：106－109.

③ 叶飞．公共治理视角下德育课程一体化的理论构建［J］．课程·教材·教法，2021 (3)：62－68.

④ 同①.

⑤ 肖贵清．新时代学校思想政治理论课建设的基本思路［J］．吉首大学学报（社会科学版），2020 (2)：34－41.

师通过教学来落实，因此，教师队伍及教学的一体化建设是德育一体化建设的重点。教师培训机制应与教材研究机制同步建设……教师知识体系和评价导向体系是德育的背后支撑①。同时，要加强各学段、各类型德育教师之间的研讨沟通，建立健全大中小学不同学段思想政治理论课教师一体化备课和相互交流研修的机制②。在具体课程目标、内容的落实上，不仅要关注教师的教，而且要关注学生的学，研究各阶段学生的独特性和一致性，发挥学生的主体地位，建立一体化的教学机制。

总体而言，德育课程一体化仍是目前以及未来德育一体化建设的重要内容，对这一问题的研究也正朝向系统化方向发展。未来的研究可以从以下几个方面加以补充与深化：第一，加强系统性研究。已有研究倾向于讨论某一方面，如政策解读、建设对策等，缺乏系统性研究，未形成整体分析德育课程一体化问题的理论框架。第二，深化德育课程一体化建设的基础理论研究。虽然大多数研究者已意识到德育课程目标、内容以及教材编写中的逻辑性和衔接性问题，但是对于衔接的规律、逻辑的层次等基础理论层面的研究还比较薄弱，还有进一步提升的空间。

## 三、德育一体化的实践探索

党的十八大以来，以习近平同志为核心的党中央立足长远、着眼未来，为落实立德树人的根本任务、加强和改进学校德育工作提出了系列重要论断、作出了系列战略部署。2017 年 8 月，教育部印发《中小学德育工作指南》，定义了德育的总体与学段目标，将“理想信念教育”“社会主义核心

---

① 谢宇，吴晓云．“大中小学德育一体化教材研究实践研讨会”会议综述［J］．思想政治课教学，2021 (11)：95－96.

② 韩震．推进德育一体化的时代背景、内涵要求与实践进路［J］．思想政治课教学，2021 (3)：4－7.

价值观教育”“中华优秀传统文化教育”“生态文明教育”“心理健康教育”作为德育基本内容，并以六大育人途径细化德育工作，为中小学德育工作的开展提供重要引领，助力德育一体化建设。在此背景下，上海、山东、江苏、浙江、北京、广东等地紧跟步伐，对德育一体化的本土建设进行了探索。其中，上海市建立的循序渐进式建设模式与由山东省教育行政部门统筹、各地自主探索的纲举目张式建设模式比较具代表性，以省市级层面的整体部署为发端，推动德育一体化的顶层谋划和整体推进。山东省教育行政部门以育人为根本，并将育人成果作为考核各级党委和政府政绩的指标，以评价为引领来促进改革，逐渐改善教育生态。同时，典型经验还包括以项目研究作为引擎，为大中小学德育一体化建设提供学术研究的基础支撑。课题项目以创新性、价值性、可行性为立项依据，对实际问题的解决有较强的针对性，且能引进资源、激发团队创造力。上海市的德育一体化建设即以若干课题以及教育改革试点项目为依托，创造出系统、丰富的理论与实践成果。此外，教育行政部门及学校系统重视教师科研能力建设，鼓励教师开展行动研究，为其提供丰富的锻炼平台，并以此为基础建立起了“大学的专家—中小学教师—政府专业研究团队”三级联动的研究体系，为加强德育一体化建设提供了有力的学术支撑。

## 第三节　新媒体、媒介素养与德育研究

随着网络技术的不断发展，新媒体已经渗入到人们生活的方方面面，成为影响青少年认知、行为、思维与价值观形成的重要因素。

### 一、新媒体、媒介素养与德育研究的背景与历程

当前社会已步入新媒体时代，新媒体在改变人们生活方式与思想理念

的同时，也深刻影响着德育的发展。随着网络技术的发展，新媒体的内涵也在不断拓展。德育领域，研究者更加关注微博、微信等自媒体，对媒介素养的研究在观点立场上实现了从保守主义到促进主义的超越。

### （一）新媒体的内涵

“媒体”一词源于拉丁语“Medius”，意义为两者之间，有储存信息实体与传播信息载体两层涵义。新媒体技术有时空上的差异，因此是一个难以界定的概念，随着应用的成熟，新媒体的内涵也会不断更新。当前对新媒体有几种具有代表性的定义方式：

联合国教科文组织将新媒体定义为：以数字技术为基础，以网络为载体进行信息传播的媒介。美国新媒体研究专家凡·克劳思贝（Vin Crosbie）依据麦克卢汉（H. M. Mcluhan）“媒介是人的延伸”的创见认为，能为大众提供个性化内容，使信息的传播者和接受者融会成对等的交流者，无数的交流者相互间可以同时进行个性化交流的就叫新媒体。我国研究者熊澄宇认为，新媒体是个相对的概念，今天的新媒体主要指在计算机信息处理技术基础上产生和展开影响的媒体形态[①]。宫承波认为，新媒体是建立在数字技术、网络技术、移动通信技术等新技术的基础上，向广大受众提供信息服务的新兴媒体[②]。程栋探究了智能时代背景下的新媒体，将新媒体分为广义和狭义两个维度：广义上的新媒体是指传受之间新的传播信息的载体；狭义上的新媒体是指21世纪以来交互式传播信息的个性化、智能化数字载体[③]。可见，新媒体并没有严格的内涵与外延。

依据表现形式的不同，可以将新媒体分为互联网媒体、电视媒体与手机媒体。在网络技术尚不够发达的时代，新媒体以电视、电脑、手机等形

---

① 熊澄宇．中国媒体走向跨界融合［N］．北京青年报，2003－08－18.

② 宫承波．新媒体概论［M］.2版．北京：中国广播电视出版社，2009：2－4.

③ 程栋．智能时代新媒体概论［M］．北京：清华大学出版社，2019：14.

态固定的物质载体呈现，人与新媒体的互动并不处于完全自由状态。而今，互联网被称为继报刊、广播、电视等传统大众传媒之后的“新媒体”。随着网络技术的发展，新媒体显然拥有了更多的形态与功能，德育领域对新媒体的研究也渐趋微观化。2014 年以后，微博、微信等自媒体逐渐成为研究对象。更多的研究聚焦于不同的自媒体，分析其特点，从而规避风险，并利用其技术优势，改进道德教育。如微信、微博等自媒体兼具“自我发声”和接受“意见领袖”舆论的双重功能，构建了更具开放性和灵活性的道德教育空间。短视频、快闪等成为人们展现自我的渠道，画面、音频的动态表现形式也更具有沉浸性，因此，要培养学生对这类视频的价值辨析和批判能力。新媒体对人们生活的影响已经不可避免，且人们正在逐渐进入融媒体与智媒时代。道德教育要积极利用新信息技术蕴含的机会，融合多种媒体以及信息、用户，利用人工智能技术探索个性化道德教育的未来走向。

### （二）媒介素养教育的兴起与超越

我国对媒介素养教育的关注从 1997 年中国社科院研究员卜卫发表的《论媒介教育的意义、内容和方法》一文开始。媒介素养的研究兴起于西方国家，国内研究主要以翻译、介绍国外研究成果为主，如宋小卫等于 2000 年发表的《英国的媒介素养教育：超越保护主义》《西方学者论媒介素养教育》《学会解读大众传播——国外媒介素养教育概述》等文是初期的主要研究成果。随着对新媒体与媒介认识的不断深入，媒介素养研究逐渐兴起。一方面，开始了媒介素养教育的本土探索。一些论文讨论了我国媒介素养教育的特殊目标、理论资源和本土化策略[①]。另一方面，在观点立场上实现了从保守主义到促进主义的超越。所谓保守主义，是指媒介素养

① 牛鸿英．文化视野中的主体性建构：对中国青少年媒介素养教育本土化的思考［J］．新闻知识，2010 (1)：33 − 35.

教育主要是为了抵制媒介所带来的国外意识形态、不良文化以及道德观念的负面影响而进行教育，将媒体作为一种具有威胁性的存在，因此着重培养学生的批判解读能力。而促进主义是指正视新媒体的正向功能，尤其是在自媒体更为普及的时代，人人都能成为媒体信息的生产者和传播者，更注重培育学生理性运用媒介的能力和素养。

## 二、新媒体、媒介素养与德育研究的主题与进展

近年来，依托于网络技术平台的新媒体已成为了人们日常沟通和获取信息的重要方式，其出现和普及也在潜移默化地影响着个体道德的形成与发展。学者们对这种影响众说纷纭，迄今未达成一致的意见，主要包括挑战说、机遇说和创新说。由于媒介素养内涵的多维度，我国不仅在理论上重视其道德维度及对媒介素养教育的研究，在实践中也重视教育途径的构建及教师媒介素养的培育，使新媒体更好地为德育服务，发挥其育人的功能。

### （一）新媒体对德育的影响

1. 挑战说

新媒体作为一种新兴事物，它与德育的异质性会为德育及儿童的道德养成带来挑战。首先，新媒体的碎片化认知方式会影响学生的道德认知与道德判断力的发展。媒介的碎片化造成了青少年对道德现象的认识处于微认知状态，缺乏系统性和结构性，不利于儿童道德理性认知和判断力的发展[①]。其次，新媒体抢占道德教育话语权，导致学校德育的吸引力下降。一方面，新媒体的变革带来了话语平权，话语主体开始褪去神秘的光晕，教师的道德权威面临挑战。另一方面，传统道德的话语建构方式以学术话语、

---

① 司忠华.网络思想政治教育“碎片化”灌输的缘由、内涵与策略[J].思想教育研究，2017(8):100－105.

政治话语为主，与以大众化和生活化话语为主的新媒体语言的鸿沟逐渐加大[①]。再次，新媒体自身存在着道德伦理问题。新媒体道德伦理的缺失带来的道德挑战表现为欺骗性传播、“乌合之众”造成的理性缺位甚至道德暴力等。同时，新媒体的信息传播也对传统社会伦理提出了挑战，虚拟的交互方式消解了人与人之间的道德约束力[②]。最后，新媒体可能削弱传统道德教育的实效。传统道德教育主要依靠学校、家庭和社会三种因素影响的一致性，而新媒体作为影响儿童道德的重要因素之一，为儿童带来了更为多元和复杂的道德感知环境，但其存在的过度娱乐化，甚至低俗、媚俗和庸俗化等问题，会消解学校及家庭的道德教育成果。

2. 机遇说

机遇是指新媒体的出现能够帮助克服传统发展模式的局限，从而使德育达到更高的发展水平。新媒体为德育带来了以下几个方面的机遇：第一是理念方面，构建开放性德育模式。所谓开放性德育模式是相对于以固定的课堂、教材、交往对象为要素的学校教育，开发网络道德教育，构建起学校道德教育与外界环境的桥梁，将网络社会的丰富资源纳入道德教育中，拓展德育思路。第二是主体方面。新媒体能够重塑师生关系，使师生关系向民主平等转型。波斯特(M. Poster)把大众媒介时代划分为“第一媒介时代”和“第二媒介时代”。他认为，相对于“第一媒介时代”，“第二媒介时代”具有去中心化、双向传播、民主化等特征[③]。新媒体的特性能够有效消除师生之间的心理距离，教师可以利用其互动性和民主性帮助学生解答心理困

---

① 徐海楠. 论新媒体境遇下高校思想政治工作话语的转型［J］. 学校党建与思想教育，2017 (11) : 41 − 43 + 53.

② 吕广利. 论新媒体语境下高校道德教育的困境与对策［J］. 湖北社会科学，2015 (12) : 176 − 180.

③ 罗伯特·纳什. 德性的探询：关于品德教育的道德对话［M］. 李菲，译. 北京：教育科学出版社，2007 : 155.

惑[①]。第三是拓展德育功能的发挥空间。新媒体作为一种具有较强公共性的存在，其话语的公开性、参与的平等性若能够得到有效引导，从而疏导社会成员的情绪，规范其思想，则能够有效帮助社会成员共享统一的社会公共价值观念，达成观念意识的相对稳定性。第四是增强德育实效方面，道德教育能够利用新媒体的优势，开发学校媒体矩阵，与思想道德教育深度融合。如设置“意见领袖”，引导公众意见的形成；进行“议程设置”，对学生产生积极影响；利用新媒体传播的广泛性，实现道德教育的日常化和覆盖化。以上都是新媒体为德育带来的机遇,其优势是传统德育所不具备的。

3. 创新说

创新是指将新媒体作为新工具，可以改进道德教育的要素与过程。新媒体的出现能够帮助德育传播载体、内容、方法、形式等的创新。第一，德育载体的创新。以往的道德教育主要以教材为主，新媒体的出现丰富了德育载体形式[②]。道德教育可以通过充分占领新兴教育阵地，如手机媒体、校园网、微博、微信公众号、短视频等，将道德教育渗透到学生的日常生活中，传播先进思想，实现德育话语的平民化、大众化和生活化。第二，德育内容的创新。在新媒体环境下，学生的媒介素养成为道德教育的重要内容，可以将现实生活中的重大案例作为德育素材，提高学生对网络社会的认知、理解、批判和使用能力。此外，网络构建的虚拟社会要求培养学生的虚拟品质。所谓虚拟品质，即是在虚拟情境中形成的道德品质[③]，能够帮助人实现对虚拟社会的适应，也是对现实伦理世界的反映与补充。第三，德育工作方法的创新。德育教师可以利用新媒体技术提高道德教育的效率，

---

① 曾征,李毅.利用文献计量学分析新媒体时代高校思想政治教育研究趋势及启示［J］.云南民族大学学报(哲学社会科学版),2017,34(6):147－152.

② 彭颜红.论当代大学生道德教育传播载体的创新［J］.思想理论教育导刊,2011(2):92－95.

③ 颜青山.虚拟品质与道德教育:兼论基于虚拟现实之道德教育的可能性［J］.伦理学研究,2016(2):109－116.

打造新媒体矩阵，如辅导员可以利用微信公众号满足学生个性发展、互动参与、精准推送、移动式学习的需求[①]，对学生进行道德教育以及传播主流意识形态，提高工作的实效性和科学性。但需要注意的是，要根据实际情况选择不同类型的新媒体。第四，德育形式的创新。将新媒体与德育充分融合，实现寓教于乐[②]，提高德育的吸引力和趣味性。如将新媒体的视觉文化与快乐文化整合到道德教育课及其他学科德育活动中，创新德育与新媒体结合的娱乐形态。教学中采用学生喜闻乐见的方式，如脱口秀、辩论赛等[③]，可以有效改变德育的说教色彩。

### （二）媒介素养与媒介素养教育

1. 媒介素养

新媒体时代，除包括听、说、读、写以及批判性的传统媒介素养外，更注重新媒介素养教育。由于新媒体对学生道德养成与道德行为有着重要影响，媒介素养教育成为了一个重要的德育话题。

对于媒介素养的内涵，虽然不同学者有不同的见解，但对媒介素养的多维度内涵已成为一种共识。陆晔等认为，媒介素养包括媒介生产相关知识以及媒介素养技能两个维度[④]。有学者从认知和使用两个维度出发，认为媒介素养是指人们对各种媒介信息的解读和批判能力以及使用媒介信息为个人生活、社会发展所用的能力[⑤]。总的来说，媒介素养包括意识、知识、

① 黄静. 基于微信公众号的高校辅导员工作创新研究［J］. 思想理论教育，2015 (11)：75 − 79.

② 骆郁廷，方萍. 论新媒体时代的寓教于乐［J］. 思想教育研究，2017 (3)：3 − 9.

③ 李涛，闫成俭. 全媒体融合视域下高校思想政治教育创新路径探析［J］. 思想理论教育导刊，2019 (5)：133 − 137.

④ 陆晔，等. 媒介素养：理念、认知、参与［M］. 北京：经济科学出版社，2010：213 − 215.

⑤ 张志安，沈国麟. 媒介素养：一个亟待重视的全民教育课题：对中国大陆媒介素养研究的回顾和简评［J］. 新闻记者，2004 (5)：11 − 13.

观念与能力等几个维度。在新媒体影响更广泛和深入的时代，媒介素养的内涵也发生了转变，出现了新媒介素养。相较于传统的媒介素养，新媒介素养以信息管理能力为落脚点，“从信息管理能力的角度来看，媒介素养就是指如何有效地选择、利用、鉴别媒介的一些基本知识、技能和素质，使外在的丰富的内容为我所用，而有效地鉴别和拒绝那些跟自己的旨趣不和的内容”[①]。当前，我国媒介素养的现状不容乐观。调查显示，学生媒介素养具有“深度依赖新媒体”“信息获取能力出色而信息评判能力不足”“自媒体的运用能力尚需提升”“网络道德水平令人担忧”等特征。而学生的网络道德失范行为主要表现为网络依赖，诽谤、攻击他人，传播不良信息，制造病毒、充当黑客等[②]。因此，加强媒介素养教育刻不容缓，且需要根据时代发展的需要不断更新教育内容。

2. 媒介素养教育

詹姆斯·波特认为，媒介素养具有认知维度、情感维度、美学维度和道德维度[③]。国内学者也十分重视媒介素养的道德维度及其教育，认为媒介素养教育主要有以下两个途径：一是将媒介素养教育纳入德育课堂。比如，在现有的大中小学德育课程中专门增加有关媒介知识、媒介素养的内容。二是专门开设媒介素养课程，提高学生的媒介素养能力。2005 年 9 月，中国传媒大学面向本科生与研究生开设媒介素养课程；2007 年，东北师范大学媒介素养课程研究中心成立，这是中国首家媒介素养课程研究中心。除了媒介素养教育的理论研究外，媒介素养教育的实践也得到了重视。大学的媒介素养教育研究中心同中小学开展了实践研究，开发出相应课程体系，

---

① 刘莲莲．新媒介素养教育的理念、体系与格局［J］．传媒，2019 (17)：83 − 85.

② 郭丽萍．论大学生新媒体素养对思想政治教育的影响［J］．国家教育行政学院学报，2012 (6)：64 − 67.

③ 詹姆斯·波特．媒介素养（第四版）［M］．李德刚，等译．北京：清华大学出版社，2012：20.

加快了媒介素养课程进入学校教育的进程。

3. 教师媒介素养的培育

作为教育者，教师应该首先提升自身的媒介素养。政府的教育政策也应将媒介素养教育纳入教师教育培训体系，并与教师职称评定、教学评估和奖励挂钩，并提供财政和人才支持，建立专业的教师媒介素养培训机构。高校要加快对教师媒介素养培育的目标与内容体系的研究，将媒介素养作为继续教育和终身学习的重要内容，并随时代的变化更新内容。各学校也应打造教师媒介素养的实践平台，积极开展媒介素养教育培训与竞赛活动，鼓励教师在教学实践中创新运用新媒体技术，包括举办信息化知识、信息化教学设计、微课设计和新媒体教学创新竞赛，持续推进新媒体应用和媒介素养培育实践活动[①]。另外，教师也要加强自我教育，建立对新媒介素养的认同，理性认识新媒体为教育教学带来的新变化；强化自主构建，尝试在实践工作中应用新媒体技术，增强开展新媒介教学实践的自觉性和反思性；树立开放多元的教育观念，打造师生网络学习共同体，在学习中加强媒介思维和媒介素养。

## 三、新媒体、媒介素养与德育研究展望

作为一种新兴事物，新媒体的多话语主体、多向互动及虚拟性等特征势必影响学生道德的养成与道德行为，且随着其所依托的技术的不断发展，可能将不断改变我们的德育生态。面向未来，德育研究需要与时俱进，发展对新媒体的认知，更新媒介素养教育的内涵；坚守人本立场，准确把握人与媒介的关系，实现人与媒介的和谐发展。

---

① 郭红霞．智慧教育视域下高校教师新媒介素养培育研究［J］．出版广角，2019 (10)：79 − 81.

### （一）深化对媒介以及媒介素养教育的认识

随着时代的发展，媒介的内涵也在不断发生变化，如何理解媒介，会影响我们在教育实践中对媒介的使用方式。已有研究对媒介的认识经历了从媒介工具观、媒介环境观到媒介智能观的转变。媒介工具观强调将媒介视为一种工具，关注如何通过媒介开展德育工作。媒介环境观强调媒介对道德及道德教育的影响不同于传统环境，媒介具有多话语主体、多向互动、虚拟性等特征，环境的改变必然推动德育的变革。媒介智能观是当前的媒介新观念，强调媒介的自我进化和自我发展。在未来，随着媒介所依托的技术的不断发展，如5G、人工智能、区块链、大数据等的发展，新的媒介可能成为教育活动中的重要元素，甚至成为教育中举足轻重的力量，改变整个德育生态。

### （二）坚守以人为本的立场

无论是关于新媒体对德育的影响的研究，还是关于媒介素养教育的研究，其核心均是“以人为本”，这也是未来研究必须坚守的立场。媒介素养教育深层次上是价值教育，在本质上是一种人本教育[①]。研究媒介，最终目的是要分析媒介对人类行为的影响，并服务于人格乃至于人性的完善。当前的媒介素养教育侧重于使用中的技能培训，缺乏对其教育本质的思考。媒介素养教育要关注如何矫正媒介对人的异化，如道德绑架、网络暴力等，减少媒介对人的伤害，要准确把握人与媒介的关系，正确看待和使用媒介，帮助人们形成理性、正确、自觉的媒介观，实现人与媒介的和谐相处。

---

① 马君雅，徐国斌．高校德育视野下媒介素养教育的价值探索和路径建构［J］．思想教育研究，2014(8)：88－91.

### （三）开展多视角下的新媒体与媒介素养研究

当前，我国对新媒体的现有研究存在外源性失当问题。第一，未能从多学科视角审视新媒体的内涵与本质，导致对新媒体的认识不够深刻和全面，如极少将传播学的控制论模式、社会系统模式、社会认同模式、信息处理模式应用于价值观教育的研究，对实际应用的指导性欠缺[①]。第二，理论视角不够确切，理论与媒介契合度不够，导致研究结论缺乏实践性。第三，理论与媒介的结合具有机械性，大多以原有理论的固定概念框套德育，忽视了媒介素养教育中的真实问题。每个理论视角都有其特定的产生境遇和其适用的理论前提，应注意到理论视角及德育的特殊性，理性地从事科学研究。

### （四）探索媒介素养教育的全面化和终身化

新媒介对人的影响是全面而彻底的，但不同地区的卷入程度和所面对的境遇也不尽相同。现有研究对西部欠发达地区、农村地区的媒介素养关注较少，加强对这些地区的关注，促进这些地区的媒介素养教育，有助于推进教育公平，缩小教育差距，提高教育的整体质量。此外，应推进媒介素养教育的全人化和终身化。全人教育和终身教育是未来教育的发展趋势，媒介素养教育是终身教育发展需要关注的重点内容，而目前研究以大学生及青少年为主，缺少对其他群体的关注。调查显示，目前以儿童、青少年、大学生为对象的研究比例分别为 8%、28%、39%，其他群体仅为 25%，差异较大[②]。在未来，需加强对儿童及老年人的媒介素养问题的重视。媒介的时代性特征使得老年人在媒介观念和使用技能

---

① 朱尉．传播学视域下思想政治教育研究的问题梳理及逻辑转向［J］．国家教育行政学院学报，2016 (8)：82 － 86.

② 张立国，杨娟．我国媒介素养教育研究的现状与反思［J］．中国电化教育，2011 (9)：4 － 8 + 24.

上处于劣势地位，从而影响其生活质量及人际发展。对老年人进行媒介素养教育，有利于缩小代际鸿沟，提升老年人的幸福感。这也是媒介素养教育未来发展的一个重要方向。

## 第四节　大数据、人工智能与德育研究

伴随全球化的迅猛发展，以互联网为代表的信息技术革命席卷了社会生活的各个领域，教育也包括在内。作为社会的重要子系统，教育在大数据与人工智能时代下正朝着数字化的方向发展，德育在此背景下也发生了新变化。大数据和人工智能所具有的独特思维、先进理念和超强技术，为德育的革新与发展提供了新的基础、新的思路。当然，大数据、人工智能也并非百利而无一害，它也可能给德育带来诸多的潜在危机和风险。因此，充分认识大数据、人工智能与德育之间的关系，积极探索大数据、人工智能为德育服务的多重策略，已成为当前及未来德育研究的重要主题，也是落实立德树人根本任务的必然要求。

### 一、大数据、人工智能与德育研究的背景与缘起

#### （一）大数据、人工智能技术的成熟与应用

大数据与人工智能技术是新一轮科技革命以及社会变革的重要驱动力，“大数据 +”“人工智能 +”成为了各领域的热门概念，“元宇宙”一词在此背景下也应运而生。2013 年被称为大数据元年，大数据与人工智能已然成为新媒体时代信息化发展的重要趋势和潮流。大数据的提出者维克托・迈尔 – 舍恩伯格在《大数据时代：生活、工作与思维的大变革》一书中曾指出，大数据通过对海量数据进行分析，从而获得具有巨大价值的产

品和服务，或深刻的洞见[①]。人工智能作为一种颠覆与突破性技术，受到了各国政府和全球科技巨头的重点关注，他们投放巨额资金成立人工智能实验室，促进了人工智能技术和产品的快速开发、变革并刷新着人们的生活、工作形态和体验。

通常来讲，大数据的发展与应用经历了四个阶段的历程。一是部署阶段。2011—2013 年，大数据技术在一些互联网公司实现，推出了若干开发处理大数据的平台，但是并未获得足够的成果，大部分行业仍然对大数据持观望态度。二是逐渐成熟阶段。市场中出现许多以大数据为引擎的创业公司，如 Hortonworks 公司等，提供了成熟的产品，大数据业务不断扩展，从基础设施转移到数据分析，并出现了在应用方面的诸多尝试，逐渐构建起了良好的行业生态。三是大数据基础设施创新阶段。在基础设施领域，一些技术进步不断出现，如图形数据库、专门数据库，以及时序数据库等，为大数据的发展提供了技术支撑。四是大数据与人工智能相结合阶段。人工智能在某种程度上就是大数据技术不断成熟的产物，基于算法的发展，深度学习、语言处理、智能机器人等应用得以投入现实。此后，大数据快速发展起来，其技术渗入到经济、文化、教育等各个领域。

人工智能的出现有更久的历程，经历了推理阶段（1950 —1970 年）、知识工程阶段（1970 —1990 年）和数据挖掘阶段（2000 年至今），通过对海量数据的自动分析，人工智能逐渐实现了自身的智能化。大数据与人工智能两者的结合强有力地改变着我们的工作、生活和学习。因此，探索大数据、人工智能等前沿技术对德育领域的影响是一个急迫而重要的课题。

---

① 维克托 · 迈尔 – 舍恩伯格，肯尼思 · 库克耶 . 大数据时代：生活、工作与思维的大变革［M］. 盛杨燕，周涛，译 . 杭州：浙江人民出版社，2013：4.

### （二）大数据、人工智能及教育理论研究的丰富

学术界已经掀起了对大数据及人工智能的研究热潮。近十年以来，尤其是近五年间，该领域的研究成果全面喷发。经过在中国国家数字图书馆、中国期刊数据库等进行检索，近几年出版的以“大数据”“大数据技术”“人工智能”等为题名的专著有近百本之多。较早出版的有杨祥金、蔡庆生编著的《人工智能》（1988），李陶深主编的《人工智能》（2002），尚福华等编著的《人工智能》（2008）等，其他书多为2017—2022这五年间出版的。大数据与人工智能不再只是少数专业及技术人员的专利，已进入全面发展阶段，这表征着人工智能、数字化社会等已经来临。

“大数据”“人工智能”等相关研究日渐活跃，并且在经济结构转型、政府治理、社会服务等领域得到了广泛的应用，并逐渐向教育领域延伸。2018年，朱永新等主编的《中国教育三十人论坛丛书：人工智能与未来教育》出版发行。2021年起，由袁振国主编的《人工智能与智能教育丛书》陆续出版。此外，安东尼·塞尔登（Anthony Seldon）等的《第四次教育革命：人工智能如何改变教育》、约瑟夫·E. 奥恩（Joseph E. Aoun）的《教育的未来：人工智能时代的教育变革》等一些译著也在2018—2019年出版，深入探索人工智能时代的教育。教育领域已将人工智能等前沿技术纳入未来发展的重要考量因素。作为一种影响青少年道德成长的环境以及变革德育的重要技术手段，大数据与人工智能技术在德育领域也逐渐受到关注，以“智能时代的德育”为主题的学术研讨会已连续两年（2022—2023年）举办，学者们深入探索大数据、人工智能及其德育影响，并形成了一系列的研讨成果和学术成果。

## 二、大数据、人工智能与德育研究的主题与进展

在大数据与人工智能时代，德育不仅要在“变”中开拓德育形态、模

式与方法，还要在“不变”中坚守德育的本质属性、根本目标与重要任务。此外，大数据与人工智能可能会为德育带来“危”与“机”，德育在面临大数据使用危机、道德主体危机以及技术风险挑战的同时，其各个环节的发展也面对着空前的机遇。面对大数据与人工智能技术可能造成的伦理挑战以及可能带来的发展机遇，德育需要承担起相应责任，在德育内容、原则、方法等方面采取应对策略，以适应社会变革的需要。

### （一）大数据、人工智能时代德育的“变”与“不变”

#### 1. 在“变”中开拓创新

“变革”是大数据与人工智能时代的主要特征，这一特征将对德育产生重大影响。大数据的“4V”特征，即体量 (Volume, 数据体量大 )、速度 (Velocity, 数据处理快 )、多样化 (Variety, 数据多样化 )、价值 (Value, 数据的经济有效性 )[①]，以及人工智能具有的深度学习、超强算力等能够为道德教育内容、载体、教学方法、供给模式等带来巨大变革，引领传统德育向智慧德育模式的转变。

数据本身即是一种信息载体。大数据将成为道德教育的新载体，承载着德育的目的、内容、原则等信息，是联系德育主客体的重要形式。大数据载体具有的数据化、海量化、复杂化和动态化等特征，为道德教育带来了重要的发展机遇。有的学者已构想了大数据支持下学校道德教育变革的四个方面：收集关于学生的数据有利于把握学生真实的道德发展状况；了解学生个性的同时精准施教；在大数据预测功能的帮助下拓展德育时空；引导德育思维方式的变革[②]。同时，在大数据、人工智能时代，德育教学范式也将从经验模仿、计算机辅助向数据驱动转变，完成教学范式的第三代

---

① 桑尼尔·索雷斯. 大数据治理［M］. 匡斌，译. 北京：清华大学出版社，2014：3 － 4.

② 张姜坤，王夫艳. 大数据背景下学校道德教育的四维变革［J］. 基础教育，2018，15 (6)：39 － 45.

转变。在传统的德育教学范式中，学生是知识、信息的被动接收者，虽然计算机辅助下的德育教学拓展了德育的教学内容、教学资源等，但并未产生根本性的变革。而大数据与人工智能技术将创造数据驱动的德育教学模式，以大数据为中心，为教师调整教学方案、实现精准教学提供巨大帮助，为学生制订适合的学习计划和学习路径提供人工智能的支撑，这将推动德育教学领域的重大变革。

2. 在“不变”中坚守本质

虽然大数据与人工智能会极大影响德育形态、模式、方法等，但德育的根本任务、本质属性与基本规律依然会保持不变。“变”与“不变”是辩证统一的，“变”是对“不变”的开拓创新，“不变”是对“变”的本质坚守。

在大数据与人工智能时代，人才培养的规格、路径等可能会发生变化，但立德树人依然是德育的根本任务。大数据与智能技术要为人的发展服务，而不是反客为主，被数据所裹挟和异化。

德育是面向人、培养人的活动，具有情感性、思想性的特质。德育的情感性体现着德育的人文关怀。德育要关怀人的生命情感、信仰、责任感等，而不能仅通过精确、科学的方式来控制人。此外，德育是关涉人思想、精神的事业，是对受教育者施加思想、政治等方面影响，培养学生的世界观、人生观、价值观的活动，这也是德育的本质属性。大数据与人工智能为实现德育的这一目标提供技术支持，有助于教师更好地了解学生，更好地关怀学生的道德成长。

德育发展要遵循的基本规律不会变。德育规律是德育过程中要素之间联系与发展的必然趋势，如德育的长期性、反复性，要促进知情意行等道德状态的统一、促进学生思想品德内部矛盾的积极转化等，这是由德育的基本要素、基本结构决定的。德育基本要素与结构具有稳定性，大数据时代不仅不会改变德育的基本规律和原则，还要尊重德育的基本规律，按照德育本身的逻辑进行改造。

### （二）大数据、人工智能推动德育的“危”与“机”

1. 大数据与人工智能带来的德育挑战

数据使用危机。德育主体在使用数据时可能会造成数据崇拜、数据独裁、数据滥用、隐私泄露等问题。数据崇拜是指人们将自身理性判断的能力让位于数据，听从数据的指示，决策越来越依赖数据提供的信息与模型，或者依据数据的预测功能指导人的行为。“信数据，得永生”的数据主义是其典型表现。若信息与权力合谋，还会造成数据独裁。数据滥用是指平台企业等主体不合法、不正当地越权使用网络信息或个人信息，进而侵犯他人利益的现象。隐私泄露即是表现之一。个人隐私泄露包括“个人身份信息、个人行为信息以及个人偏好信息的泄露”等①。“大数据正在催生一个零隐私的‘数字圆形监狱’——每个人的言行举止都将被存储在数字化记忆中，大数据强大的关联分析和交叉检验功能几乎使任何人的行为踪迹都无所遁形。”②个人信息面临被窃取和泄露的风险，这些不道德的行为与社会现象为德育带来了巨大挑战。因此，德育要培养人的数据智慧和素养，在使用大数据与人工智能技术中，避免其伦理风险的发生。

道德教育主体危机。教师与学生是德育过程的主体，大数据与人工智能可能会为师生的存在样态带来多重危机。对于教师来说，其德育胜任力会遭遇挑战。学生多维多变的价值诉求要求教师更好地发挥其价值引领作用，海量的信息可能削弱教师的道德权威。大数据时代要求教师的“德育胜任力”实现由经验式思维转向数据式思维、由集体式教育转向个性化服

---

① 唐凯麟，李诗悦．大数据隐私伦理问题研究［J］．伦理学研究，2016 (6)：102 － 106.

② 易连云，邹太龙．大数据时代的教师德育胜任力及其转向与培养路径［J］．湖南师范大学教育科学学报，2017 (5)：64 － 68.

务、由传统素养转向数据素养等转变[①]。对于学生来说，复杂多元的信息可能导致学生价值迷茫，对学生品德的监测和品评可能践踏教育的伦理尺度，人工智能与数据的概率预测功能可能剥夺学生的道德选择自由[②]。这对于学生道德主体性的成长都会带来风险。

人工智能的算法技术也会为德育带来风险。首先，依据算法进行供给的信息可能仅基于用户的直接兴趣，一些不受关注的德育内容可能会被冷落。其次，算法造成的"茧房效应"会阻碍社会共识的实现。"茧房效应"概念来自于美国学者桑斯坦（Cass R. Sunstein），是指由于受众接受的信息都源于自身偏好，这些信息编织成可能囚禁使用者使之无法获得更为多元的观点、固化人的思维方式的信息茧房，最终影响个体身份认同的完整实现[③]。此外，依托网络技术的算法或能助推网络亚文化的传播，从而弱化人对道德教育的认同。网络亚文化具有碎片化、戏谑化等特征，西方意识形态也可能利用算法进行渗透，消解道德教育承载的价值与认同。

2. 大数据与人工智能带来的德育机遇

作为推动社会现代化的重要引擎，大数据与人工智能技术也为德育各个环节的发展创造了空前的机遇。首先，以精准化驱动德育的个性化供给，能够有效地提高德育实效。借助人工智能技术，深入细致的个性化德育成为可能，其精准性是依托大数据收集、挖掘和分析学生的数据信息，为学生绘制"数据肖像"[④]，将学生的道德状况"数据化""形象化"，从而根据

① 易连云，邹太龙．大数据时代的教师德育胜任力及其转向与培养路径［J］．湖南师范大学教育科学学报，2017 (5)：64－68.

② 邹太龙，易连云．大数据时代学校德育面临的危机及应对策略［J］．中国教育学刊，2017 (4)：81－86.

③ 崔聪．人工智能时代思想政治教育的算法风险及其应对［J］．思想理论教育，2020 (5)：76－81.

④ 王莎，赵兰亭．数据肖像："大数据"对高校学生思想的精准描绘［J］．大学教育科学，2017 (5)：102－107.

学生的个性需求提供适当的德育内容，提高德育的实效性。同时，利用大数据与人工智能的动态分析及相关思维，可以发现学生道德成长的新规律，分析学生的学习状况数据，掌握学生道德行为的动态变化，进而形成新的教育方法和教学模型，促进学生的道德发展。其次，创新德育评价模式，实现科学性与人文性的融合。德育评价是德育理论与实践领域的共同难题，大数据能够利用数据记忆提高其客观性，以来自家庭、社会的动态的学生个体发展历程等信息为依据增强其全面性，对学生的学习、社交、日常生活数据等综合数据的分析可以提高评价的多维立体性[①]。再次，创新德育工作路径，为德育工作者的自由发展创造条件。通过强化学校的互联网思维，可以推动德育工作网络化、信息化、智能化，创建科学化的管理机制。德育工作者也可利用数据获取参考和经验，提高自身工作水平。最后，促进德育研究的科学化。人工智能是一门以神经科学、计算机科学、逻辑学、统计学、心理学、认知科学等学科为基础的综合性学科，其中，神经科学、认知科学与德育研究密切相关。神经科学、认知科学、心理学等能够深入研究人的大脑功能、道德认知发展、道德情感和意志的发展等方面，并能融合人工智能技术探索促进人的发展的可能路径和方法，进而为德育研究提供启示。

### （三）大数据、人工智能技术的局限性与德育应对策略

#### 1. 大数据、人工智能技术的应用局限

大数据与人工智能的应用涉及教育、医疗、农业、交通、政治等关键领域，但具体在德育方面的应用尚处起步阶段。这也是由其应用的局限性所决定的。

第一，大数据以计算、测量的方式看世界，在一些问题上，可以以精

---

① 邹太龙，刘天琪．大数据支持下学校德育评价的时代转向及其反拨机制［J］．中国教育学刊，2021 (12)：91 － 97.

妙的计算为人们提供合理的选择，但是在情感、道德、思想等这些不能被量化的领域，大数据则无能为力。唐汉卫等即强调，大数据的教育应用具有本体上的局限，因为我们并不能基于数据构建一个真实的教育镜像世界，因为数据并不能复制人的情感，且其节点性与碎片性无法构建完整、丰富的教育情境与教育世界①。数据无法计算人的道德信仰、人的高尚境界，这些都是要在道德生活中才能体验、理解和领悟的。并且，数据计算是会带来风险的，通过大数据和人工智能虽然能够得出一些结论，但是算法本身可能会带来数据崇拜或者数据歧视，从而给教育带来风险。

第二，大数据与人工智能技术具有相同特征，即以工具理性的量化计算为运行模式，具有价值中立性和情感中立性。而德育是具有强烈情感性、思想性的活动，冰冷的数据可能会掩盖德育的情感、思想和价值认同。在将数据及智能算法运用于德育中时，如果不注意分寸，过于重视数据，人的主体地位可能被弱化，人的整全发展会被抹杀，从而给人的道德成长带来危机。

第三，数据及智能技术本身的局限性。大数据与人工智能作为一种信息技术，它在准确性、有效性等方面也是存疑的。大数据时代使得数据理念发生三大转变："要全体不要抽样，要效率不要精确，要相关不要因果。"②然而，教育只有"关联"是仅仅不够的，在分析和解释事物联系的机理方面，思维仍属必要。大数据的预测功能建立在对大量群体信息进行粗略分析的基础上，其相关思维虽然能够探索若干因素之间的可能联系，但是不具有很高的准确性，结论的有用性、有效性、精确性可能会受各种因素的影响。

---

① 唐汉卫，张姜坤．大数据教育应用的限度［J］．华东师范大学学报（教育科学版），2020(10)：60－68.

② 维克托·迈尔－舍恩伯格，肯尼思·库克耶．大数据时代：生活、工作与思维的大变革［M］．盛杨燕，周涛，译．杭州：浙江人民出版社，2013：8.

### 2. 大数据、人工智能技术局限下的德育应对策略

面对大数据与人工智能技术的局限性和可能造成的伦理挑战，德育需要承担起相应责任。根据时代需要，我们要更新德育内容及方法等，加强对算法和数据利用的监督，提升信息主体的数据素养，从而更好地实现大数据时代的变革。

创建与大数据、人工智能使用有关的德育原则，促进德育目标、内容及方法等的更新。德育目标、内容、方法等具有时代性，需要根据时代变化不断更新。如针对个人隐私泄露问题，要树立与时俱进的隐私观。同时，大数据使用范围的扩大增强了个人信息被泄露和滥用的可能性，这要求大数据的使用者提高隐私意识，在使用相关产品时保护个人隐私，并注意保护他人隐私。在大数据与人工智能时代，需要根据需求确立大数据与人工智能的各方使用主体共同承认的伦理底线与道德标准，营造公正、友爱的公共网络话语空间，比如，对学生信息的收集及使用遵循的原则需要与学生及家长共同协商等。“教育大数据的‘有用无害’诉求体现出鲜明的教育伦理色彩，‘责任担当’凸显了责任伦理的特征，‘数据权利’是权利伦理的内容范畴，‘制度保障’则是制度伦理的基本目的。”①

加强数据监管与算法优化。明确大数据及人工智能技术应用于德育的界限，防止数据独裁；谨慎使用数据，有选择性地使用数据，不能使人沦为大数据的奴隶；优化算法，加强德育的价值赋予与信息融入，赋予算法以价值正当性，做好对网络信息推送机制的审核和把关工作；加强对算法设计及审核人员的责任意识培育及价值理性引导，避免算法所带来的各种伦理风险，从而使大数据能够更好地服务于德育工作。

对信息行为主体进行道德教育，提升师生的数据素养。一方面，教师要认识到数据在德育过程中可能造成的风险，破除唯数据论，在数据丛林

---

① 戚万学，谢娟. 教育大数据的伦理诉求及其实现［J］. 教育研究，2019（7）：26－35.

的背后辨识学生的真实需求。教师的数据智慧包括数据意识与数据能力两方面，“数据意识可划分为应用、共享和反思三个方面……数据能力可划分为发掘、分析、决策和转化四种”[①]。教师要善于从收集到的数据中获取德育知识，将其应用于决策，并将选择的措施转化为具体的语言。另一方面，学生的数据素养是大数据及人工智能时代媒介素养的延伸，要通过媒介素养教育提升学生鉴别劣质信息与获取优质信息的能力，改善网络生态，以积极的议题引导学生价值观的养成，阻断非理性议题的发酵。同时，帮助学生理解智能算法的基本逻辑，揭开“算法黑幕”，认识自身网络行为与算法推送之间的关联，明确算法的权力本质与资本逻辑，从而得以反思算法。这对于青少年学生既是一种数据素养教育，同时也是一种道德品格教育。

## 三、大数据、人工智能与德育研究展望

当今世界，大数据与人工智能正以巨大的力量悄然而深刻地改变着人类社会的方方面面，无疑也改变着置身于社会前沿的德育[②]。如何应对技术伦理的风险，有效避免伦理危机的发生，使大数据与人工智能更好地为德育服务是未来需要去研究的重要议题。与大数据、人工智能同行的德育面临着诸多的潜在危机，这要求构建与完善应对技术伦理风险的德育反拨机制，准确把握大数据、人工智能＋德育的价值契合点，并探讨大数据、人工智能时代的高阶人格培养以及加强智能时代的德育教师队伍建设，实现个体德性修养的飞跃，推动德育理论与实践研究的变革与创新。

---

① 唐汉卫，刘金松．论德育过程中教师的数据智慧［J］．教育科学，2018 (6)：19－24.

② 邹太龙，易连云．大数据时代学校德育面临的危机及应对策略［J］．中国教育学刊，2017 (4)：81－86.

### （一）完善应对伦理风险的德育反拨机制

虽然技术能为社会及道德的发展带来机遇，但其可能造成的恶果也是难以估量的。构建与完善应对技术伦理风险的德育反拨机制是一个前置性、基础性的问题。虽然学术界已对数据、算法等大数据及人工智能的风险进行了大量的反思与警示，但对风险防御的研究还较为缺乏。

反拨机制包括风险预警机制与危机制约机制。风险预警机制的建立需要技术的支持，建立防御黑客袭击、数据泄露的屏障，遵守使用大数据与人工智能的道德原则，对于数据使用失范问题及时采取应对措施。在危机制约机制方面，数据背后存在多方利益相关者，且数据的使用更多的是一种组织行为与完整过程，因此在使用过程中可能会出现责任推脱与逃避现象，因此需要建立责任分担机制，有秩序地解决相应的问题。同时，要加强对数据使用者的技能培训和风险意识培育，有效避免伦理危机的发生，做到防患于未然。

### （二）准确把握大数据、人工智能＋德育的价值契合点

德育具有人文性特质，人始终是德育要关注的焦点，大数据与人工智能技术要服务于人的需要。正如李彦宏在演讲中指出的，人工智能给行业和社会带来的变革，最终是为了服务于人，人工智能存在的价值是帮助人、教人学习，让人成长，而非超越人、替代人、阻碍人的发展。目前，大数据与人工智能技术主要应用于教育教学的改进过程，停留在浅表层面，并未以学生道德的成长为核心。促进学生个体德性修养的成长是大数据、人工智能与德育融合的价值契合点，虽然在大数据与人工智能时代，海量的数据能够极大促进社会知识的积累和传播，但如何“转识成智”进而“转智成德”，实现个体德性修养质的飞跃，则需要思考人工智能与人的精神世界的内在联系，深入探索技术如何影响人的思想与精神，进而形成以技术的辅助来推动个体德性修养的实践策略。

### （三）大数据、人工智能时代的高阶人格培养

随着大数据与人工智能技术运用时空的不断扩展，一方面，人工智能逐步纳入人的要素，甚至在某些方面胜过人类，促使我们反思人与机器的区别，发展人的特质；另一方面，技术也能够为高阶人格的发展提供条件。因而，探讨高阶人格培育的问题将成为未来值得思考的议题之一。高阶人格的形成建立在高阶智能的发展这一基础上。高阶智能是思维智能、情感智能、信念智能、行为智能的统一[①]。高阶人格是能够驾驭与超越人工智能的人格能力，与高阶智能相匹配。大数据与人工智能技术给人类高阶人格的形成创造了可能。通过大数据，我们可以从另一个角度（数据的角度）探索学生的道德情感、态度的指标体系，通过观测与记录来分析学生的道德水平，分析高道德水平学生德性养成的影响因素，从而为高阶人格培养奠定一定的基础。同时，我们还可以建立记录学生道德发展的数据库，并找寻其动态数据背后的逻辑关联，有助于发现学生道德学习的新规律，从而基于规律来推进道德教育的改革和创新。这也为培养高阶人格提供了重要的条件。

### （四）加强智能时代的德育教师队伍建设

教师是立教之本、兴教之源。培育智能时代的智慧教师，加强德育教师队伍建设理应成为德育发展的关键环节。数据时代要求教师具备数据智慧，教师的数据智慧是指教师在数据应用中的实践智慧，包括在准备阶段挖掘和分析德育数据以制定精准化德育方案，在实施阶段以数据化的德育手段实施智慧化德育，在反馈阶段以德育数据的完善深化对学生道德发展

---

① 杨威，耿春晓．人工智能时代思想政治教育发展的可能议题［J］．思想教育研究，2021(10)：47－52.

和德育规律的认知[①]。通过这些数据智慧、实践智慧的养成，可以更好地提升教师的德育素养。因此，加强德育教师队伍建设，在实践路径上要注重开发数据智慧培训课程，将教师的数据智慧、数据素养等纳入培训课程之中，对教师进行职前、职中与职后的数据智慧、实践智慧的培养培训，以更全面地提升教师在智能时代的德育胜任力。

人工智能为德育教师队伍建设提供了重要的技术基础和支撑。2021 年教育部发布《关于实施第二批人工智能助推教师队伍建设行动试点工作的通知》，将北京大学、内蒙古师范大学等 55 所高等院校，以及内蒙古自治区包头市、吉林省吉林市等 45 个地区设置为人工智能助推教师队伍建设试点单位。由此可见，积极推进人工智能、大数据等新技术与教师队伍建设的融合，形成新技术助推教师队伍建设的新路径和新模式，打造高水平专业化创新型教师队伍，已经成为未来教师队伍建设与发展的重要趋势。在人工智能时代的背景之下，德育教师的数据素养、育德能力也将不断迈上新台阶，推动德育工作的整体发展。

## 第五节　生态道德、生态公民与德育研究

随着全球性资源枯竭、环境污染问题日益突出，如何解决生态问题成为了摆在人们面前的最现实、最紧迫的难题，而当今生态问题的解决必须设法协调人与自然之间的关系，培养人们良好的生态道德行为。在此背景下，生态道德教育研究及实践开始兴起。我国较早的生态教育、生态道德教育的研究可以追溯到 20 世纪 90 年代，当时吴鼎福等在《教育生态学》一书中提到了生态教育、生态德育的理念。新世纪以来，随着生态环境问

① 唐汉卫，刘金松．论德育过程中教师的数据智慧［J］．教育科学，2018 (6)：19－24.

题的日益凸显，研究生态道德的学者越来越多，相关的研究成果也越来越成熟化和体系化。这推动了整个学术界以及实践界对生态道德的关注，同时也助力生态环境问题的有效治理。

## 一、生态道德、生态公民建设的研究缘起

### （一）人与自然矛盾日益尖锐

人与社会的关系以及人与自然的关系是人类面临的两大基本关系。其中，人与自然的关系处于基础地位。伴随着工业文明取得的巨大成绩，温室效应、空气污染、水资源短缺、土地荒漠化等问题也犹如达摩克利斯之剑悬在人类头顶多时，成为全球范围内备受关注的核心议题。改革开放以来，我国的经济获得了迅速发展，但是在收获经济成果的同时，生态问题也日益显现，资源密集型的发展模式带来了巨大的环境挑战。新时期，我们不能与西方国家一样走“先污染后治理”并将污染压力推卸给落后国家的老路，而需要正视生态问题，多举措改善生态环境。

新世纪以来，我国积极承担生态文明建设的责任，逐步推广生态道德的理念。党的十六届三中全会明确提出“科学发展观”，将“全面、协调、可持续”作为科学发展观的基本要求。党的十七大正式将“生态文明”写入十七大报告。进入新时代，我国社会的主要矛盾已经转化为人民日益增长的美好生活需要和不平衡不充分的发展之间的矛盾。为此，习近平总书记在党的十九大报告中指出，人民美好生活需要日益广泛，不仅对物质文化生活提出了更高要求，而且在民主、法治、公平、正义、安全、环境等方面的要求日益增长。党的二十大报告指出，中国式现代化是人与自然和谐共生的现代化，要坚定不移走生产发展、生活富裕、生态良好的文明发展道路。对生态问题的关注改变了人们对道德的传统看法。传统道德观将道德视为调整人与人、人与社会之间关系的行为规范总和，而生态道德观

将道德拓展到人与自然间的关系，重视非人类的自然界的生存权和发展权。在生态问题日益严重及生态文明建设重要性日益凸显的社会背景下，我国德育研究者逐步将提升人们的生态道德、培养生态公民等问题纳入研究视野，以构建更加美好的未来生活。

### （二）提高生态德育实效性的需要

生态文明建设不仅仅需要政府管理部门的政策宣传，更需要依靠社会全体公民生态素养的提升并有效参与生态文明建设。生态德育起源于西方，在我国起步较晚。1973 年，我国的第一次全国环境保护会议在北京召开，但是，当时的生态文明、生态道德建设仍主要停留在政策与法律规制的阶段。1992 年杨学良发表《应重视生态道德教育》的文章，才开始引起了人们对生态道德教育的重视。此后，生态道德教育的相关研究开始迅速发展起来。尤其是新世纪以来，伴随着生态环境的不断恶化，关于生态文明、生态道德教育的研究呈快速发展的态势。2021 年 3 月，生态环境部、中宣部等六部门发布《“美丽中国，我是行动者”提升公民生态文明意识行动计划（2021—2025 年）》，再次强调了生态文明教育的重要性。该行动计划要求，推进生态文明教育，将生态文明教育纳入国民教育体系，完善生态环境保护学科建设，加大生态环境保护高层次人才培养力度，积极推进生态文明教育法律规范建设。这为我们进一步推进生态文明教育、生态道德教育指明了方向。

总而言之，我国的生态道德教育也已走过很长的历程，但是，生态环境的恶化仍在继续，人们的生态环境保护意识依然需要进一步提升，德育研究者需要不断开展相关方面的研究，促进人们生态道德、生态公民意识的提升。

## 二、生态道德、生态公民与德育研究的主题与进展

生态道德是指人们为了保护自然生态环境，自觉调整人与自然的关系

而形成的道德意识、道德规范和行为实践的总和[①]。生态道德的提出与日益加剧的生态危机以及日益紧迫的生态文明建设密切相关。作为新时期德育工作的一项新内容，生态道德教育在理论上要以挖掘生态道德教育的思想资源、探索其核心理念、建构基本内容为逻辑起点；在现实中，要了解生态道德现状，积极探索生态道德教育的实践路径，培育生态公民。生态公民的培育要以提升生态公民素养为核心使命，增强公民身份认同，构建政府、学校、社会、家庭等多主体协同的生态公民培育路径。

### （一）生态道德教育的理论审思

挖掘生态道德教育的思想资源、探索其核心理念、建构基本内容是实施生态道德教育的逻辑起点。作为一种崭新的德育观，生态德育理论资源来自于中西方思想理念。中国传统文化中蕴含着丰富的生态价值观思想及道德资源。如道家《老子》有云："人法地，地法天，天法道，道法自然。"人是自然的一部分，需顺从自然，遵守"道"的法则。儒家代表人物孟子也提出："不违农时，谷不可胜食也。数罟不入洿池，鱼鳖不可胜食也；斧斤以时入山林，材木不可胜用也。谷与鱼鳖不可胜食，材木不可胜用，是使民养生丧死无憾也。"同样蕴含着顺应天时、可持续发展的生态理念。此外，我国学者还吸纳了西方自然中心主义、生态主义等理论流派的生态伦理学思想，如莱奥波尔德（Aldo Leopold）的"大地伦理学"、施韦泽（Albert Schweitzer）的"生命伦理学"、辛格（Peter Singer）的"动物解放主义"以及罗尔斯顿（Holmes Rolston）的"环境伦理学"等，促进了生态德育研究的发展。

树立核心理念是建设生态德育的基石和德性培育的基础，是对生态哲学理论思想的凝练表达，引导着生态德育各个环节的实施。生态德育的核

---

① 朱贻庭．伦理学大辞典（修订版）［M］．上海：上海辞书出版社，2011：156.

心理念具体包括：第一，生态价值理念，承认自然生态的价值，破除人类中心论，把人看作自然的一员，在人与自然之间建立相互依赖、和谐相处的关系。第二，生态敬畏理念，源于对生态价值理念的遵从，要求人们认识生态的神圣与庄严，敬畏自然，注意维持、修复自然环境中的原初生态，不违反自然规律，认识到人类在自然面前的渺小。第三，生态良心理念，强调作为个体的人对保护自然的内在良知，具体体现在对自然界履行道德义务时的道德责任感和自我评价力。第四，生态正义理念，以正义感约束人类行为，反对破坏、毁灭生态环境的非正义行为，维护子孙后代的生态权利以实现生态环境与人类社会的可持续发展。第五，生态可持续发展理念。生态可持续发展理念坚持遵循三个基本原则：持续性、公平性、共同性，从而构建人类与自然界、当代人与后代人的生命共同体[①]。

生态道德教育的内容需要根据时代要求不断丰富和完善。当前，生态道德教育的核心内容包括生态知识教育、生态道德观念教育、生态道德规范教育以及生态道德实践教育。生态知识教育涵盖了生物种类、生物群落、生态系统等生态学基本知识的教育，是关于环境科学的相关知识以及结合各专业特色开展的生态知识教育。除了知识维度，生态道德教育还着重培育学生的生态世界观与生态道德价值观，重视日常行为中的规范性要求和实践行动，力图培养学生自律性的生态道德规范，帮助学生了解生态保护的相关法律法规[②]。生态道德教育的内容还包括了基础性内容、核心内容以及扩展内容三个层次。基础性内容以生态基础知识为主，核心内容则是培育学生的生态价值观念，拓展性内容要求学生具备生态道德实践能力，从而逐渐达到生态知识、生态价值观念与生态实践能力的统一，培育真正的

① 季海菊."生态人"的当代意义及其德性培育［J］.南京社会科学，2016 (7)：133－139.

② 李红丽，傅安洲.高校生态道德教育内容体系构建［J］.中国地质大学学报（社会科学版），2015 (1)：78－85.

生态道德人。

### （二）生态道德现状及生态道德教育的路径

2013 年发布的《全国公众生态文明意识调查研究报告》显示，随着生态道德教育的实施，我国公众的生态文明素质及道德水平已经有所提升，尤其在对生态文明重要性的认知方面显著加强，但践行度仍然还是比较低。2020 年发布的《公民生态环境行为调查报告 (2020 年 )》显示，受访者普遍认为公民自身环境行为对保护生态环境重要，但不同领域践行程度呈现明显差异，在呵护自然生态、选择低碳出行和节约能源资源方面践行度较高，能够做到“知行合一”；在参与监督举报和参加环保志愿活动上，公众表现较为积极；在绿色消费、减少污染产生、关注生态环境和分类投放垃圾等行为领域，仍然存在“高认知度、低践行度”的现象。由此可见，改善公众在特定领域，尤其是日常生活中的不良生活习惯，仍然是未来生态道德教育的重点。

在学校教育方面，知识教学仍是进行生态德育的基本途径，以生态问题为主题设计德育内容是学校德育的重要组成部分，它对培育学生的生态道德价值观、引导学生遵守生态道德规范、提升学生的生态实践能力等都具有重要作用。生态道德教育也是全社会不同年龄阶段与各行业的重要任务。如在经济行为中践行生态道德，个人层面要强调提倡绿色、适度、文明、健康、可持续的消费方式，企业层面要自觉承担环境保护责任和义务，政府则需厘清责任，在经济活动中推行环境保护工作[①]。此外，健全生态道德法律法规与社会管理制度是生态道德教育的保障机制。《环境保护法》《森林法》《草原法》《土地法》《野生动物保护法》等是对公众进行生态规范及生态道德教育的有力举措。

---

① 周光迅，周夏．生态危机背景下的生态道德建设［J］．浙江社会科学，2010 (5)：70－73＋127.

在生态道德的培育方法上，除了传统德育方法外，生态道德教育还需注重价值观分析法、问题教学法、实践探索法等方法。价值观分析法来源于价值澄清学派，在生态教育中主要用于引导学生在价值观发生冲突时深刻分析、自我反思以调整自身行为，最终培育积极的生态道德观。问题教学法指以生态问题为核心，引导学生针对问题进行探讨、交流，进而形成生态权利与义务、善恶是非等生态价值观。实践探索法重视培养学生解决实际生态实践问题的能力，以生态问题为支点，引导学生在问题探究和问题解决中形成正确的生态道德观。

### （三）生态公民培育的理念及路径

生态公民是坚持生态道德取向的公民，"生态公民是尊重自然、顺应自然、保护自然的生态人；是自然发展、社会发展、人的发展规律的遵循者；是现代公民社会性、生态性、主体性的统一体"①。生态公民具有权利和义务两个核心要素。"所谓生态公民，其基本特征就在于不同区域、不同代际的公民，由于彼此所占有的'生态足迹'的不同而形成的超地域、超代际的权利与义务分配关系。"②生态公民的提出，源于公民公共生活结构发生的深刻变革，拥有生态权利以及承担起保护生态的义务，逐渐成为每位公民的平等性责任。此外，生态公民还要学会为不在场的他者的生态权利负责。生态公民身份认同的过程就是公民逐渐成为自觉行使生态权利、履行生态义务的主体的过程，是从人的现代化转型出发，与生态文明建设的国家进程接轨的过程。

生态公民素养的培育是生态公民教育的核心任务，包括生态意识培育、

---

① 高健，丁炫凯．困境与突围：生态公民身份养成路径［J］．社会科学家，2019 (11)：45 － 49.

② 曾妮，班建武．生态公民的内涵及其培育［J］．教育学报，2015 (3)：12 － 18.

生态思维历练、生态美德养成、绿色生活践行等方面[①]。生态意识是生态公民的基本素养，生态意识的核心是对自然的友善以及人与自然和谐发展的意识。生态思维则要求公民在公共生活中自律、自省，履行自身的生态责任，其核心是形成以“关系”为中心的生态思维观，意识到自身为生命共同体的一员，意识到自身生态足迹妨碍他者利益的可能。生态美德是生态公民素养的核心，它是人在生态环境保护中的道德品质，是生态道德教育需要培养的核心内容。践行绿色生活是生态公民素养的重要体现。绿色生活是健康的生活，尊重自然规律的生活。当前，公众绿色生活习惯的建立是生态道德教育与生态文明建设的共同任务，公民的生态素养最终要体现在绿色的道德行动中。

培育生态公民要发挥多主体（包括政府、学校、社会、家庭等）的协同作用。比如，应建设生态型政府，“将遵循自然生态规律和促进自然生态系统平衡作为其基本职能，并能够将这种目标与职能渗透与贯穿到政府制度、政府行为、政府能力和政府文化等诸方面之中”[②]。生态型政府能够通过实施生态教育、建立生态市场、完善生态法制、施行生态行政指令等方式培育生态公民，为生态公民培育提供坚实保障。在学校教育的层面，则主要是通过知识教育、活动参与、构建生态导向的校园文化等方式培育学生的生态习惯。在公民的个体生活、家庭生活中，则是要主动奉行生态道德理念，践行低碳生活，坚持人与自然的和谐相处，从而更好地成为现代社会的生态公民。

---

① 刘霞．培养生态公民：建设生态文明的教育担当［J］．教育发展研究，2019 (12)：25 − 30 + 36.

② 黄爱宝．生态型政府构建与生态公民养成的互动方式［J］．南京社会科学，2007 (5)：79 − 85.

## 三、生态道德、生态公民与德育研究展望

加强公民生态文明和生态道德教育，提升公民的生态道德素养，是21世纪世界各国人民的共识。就目前我国的研究现状而言，加强生态道德教育的系统整合研究，重视公众日常生活中生态道德习惯的培育，倡导人类命运共同体背景下的生态德育合作，采用科学化德育手段切实提高德育实效等无疑已经成为了今后德育研究以及德育工作的重要方向。

### （一）加强生态道德教育的系统整合研究

对生态道德教育合作研究的加强包括技术、视野与资源三个维度。首先是技术上的融合。利用现代信息技术建立学校生态德育实践基地，创建生态德育资源深入渗透的“泛在学习”环境。其次是视野上的融合。目前与生态道德、生态公民相关的德育研究主要是从伦理学出发，或在理论层面分析生态公民所蕴含的基本维度，在未来，要借鉴相关学科的最新研究成果，为生态德育教育提供多方面的支撑。最后，在资源的整合上，要整合政府、学校、社区、企业及各地方特色资源，协同合作共同推进生态道德教育，让学生在现实生活中生发对环境的保护意识与责任，全面培育其生态道德意识及精神。

### （二）重视公众生态道德习惯的培育

培育人们在日常生活中的低碳生活、绿色消费、垃圾分类等日常生态道德习惯，也已彰显出了它的重要教育价值。生态道德教育要重视生态道德思想在具体实践活动中的应用，把生态道德的意识及理念渗透进公众日常生活当中，通过生活来开展生态道德教育。同时，正如我们所知，习惯的养成并非一朝一夕，生态道德教育要通过持续的价值传递及培育来促进学生生态道德习惯的养成。生态道德教育当中还可以开展一定的生态行为

规范教育，并建立生态行为的评价与奖惩机制，从而培养崇尚绿色生活、敬畏自然生态的行为习惯，引导人们在公共生活中的生态道德行为。这对于培养良好的生态道德品格有重要作用。

### （三）人类命运共同体背景下的生态德育教育协作

构建人类命运共同体的理念日益深入人心，解决生态问题，开展生态道德教育，必须加强国家之间与国际组织间的合作，形成多层次、多维度环境治理的立体体系[①]。我国要加强与其他国家的沟通协商，共同制定解决全球生态问题的相关决议与实施机制。同时，要充分利用各个国家的优势，实现生态技术的相互学习与传递，提升全球范围内公民的生态能力。总之，在人类命运共同体视域下，生态道德教育需要打破国界，聚集全球社会的教育力量，培养全球生态公民，推动全球生态问题的共同治理。

---

① 周国文．环境治理的绿色新形态：生态公民与全球维度［J］．哈尔滨工业大学学报（社会科学版），2018，20（5）：106－113.

# 主要参考文献


[ 1 ] 胡塞尔 . 欧洲科学的危机与超越论的现象学 [ M ] . 王炳文 , 译 . 北京 : 商务印书馆 , 2001.

[ 2 ] 扎哈维 . 胡塞尔现象学 [ M ] . 李忠伟 , 译 . 上海 : 上海译文出版社 , 2007.

[ 3 ] 杜威 . 民主主义与教育 [ M ] . 王承绪 , 译 . 北京 : 人民教育出版社 , 1990.

[ 4 ] 杜威 . 杜威教育论著选 [ M ] . 赵祥麟 , 王承绪 , 编译 . 上海 : 华东师范大学出版社 , 1981.

[ 5 ] 陶行知 . 陶行知教育论著选 [ M ] . 北京 : 人民教育出版社 , 2015.

[ 6 ] 陈鹤琴 . 陈鹤琴教育文集 [ M ] . 北京 : 北京出版社 ,1991.

[ 7 ] 陈鹤琴 . 陈鹤琴全集 [ M ] . 南京 : 江苏教育出版社 , 1989.

[ 8 ] 康德 . 实践理性批判 [ M ] . 韩水法 , 译 . 北京 : 商务印书馆 , 1999.

[ 9 ] 皮亚杰 . 儿童的道德判断 [ M ] . 傅统先 , 陆有铨 , 译 . 济南 : 山东教育出版社 , 1984.

[ 10 ] 科尔伯格 . 道德发展心理学 : 道德阶段的本质与确证[ M ]. 郭本禹 , 何谨 , 黄小丹 , 等译 . 上海 : 华东师范大学出版社 , 2004.

[ 11 ] 汪凤炎 , 等 . 德化的生活 : 生活德育模式的理论探索与应用研究 [ M ] . 北京 : 人民出版社 , 2005.

[ 12 ] 马克思恩格斯选集 [ M ] . 北京 : 人民出版社 , 2012.

[ 13 ] 高德胜 . 生活德育论 [ M ] . 北京 : 人民出版社 , 2005.

[ 14 ] 杨国荣 . 伦理与存在 : 道德哲学研究 [ M ] . 北京 : 北京大学出版社 , 2011.

[ 15 ] 亚里士多德 . 尼各马可伦理学 [ M ] . 廖申白 , 译 . 北京 : 商务印书馆 , 2003.

[ 16 ] 海德格尔 . 存在与时间[ M ]. 陈嘉映 , 王庆节 , 译 . 北京 : 生活·读书·新知三联书店 , 2014.

[ 17 ] 冯建军 . 生命与教育 [ M ] . 北京 : 教育科学出版社 , 2004.

[ 18 ] 马克斯 · 舍勒 . 人在宇宙中的地位 [ M ] . 李伯杰 , 译 . 贵阳 : 贵州人民出版社 , 1989.

[ 19 ] 鲁洁 . 道德教育的当代论域 [ M ] . 北京 : 人民出版社 , 2005.

[ 20 ] 万俊人 . 我们都住在神的近处 [ M ] . 沈阳 : 辽宁人民出版社 , 1998.

[ 21 ] 陈琦 , 刘儒德 . 教育心理学 [ M ] .2 版 . 北京 : 高等教育出版社 , 2011.

[22] 朱小蔓. 情感德育论［M］. 北京: 人民教育出版社, 2005.
[23] 陈琦, 刘儒德. 当代教育心理学［M］.2 版. 北京: 北京师范大学出版社, 2007.
[24] 霍夫曼. 移情与道德发展: 关爱和公正的内涵［M］. 杨韶刚, 万明, 译. 哈尔滨: 黑龙江人民出版社, 2002.
[25] 卡罗尔・吉利根. 不同的声音: 心理学理论与妇女发展［M］. 肖巍, 译. 北京: 中央编译出版社, 1999.
[26] 诺丁斯. 学会关心: 教育的另一种模式［M］.2 版. 于天龙, 译. 北京: 教育科学出版社, 2011.
[27] 卢梭. 论人类不平等的起源［M］. 邓冰艳, 译. 杭州: 浙江文艺出版社, 2015.
[28] 于连. 道德奠基［M］. 宋刚, 译. 北京: 北京大学出版社, 2002.
[29] 汪凤炎, 燕良轼, 郑红. 教育心理学新编［M］.4 版. 广州: 暨南大学出版社, 2016.
[30] 朱小蔓. 情感教育论纲［M］. 北京: 人民出版社, 2007.
[31] 鲁洁, 王逢贤. 德育新论［M］. 南京: 江苏教育出版社, 2010.
[32] 朱小蔓. 关注心灵成长的教育道德与情感教育的哲思［M］. 北京: 北京师范大学出版社, 2012.
[33] 朱小蔓, 梅仲荪. 儿童情感发展与教育［M］. 南京: 江苏教育出版社, 1998.
[34] 雅斯贝尔斯. 什么是教育［M］. 邹进, 译. 北京: 生活・读书・新知三联书店, 1991.
[35] 金生鈜. 理解与教育: 走向哲学解释学的教育哲学导论［M］. 北京: 教育科学出版社, 1997.
[36] 檀传宝. 德育美学观［M］. 太原: 山西教育出版社, 1996.
[37] 梁允胜. 美丽的德育在课堂: 中学阶段欣赏型德育教学模式研究［M］. 合肥: 安徽教育出版社, 2006.
[38] 檀传宝. 德育原理［M］. 北京: 北京师范大学出版社, 2007.
[39] 檀传宝. 让德育成为美丽的风景: 欣赏型德育模式的理念与操作［M］. 合肥: 安徽教育出版社, 2006.
[40] 丁安廉, 杨茹. 美丽的德育在课堂: 小学阶段欣赏型德育教学模式研究［M］. 合肥: 安徽教育出版社, 2006.
[41] 杜时忠. 人文教育与制度德育［M］. 合肥: 安徽教育出版社, 2012.
[42] 冯永刚. 制度道德教育论［M］. 北京: 北京师范大学出版社, 2011.
[43] 鲁洁. 德育社会学［M］. 福州: 福建教育出版社, 1998.
[44] 刘超良. 制度德育论［M］. 武汉: 湖北教育出版社, 2007.
[45] 杜时忠. 重构学校制度生活 培养现代公民精神［M］. 武汉: 华中师范大学出版社, 2016.
[46] 杜时忠. 德育十论［M］. 哈尔滨: 黑龙江教育出版社, 2002.

[47] 联合国教科文组织国际教育发展委员会 . 学会生存 [M] . 北京 : 教育科学出版社 , 1996.
[48] 石中英 . 教育哲学 [M] . 北京 : 北京师范大学出版社 , 2007.
[49] 鲁洁 . 超越与创新 [M] . 北京 : 人民教育出版社 , 2001.
[50] 焦国成 . 公民道德论 [M] . 北京 : 人民教育出版社 , 2004.
[51] 路琴 . 公民道德教育与社会价值观构建研究 [M] . 长春 : 吉林人民出版社 , 2011.
[52] 秦树理 . 公民道德导论 [M] . 郑州大学出版社 , 2008.
[53] 费孝通 . 乡土中国 [M] . 北京 : 北京大学出版社 , 2012.
[54] 蔡元培 . 蔡元培全集 [M] . 北京 : 中华书局 , 1959.
[55] 田慧生 . 活动教育引论 [M] . 北京 : 教育科学出版社 , 2000.
[56] 戚万学 . 活动道德教育论 [M] . 天津 : 南开大学出版社 , 1994.
[57] 宋宁娜 . 活动教学论 [M] . 南京 : 江苏教育出版社 , 1996.
[58] 但武刚 . 活动教育的理论与方法 [M] . 武汉 : 华中师范大学出版社 , 2005.
[59] 班华 . 现代德育论 [M] . 安徽 : 安徽人民出版社 , 2001.
[60] 刘克兰 . 教学论 [M] . 重庆 : 西南师范大学出版社 , 1988.
[61] 李秉德 . 教学论 [M] . 北京 : 人民教育出版社 , 1991.
[62] 朱小蔓 . 中小学德育专题 [M] . 南京 : 南京师范大学出版社 , 2002.
[63] 王一川 . 审美体验论 [M] . 百花文艺出版社 , 1992.
[64] 裴娣娜 , 等 . 发展性教学论 [M] . 沈阳 : 辽宁人民出版社 , 1998.
[65] 刘惊铎 . 道德体验论 [M] . 北京 : 人民教育出版社 , 2003.
[66] 陶行知 . 陶行知全集 [M] . 成都 : 四川教育出版社 , 2005.
[67] 冯建军 , 等 . 生命化教育 [M] . 北京 : 教育科学出版社 , 2007.
[68] 叶飞 . 公共交往与公民教育 [M] . 北京 : 人民出版社 , 2014.
[69] 刘慧 . 生命德育论 [M] . 北京 : 人民教育出版社 , 2005.
[70] 朱小蔓 . 中国生命教育发展蓝皮书 (2015) [M] . 长春 : 东北师范大学出版社 , 2016.
[71] 胡守棻 . 德育原理 [M] . 北京 : 北京师范大学出版社 , 1989.
[72] 张忠华 . 德育基本理论研究 30 年 :1978—2008 [M] . 哈尔滨 : 黑龙江人民出版社 , 2010.
[73] 金耀基 . 从传统到现代 [M] . 北京 : 中国人民大学出版社 , 1999.
[74] 罗伯特 · 纳什 . 德性的探询 : 关于品德教育的道德对话 [M] . 李菲 , 译 . 北京 : 教育科学出版社 , 2007.
[75] 詹姆斯 · 波特 . 媒介素养 ( 第四版 ) [M] . 李德刚 , 等译 . 北京 : 清华大学出版社 , 2012.
[76] 维克托·迈尔 – 舍恩伯格 . 大数据时代 : 生活、工作与思维的大变革[M]. 盛杨燕 , 周涛 , 译 . 杭州 : 浙江人民出版社 , 2013.

[77] 桑尼尔·索雷斯 . 大数据治理 [M]. 匡斌 , 译 . 北京 : 清华大学出版社 , 2014.
[78] 张翠芹 . 陈鹤琴的“活教育”思想及其对当今幼儿教育的启示 [D]. 南京 : 南京师范大学 , 2007.
[79] 王泽楠 . 道德相对主义研究 [D]. 昆明 : 云南财经大学 , 2013.
[80] 刘惊铎 . 道德体验论 [D]. 南京 : 南京师范大学 , 2002.
[81] 刘超良 . 制度德育论 [D]. 武汉 : 华中师范大学 , 2006.
[82] 谈心 . 制度德育初探 [D]. 长沙 : 湖南师范大学 , 2007.
[83] 张刚要 , 李艺 . 教育回归生活世界 : 技术具身性的启示 [J]. 当代教育科学 , 2017 (1) : 7 − 11.
[84] 鲁洁 . 做成一个人 : 道德教育的根本指向 [J]. 教育研究 , 2007 (11) : 11 − 15.
[85] 张正江 , 陈菊恋 . 道德教育应重视培养“懂道德的人”: 生活德育背景下知性德育的出路 [J]. 教育理论与实践 , 2013 , 33 (25) : 45 − 50.
[86] 王晓丽 . 生活德育的兴起·局限和超越 [J]. 教育研究与实验 , 2012 (2) : 17 − 21.
[87] 唐汉卫 . 道德教育的生活目的论 [J]. 思想·理论·教育 , 2005 (19) : 40 − 43.
[88] 赵惜群 . 德育生活化路径新探 [J]. 马克思主义与现实 , 2008 (6) : 176 − 178.
[89] 高德胜 . 终身德育引论 [J]. 教育研究与实验 , 2003 (4) : 15 − 18.
[90] 孟建伟 . 教育与生活 : 关于“教育回归生活”的哲学思考[J]. 教育研究 , 2012 (3) : 12 − 17.
[91] 王夫营 , 谭培文 . 德育生活化究竟是何以可能的[J]. 广西社会科学 , 2017 (7) :201 − 205.
[92] 叶飞 . 道德生活的“四重”建构 : 论生活德育的生活根基的拓展 [J]. 江苏高教 , 2013 (4) : 97 − 100.
[93] 彭立群 . 海德格尔的“境域格式”概念解析 [J]. 复旦学报 ( 社会科学版 ) , 2010 (6) : 67 − 73.
[94] 鲁洁 . 生活·道德·道德教育 [J]. 教育研究 , 2012 (10) : 3 − 7.
[95] 李文阁 , 于召平 . 生活世界 : 人的自我生存之域 [J]. 求是学刊 , 2001 (1) : 25 − 31.
[96] 冯建军 . “德育与生活”之关系再思考 : 兼论“德育就是生活德育”[J]. 华中师范大学学报 ( 人文社会科学版 ) , 2012 (4) : 132 − 139.
[97] 鲁洁 . 道德教育的根本作为 : 引导生活的建构 [J]. 教育研究 , 2010 (6) : 3 − 8 + 29.
[98] 鲁洁 . 再论“品德与生活”、“品德与社会”向生活世界的回归 [J]. 教育研究与实验 , 2004 (4) : 1 − 2 + 7.
[99] 朱小蔓 , 其东 . 面对挑战 : 学校道德教育的调整与革新 [J]. 教育研究 , 2005 (3) : 3 − 12.
[100] 赵鑫 . 国外情感教育研究的进展与趋势评述 [J]. 比较教育研究 , 2013 (8) : 54 − 59.
[101] 王平 . 价值观育人的情感教育阐论 [J]. 教育研究 , 2020 (10) : 33 − 44.
[102] 李亚娟 . 从情感教育视角审视学校德育课程 : 基于 300 所学校德育课程文本的分析[J].

教育发展研究, 2019 (18) : 71 − 77.
[ 103 ] 王平, 朱小蔓. 建设情感文明: 当代学校教育的必然担当 [ J ]. 教育研究, 2015 (12) : 12 − 19.
[ 104 ] 朱小蔓, 王坤. 情感人文素养提升: 情感教育与生命教育的实践诉求 [ J ]. 教育研究与评论, 2017 (1) : 5 − 11.
[ 105 ] 朱小蔓. 育德是教育的灵魂　动情是德育的关键 [ J ]. 教育研究, 2000 (4) : 7 − 8.
[ 106 ] 娄雨. 伦常明察与道德教育的奠基: 舍勒价值现象学对道德教育的启示 [ J ]. 首都师范大学学报 ( 社会科学版 ), 2010 (4) : 63 − 69.
[ 107 ] 檀传宝, 徐承. 论"德—美育"的建构: 檀传宝教授访谈录[ J ]. 美育学刊, 2011 (2) : 6 − 17.
[ 108 ] 李吉林. 情境教育与德育 [ J ]. 中国德育, 2006 (9) : 5 − 9.
[ 109 ] 赵向华. 体验教育的理论与实践研究 [ J ]. 现代教育论丛, 2006 (6) : 19 − 21 + 41.
[ 110 ] 林有祥. 对 "和谐教育" 内涵与外延考辨 [ J ]. 求索, 2007 (4) : 153 − 154 + 51.
[ 111 ] 冯芸. 道德教育和谐发展: 道德教育功能实现的理想路径 [ J ]. 理论学刊, 2011 (7) : 84 − 86.
[ 112 ] 孔伟英. 德育美学: 德育个体享用实证探究 [ J ]. 江汉论坛, 2007 (1) : 42 − 44.
[ 113 ] 郭柏春, 尹玉英. 德育与审美: 主客体关系及作用[ J ]. 教育评论, 1999 (2) : 33 − 34 + 44.
[ 114 ] 檀传宝. 提升生命质量的一项探索: "欣赏型德育模式" 的理论与实践 [ J ]. 中国德育, 2008 (6) : 10 − 14.
[ 115 ] 杜时忠. 制度德育研究的缘起与发展路向 [ J ]. 教育研究与实验, 2010 (1) : 23 − 25.
[ 116 ] 杜时忠. 制度德性与制度德育 [ J ]. 教育研究与实验, 2002 (1) : 38 − 43.
[ 118 ] 蔡春, 扈中平. 德性培育与制度教化: 论道德失范时期的道德教育 [ J ]. 华东师范大学学报 ( 教育科学版 ), 2002 (4) : 10 − 20 + 54.
[ 119 ] 刘超良, 杜时忠. 社会风气: 在制度德性的变革中转变 [ J ]. 高等教育研究, 2009 (4) : 20 − 24.
[ 120 ] 刘尧. 德育有多少功能: 与鲁洁教授商榷 [ J ]. 教育研究与实验, 1994 (4) : 35 − 37.
[ 121 ] 鲁洁. 道德教育: 一种超越 [ J ]. 中国教育学刊, 1994 (6) : 2 − 8.
[ 122 ] 鲁洁. 道德教育的期待: 人之自我超越 [ J ]. 高等教育研究, 2008 (9) : 1 − 6.
[ 123 ] 鲁洁. 试论德育之个体享用性功能 [ J ]. 教育研究, 1994 (6) : 46 − 47.
[ 124 ] 鲁洁. 试述德育的自然性功能 [ J ]. 教育研究与实验, 1994 (2) : 13 − 14.
[ 125 ] 鲁洁. 再议德育之享用功能: 兼答刘尧同志的"商榷"[ J ]. 教育研究, 1995 (6) : 27 − 31.
[ 126 ] 杜时忠, 张添翼. 三论制度何以育德 [ J ]. 教育学报, 2020, 16 (4) : 20 − 29.
[ 127 ] 余雅风. 公共性: 学校制度变革的基本价值 [ J ]. 教育研究, 2005 (4) : 22 − 24 + 84.

[128] 卢旭，李云．引导学生参与学校德育制度建构［J］．教育研究与实验，2013（1）：26－29.
[129] 檀传宝．论“公民”概念的特殊性与普适性：兼论公民教育概念的基本内涵［J］．教育研究，2010（5）：17－22.
[130] 余维武．公民教育与公民道德教育：对当前我国公民教育与公民道德教育的一种解读［J］．思想理论教育，2005（7）：89－92.
[131] 曹辉．公民道德教育的三个基本理念［J］．中国教育学刊，2005（7）：29－31＋40.
[132] 李建华．权利意识：公民道德教育的核心［J］．现代大学教育，2002（3）：23－24.
[133] 戚万学．中国公民社会的成长和公民道德教育的使命[J]．教育研究，2015（11）：14－19.
[134] 万明钢．论公民教育［J］．教育研究，2003（9）：37－43.
[135] 叶飞．当代道德教育与“公共人”的培育［J］．南京社会科学，2020（8）：146－151.
[136] 叶飞．公民身份认同与公民教育理念的嬗变［J］．高等教育研究，2011（3）：17－22.
[137] 叶飞．回归本体价值的德育评价改革［J］．南京社会科学，2022（1）：147－154.
[138] 叶飞．德育理论的中国探索与转型之路（1949—2019）［J］．南京师大学报（社会科学版），2019（4）：27－39.
[139] 戚万学．活动道德教育模式的理论构想［J］．教育研究，1999（6）：69－76.
[140] 杨怀祥．构建活动德育模式，实现德育中“人”的回归［J］．教学与管理（理论版），2007（3）：25－26.
[141] 戚万学．活动课程：道德教育的主导性课程［J］．课程·教材·教法，2003（8）：42－47.
[142] 季爱民．我国德育模式研究的现状与趋势［J］．武汉大学学报（人文科学版），2006（1）：119－123.
[143] 张金华，叶磊．体验式教学研究综述［J］．黑龙江高教研究，2010（6）：143－145.
[144] 沈建．体验性：学生主体参与的一个重要维度［J］．中国教育学刊，2001（2）：42－44.
[145] 叶澜．让课堂焕发出生命活力［J］．河南教育，2002（3）：1.
[146] 钟启泉．“整体教育”思潮的基本观点［J］．全球教育展望，2001，30（9）：11－18.
[147] 冯建军．“德育与生活”关系之再思考：兼论“德育就是生活德育”［J］．华中师范大学学报（人文社会科学版），2012（4）：132－139.
[148] 檀传宝，班建武．实然与应然：德育回归生活世界的两个向度［J］．教育研究与实验，2007（2）：1－4＋125.
[149] 刘铁芳．面向生活 引导生活：回归生活的德育内涵与策略［J］．教育科学研究，2004（8）：48－51.
[150] 杨思平．生命道德教育及其伦理建构［J］．继续教育研究，2009（5）：176－177.
[151] 刘济良．生命体验：道德教育的意蕴所在［J］．教育研究，2006（1）：27－30.

[152] 肖川. 主体性道德人格教育:概念与特征[J]. 北京师范大学学报(社会科学版), 1999(3): 23-28.
[153] 冯建军. 生命道德教育的提出及其内涵[J]. 现代教育论丛, 2003(6): 8-11.
[154] 刘慧. 生死教育:学校生命道德教育中的重要之维[J]. 教育研究与实验, 2003(2): 31-34.
[155] 程红艳. 生命与道德:兼从生命的角度谈道德教育[J]. 教育理论与实践, 2002, 22(3): 56-60.
[156] 朱永新. 新教育实验二十年:回顾・总结与展望[J]. 华东师范大学学报(教育科学版), 2021(11): 1-44.
[157] 杜玉银. "三生教育"的实践探索与思考[J]. 昆明学院学报, 2009(2): 1-4.
[158] 冯建军. 主体教育理论:从主体性到主体间性[J]. 华中师范大学学报(人文社会科学版), 2006(1): 115-121.
[159] 沈召前. 新型主体性德育模式的构建与实践[J]. 南京社会科学, 2010(11): 128-133.
[160] 李爱君, 段国华. 主体性德育浅析[J]. 河北大学学报(哲学社会科学版), 2006(3): 99-103.
[161] 陆有铨, 戚万学. 关于我国道德教育的几点思考[J]. 华东师范大学学报(教育科学版), 1990(2): 11-19.
[162] 张晓红. 试论主体性德育[J]. 现代教育科学, 2010(6): 18-20.
[163] 孙秀玲. 论高校主体性德育模式的理念与特征[J]. 新疆师范大学学报(哲学社会科学版), 2003(1): 153-157.
[164] 王小燕. 主体性德育的哲学思考[J]. 江汉论坛, 2004(6): 55-58.
[165] 檀传宝. 主体性德育:欣赏型德育模式论要[J]. 深圳教育学院学报(综合版), 1999(1): 13-17+120.
[166] 刘要悟, 柴楠. 从主体性、主体间性到他者性:教学交往的范式转型[J]. 教育研究, 2015(2): 102-109.
[167] 王鹏. 主体间性师生关系的建构:学校德育困境的现实转向[J]. 教育探索, 2011(1): 123-124.
[168] 吴岳军. 主体间性:建构现代德育师生关系的价值取向[J]. 教育学术月刊, 2010(1): 32-34.
[169] 赵欢春. 论主体间性德育[J]. 江苏教育学院学报(社会科学版), 2008(5): 26-28.
[170] 冯建军. 教育现代性的反思与批判[J]. 南京师大学报(社会科学版), 2004(4): 69-74.
[171] 陈伟祥. 多元文化环境下的主体性德育实践[J]. 教学与管理, 2019(30): 35-37.
[172] 余玲芝. 学校德育对话的特征和途径[J]. 教育科学研究, 2010(11): 54-57+62.

[173] 李来新 ."对话式德育"的认识和实践 [J] . 基础教育参考 , 2011 (17) : 56 − 57.
[174] 杜时忠 , 孙银光 , 程红艳 . 德育研究 70 年 : 回顾与前瞻 [J] . 教育研究 , 2019 (10) : 17 − 26.
[175] 孙玲 , 唐爱民 . 试论"广义狭义式"德育概念界定的逻辑纰漏 [J] . 当代教育科学 , 2013 (15) : 10 − 12.
[176] 李道仁 . 德育本质问题的探讨 [J] . 华中师院学报 ( 哲学社会科学版 ) , 1982 (6) : 105 − 110.
[177] 檀传宝 . 德育功能简论 [J] . 中国教育学刊 , 1999 (5) : 8 − 12.
[178] 张忠华 . 我国新时期德育方法的研究与反思 [J] . 教育学术月刊 , 2010 (4) : 55 − 59.
[179] 祖嘉合 . 德育研究中的基本概念辨析 [J] . 北京教育 ( 德育 ) , 2011 (3) : 10 − 13.
[180] 冯建军 ."德育一体化"议 [J] . 北京教育 ( 普教版 ) , 2021 (7) : 30 − 31.
[181] 叶飞 , 檀传宝 . 德育一体化建设的理念基础与实践路径 [J] . 教育研究 , 2020 (7) : 50 − 61.
[182] 叶飞 . 公共治理视角下德育课程一体化的理论构建 [J] . 课程 · 教材 · 教法 , 2021 (3) : 62 − 68.
[183] 赵小鸣 . 德育一体化的文化内涵 [J] . 深圳大学学报 ( 人文社会科学版 ) , 2000 (5) : 63 − 67.
[184] 谢宇 , 吴晓云 ."大中小学德育一体化教材研究实践研讨会"会议综述 [J] . 思想政治课教学 , 2021 (11) : 95 − 96.
[185] 叶飞 . 学校德育的经典"缺位"及其表现 [J] . 中国教育学刊 , 2011 (4) : 80 − 83.
[186] 牛鸿英 . 文化视野中的主体性建构 : 对中国青少年媒介素养教育本土化的思考 [J] . 新闻知识 , 2010 (1) : 33 − 35.
[187] 彭颜红 . 论当代大学生道德教育传播载体的创新 [J] . 思想理论教育导刊 , 2011 (2) : 92 − 95.
[188] 颜青山 . 虚拟品质与道德教育 : 兼论基于虚拟现实之道德教育的可能性 [J] . 伦理学研究 , 2016 (2) : 109 − 116.
[189] 骆郁廷 , 方萍 . 论新媒体时代的寓教于乐 [J] . 思想教育研究 , 2017 (3) : 3 − 9.
[190] 李涛 , 闫成俭 . 全媒体融合视域下高校思想政治教育创新路径探析 [J] . 思想理论教育导刊 , 2019 (5) : 133 − 137.
[191] 刘莲莲 . 新媒介素养教育的理念、体系与格局 [J] . 传媒 , 2019 (17) : 83 − 85.
[192] 郭丽萍 . 论大学生新媒体素养对思想政治教育的影响 [J] . 国家教育行政学院学报 , 2012 (6) : 64 − 67.
[193] 李卫东 . 媒介素养 : 网络道德问题出路新探 [J] . 中国高等教育 , 2007 (19) : 27 − 29.

[194] 朱孔洋 . 德育视域青少年媒介素养教育的内涵、价值与策略 [J] . 思想理论教育 , 2012 (18) : 4 − 8.

[195] 唐凯麟 , 李诗悦 . 大数据隐私伦理问题研究 [J] . 伦理学研究 , 2016 (6) : 102 − 106.

[196] 邹太龙 , 刘天琪 . 大数据支持下学校德育评价的时代转向及其反拨机制 [J] . 中国教育学刊 , 2021 (12) : 91 − 97.

[197] 邹太龙 , 易连云 . 大数据时代学校德育面临的危机及应对策略 [J] . 中国教育学刊 , 2017 (4) : 81 − 86.

[198] 唐汉卫 , 刘金松 . 论德育过程中教师的数据智慧 [J] . 教育科学 , 2018 (6) : 19 − 24.

[199] 季海菊 . "生态人" 的当代意义及其德性培育 [J] . 南京社会科学 , 2016 (7) : 133 − 139.

[200] 曾妮 , 班建武 . 生态公民的内涵及其培育 [J] . 教育学报 , 2015 (3) : 12 − 18.

[201] 程建平 . 德育模式论 [J] . 黑龙江社会科学 , 2005 (5) : 133 − 137.

[202] 刘霞 . 培养生态公民 : 建设生态文明的教育担当 [J] . 教育发展研究 , 2019 (12) : 25 − 30 + 36.

[203] 黄爱宝 . 生态型政府构建与生态公民养成的互动方式 [J] . 南京社会科学 , 2007 (5) : 79 − 85.

# 后　记

虽然近些年来我一直从事德育原理的教学和科研工作，担任过德育原理、中外德育思想流派等本科生、研究生课程的教学工作，但是一直没有系统地撰写过关于当代德育理论研究进展的学术著作。早些年，曾经写过一两篇关于改革开放以来的德育理论发展脉络的学术论文，但是都是比较粗线条地描画德育理论研究的大致进展，并没有特别细致地、全景式地观照德育理论研究的整体发展进程。因此，推进这项研究工作，有助于我在前期思考、探索的基础上继续深化和拓展该主题的研究，更全面地梳理这数十年来德育理论研究的发展脉络和最新变化。这对我来说是一段非常难得和宝贵的研究经历。

特别感谢“中国德育研究大系”丛书主编檀传宝教授、杜时忠教授。他们的邀请，使我有机会就这个自己一直很感兴趣但也一直没有机会去做的研究主题展开学术探索工作。他们给予了我三年的比较宽松的时间来进行思考、探究和撰稿工作，最终顺利地完成了这部书稿。两位主编不辞辛劳，多次组织了整个丛书编写团队的集中性的学术研讨活动，使大家能够坐在一起展开充分的学术对话和研讨，相互之间形成了深度的学术交流和思想碰撞，促进了学术思想的拓展深化和研究水平的提高。这些学术研讨帮助丛书的每一位作者更好地梳理了书稿的核心主题，搭建了书稿的框架结构。这无疑是莫大的支持和帮助！正是在两位主编的支持下，本书才得以顺利完成，由衷地感谢两位主编的辛勤付出！

同时，也非常感谢湖北教育出版社提供的出版机会，感谢出版社各位领导和编辑同志的大力支持，如果没有出版社的支持，相信本书的编撰成书将比现在要困难得多。还要特别感谢本书的责任编辑李晋阳老师，在这三年的时间里，与李老师围绕着书稿的撰写工作进行了多次交流，李老师的敬业态度让我非常感动。同时，在这三年时间里，因为教学、科研、社会服务等各项事务的牵绊，书稿的进展曾经一度比较缓慢。李老师给予了我充分的信任，同时也给予了我很多的鼓励和支持。我们的合作非常愉快，感谢李老师的倾力付出！

本书是团队研究的成果，由叶飞主持整个书稿的撰写工作，拟出整体框架以后，分工合作完成书稿。具体分工如下：导论、第一章由叶飞撰写，第二章、第五章由王苇琪撰写，第三章、第七章由毛忠维撰写，第四章、第六章由梁潇撰写，第八章由李春慧撰写，第九章由苗双双撰写。全书最后由叶飞负责统稿、定稿。非常感谢研究团队的辛苦付出，没有他们认真负责、刻苦钻研的学术态度和研究精神，本书不可能如此顺利地完成。

由于学识和水平有限，本书难免存在着一些纰漏和不足，希望能够得到学界前辈、同行和读者的批评指正，以便我们修正和完善。后续我们也将继续推进该主题的研究工作，也恳请各位同仁提出宝贵的意见，推动我们继续做好这方面的研究。

叶飞

2023 年 7 月 15 日